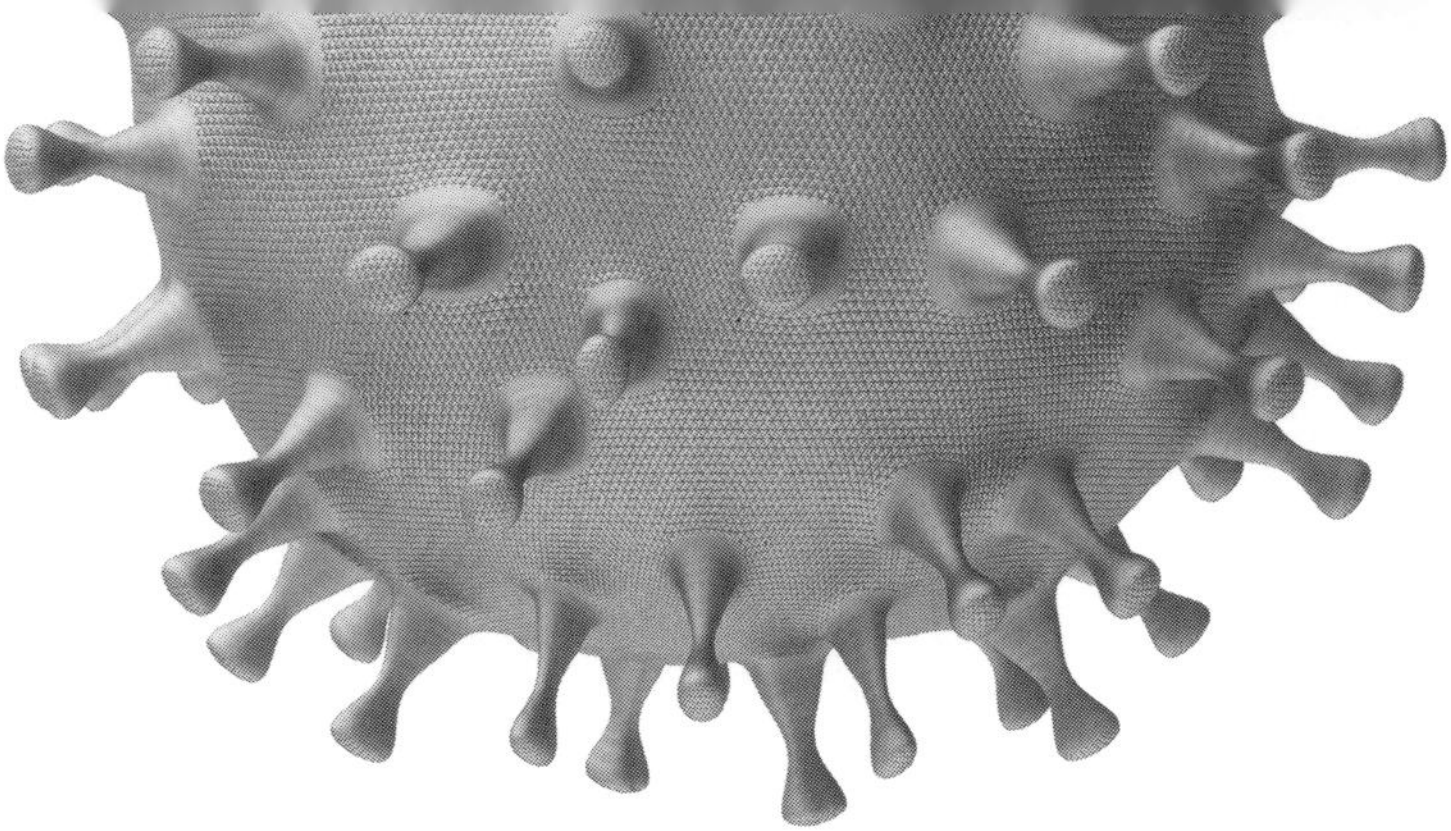

決して終わらない？

コロナパンデミック
未来丸わかり
大全

ENDGAME The Hidden Agenda 21

ヴァーノン・コールマン
Vernon Coleman
内海聡［監修・解説］
田元明日菜［訳］

ヒカルランド

〔監修・解説〕サノスの意図とヒーローたちの傲慢とエンドゲーム

私がヒカルランド発刊の著書に関して、監修として解説を書くのはおそらく3冊目である。デーヴィッド・アイク、グレッグ・ハレット、そしてヴァーノン・コールマンと続く。それぞれ陰謀論業界ではなじみある名前ばかりであり、陰謀論をダメ扱いしながらこれらの監修に名前を添えている自分に、皮肉を感じざるを得ないところである。

本書は原題『エンドゲーム』(*Endgame: The Hidden Agenda 21*)というタイトルが少しわかりづらい。おそらくゲームを終わらせようという意図だと思うのだが、「エンドゲーム」と言われても私にはマーベル映画の集大成だった、アベンジャーズとサノスが戦うあの映画『アベンジャーズ／エンドゲーム』(2019年)しか思い出すことができない。そしてマーベルと言えば陰謀論界隈では一番有名な会社であり、いわゆる「彼ら」の思想を映画の中に反映している筆頭会社である。

この本はいわゆる陰謀論の基本、初歩を学ぶ上ではうってつけの本であろう。本といってもどちらかというと辞書の構成になっている。接頭語から意味を引けるような構成になっていて、我々が学んできた単語や用語の解説が並んでおり、初心者が理解しやすい内容となっている。といっても、文章には物語性がないため、調べ物には都合は良いがずっと読み続けられるかと言えば疑問かもしれない。

たしかに読んでいると飽きてしまうので、私は自分の意見と同じところ、違うところ、大いに同意できるところと同意できないところを探しながら読んでいた。項目だけ見ながら読んでいても次のページに進めば忘れてしまうものだ。よくあることだが、外国の書物を読んでも抑揚がなく、同じ調子の繰り返しに感じてしまうというやつである。考えてみればグレッグ・ハレットの『ヒトラーは英国スパイだった！』もそのような本である。

だから上記のような意図をもって読んでみたのだが、まずは同意できるところ、ほめていいところから書いてみよう。まず歴史的な考察を入れようと努力しているところが良いと思う。ヒカルランドで玉蔵氏と対談した『コロナパンデミックの奥底』でも述べたが、陰謀論は陰謀論として語っている限り、社会考察には結びつかない。すべて財閥や金持ちのせいにするだけで終わってしまう貧弱な考え方となるからだ。

その点本書は用語説明書でありながら、要所で歴史的考察を加えている。これは基礎を学ぶ上では都合がよいと思う。しかしその歴史は近代史中心でしかないため、『コロナパンデミックの奥底』のコンセプトが入っていないといえるだろう。陰謀論的社会構造は近代史によって決まるのではなく、数千年の歴史によって生み出されたものであり、人類の本質であることから話を始めないといけない。

ヴィーガン（完全菜食主義）のウソ、キャンセルカルチャー（ネット上での糾弾）、現代貨幣理論（MMT理論）、慈善運動、積極的差別（いわゆる逆差別）、について否定的に述べているところは好感がもてる。これらについては日本で語ることはもはや不可能である。文字面しか読めない日本人はこれらの正義を信じて疑わず、むしろ陰謀論にアンテナを張っているものほどそういう傾向が強いが、これらはすべて「彼ら」が意図をもって広めているものでしかない。

私は〝自称目覚めた系〟の相手に疲れたので語らなくなったが、著者のコールマンは叩かれるのを承知で書いているのであろう。コロナについては検閲されているため、別の話題で問題認識を深める必要があるのかもしれない。とにかくヴィーガンは「大金持ち」たちが広めようとしている罠であり、キャンセルカルチャーや積極的差別も慈善運動の罠に近い。これまで差別されてきたものたちを強く優遇しすぎることで、さらに差別心を助長させるわけだ。

本来差別反対などというものは、どれが良いとか悪いとか扱うものではなく、特に意識しない状態こそ定義に沿うものなのに、権利の主張が肥大化して止まらなくなっている。その結果

ＬＧＢＴ一つとっても通常の性の人がすべてを譲ったり、プロスポーツなどでは肉体の違いも無視して競技が行われ議論のタネになっている。これらはすべて争いと自己正義を満たさせるためであり、悪魔崇拝（男女両性具有）の実践であり、貧民がまとまらないようにするためのものだ。

二酸化炭素詐欺のウソについて書いているのは常識であろうが、代替エネルギーの解釈については浅すぎると思った。風が吹かない風車、日が照らない太陽光と批判を並べており、この批判はわからなくもないが代替エネルギー技術の先端はそんなに甘いものではない。メガソーラーの土壌汚染は別の問題として、水力も含めてこれらの基本は小（省ではない）電力機構の開発だ。資金少なく様々な場所で使える技術が生み出されているので、それを話題にしないと片手落ちと言わざるを得ない。

まだ普及しているとはいいがたいが、それは宣伝や認知がされていないからだ。私はそのような会社を何個も知っているが、大手の代替エネルギー事業と同じではないし、最終結論が化石燃料電気に戻るようでは、お粗末と言われてもしょうがないのではなかろうか。

もう一つ、これは本書だけではないのだが、陰謀論系の書物全体において、考え方の根本に重要な問題がある。そういうことに関してしっかり書かれた陰謀論系の本を私は見たことがない。だから世の中が「今の状況」なのだと理解できるし、陰謀論など市民が知ったところで何も変わらないことが確信できる。それは情報というよりは哲学的な要素であり、人間学的な要素であり、スピのようなお花畑ではない真の意味での精神的学問の要素である。

この本を読んでいる人は陰謀論に興味があったり夢中になっている人だろう。だからこの問題を決して認識できないことは知っている。それでも書くならば、陰謀論系の書物、そして陰謀論に夢中になっている人に最も欠けているものとは、人間の本質について考えるという力であり、情報マニアにしかなっていない自分への回顧であり、被害者意識に囚われている自分であり、人間は正しいという価値観にまみれているだけの押し付け思考なのだ。

この本もふたを開ければ、「彼らの策略」「彼らの陰謀」「彼らの傲慢」と書いているが、仮に貧民が彼らの立場に立ったら、100％確実に彼らと同じことをするであろう。そもそも貧民たちも自分たちの家で〝ロックフェラーごっこ〟をやっている。誰か（伴侶や子どもや仕事関係）にマウントを取り誰かを支配して、同じ三角形の構図を築くことしか頭にない。その思想でいる間は陰謀論で言う「彼ら」に太刀打ちすることは決してできない。

陰謀論には宗教学でいうところの「人間の闇、心の闇」という価値観がないのだ。それらは「彼ら」だけが持っているものであり自分たちは持っていないという傲慢を働く。これらは人類全体が持っているものであり、だから私は虚無主義や性悪説や老荘思想や悪人正機を唱えるし、「彼ら」が人類を減らそうとする思想が理解できるのだ（選別は確かにウザいが）。詐欺師やお花畑ほど綺麗事を唱えるが、スピの連中が唱える綺麗事とキャンセルカルチャーや慈善運動の罠に何の本質的違いがあろうか。

実はこの話はある映画に続いている。そう、それが『アベンジャーズ／エンドゲーム』でありサノスの物語だ。サノスは宇宙の人口を半分に減らすために暗躍している悪の帝王だが、悪の帝王の苦悩に関する精神描写が、映画の大ヒットにつながったと評価されている。アベンジャーズはそれを倒す地球のヒーローとして扱われているが、いつもマウントの取り合いをして、いつも支配欲に縛られて、いつもサノスの地位を目指している。いつも場当たり的でいつも正義ヅラしていつも被害者意識に縛られている。

この精神を持ち続けている限り、富裕層がより富裕になり貧民層がより貧民になる構図は変わらないだろう。これは人類全体の問題であり、宗教学的に言えば人間の原罪であり、文明と文化こそが生み出したものであり、宗教と所有制が生み出したものであり、農耕が生み出したものであり、貴族奴隷制が生み出したものである。私は先住民をいつも意識しているが、このどれもが先住民にはないものであり、どこかの歴史のタイミングで変わってしまったものである。

我々は先住民にはなれない。だが学ぶべき思想はたくさんあるのだ。我々は生物だということを忘れてしまっている。野生動物の世界にもお金はなく人間の貴族と奴隷ほどの階級もない。人間ほどの支配欲もなく、人間ほどの所有制もなく、人間ほどの農耕もなく、そもそもヒューマニズム的なものが存在しない。陰謀論はそれとは対極に位置する疑似正義論であって、その精神性を手放すことができない限り、これから先もずっと陰謀論＝キワモノの被害者意識と認識されていくであろう。

あなたがその「ネットの中の疑似正義論」を手放すことを願って。

内海《うつみ》　聡《さとる》

カバーデザイン　重原隆
翻訳協力　石井桂子／小林敦／須藤多恵／平澤貴大
本文仮名書体　文麗仮名（キャップス）

アントワネットへ捧ぐ。
君は私の宝で、
インスピレーション、
真の愛、
生きる目的だ。
いつも、どんなときも。

Endgame : The Hidden Agend 21

目次

第2章　すでに決定済み？／世界の未来図A to Z

C

D

E

F

G

H

I

J

K

P

Q

R

S

T

Z

第3章　グレート・リセットから未来を救う

序章　先回りして未来を覗く！

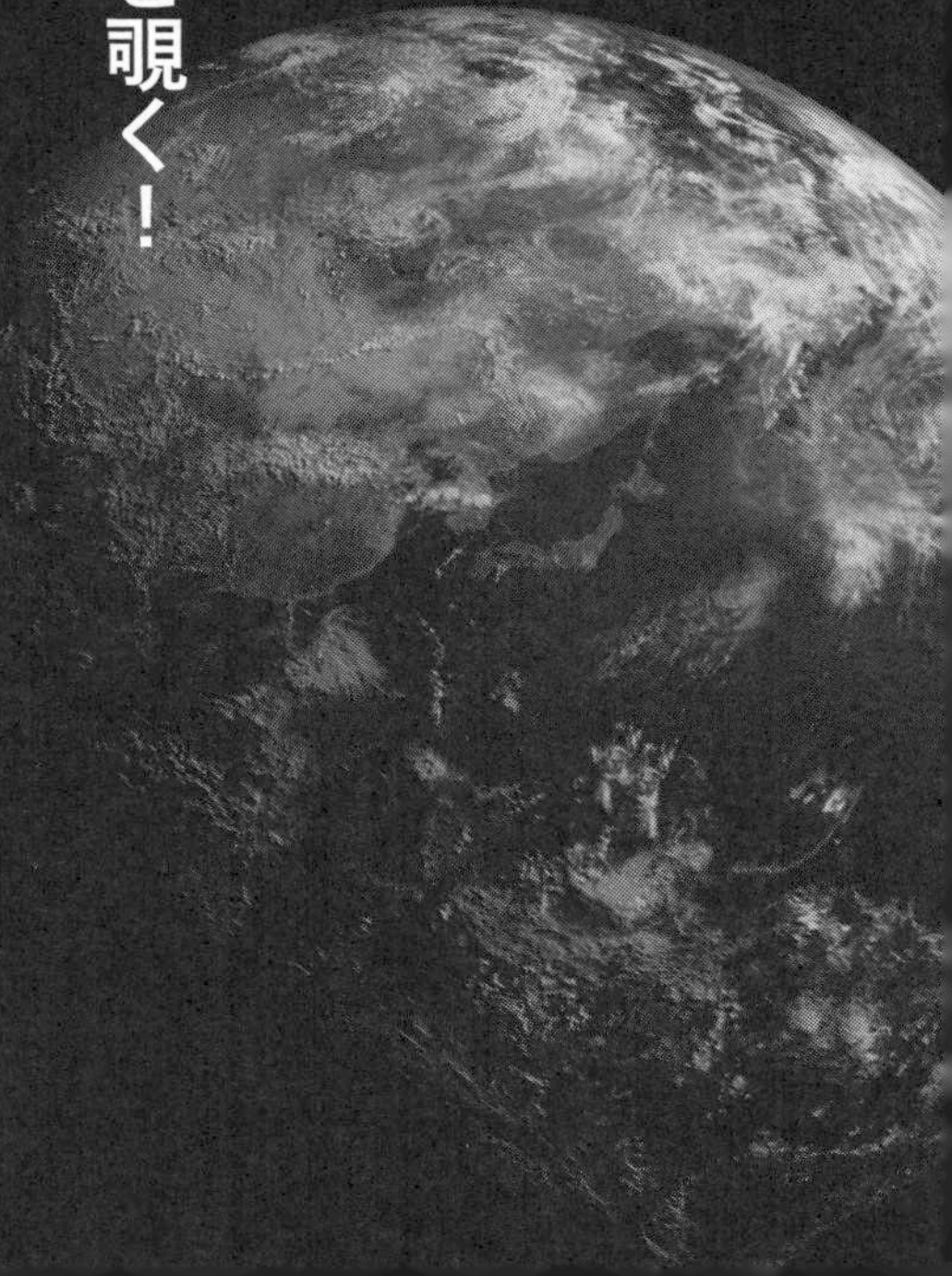

奴らに後れをとるな！　今こそ未来を覗け

本書は未来について書かれている。厳密に言えば、国連、アジェンダ21の支持者、世界経済フォーラム、そしてグレート・リセットという目的に向かって私たちを「ニューノーマル」へと陥れたがっている人々が、私たちへ向けて考えた「未来」についての本だ。それゆえ、本書は歴史書ではなく、未来についての予測と結論を記している。２０２０年2月以降、私の予測は非常に正確だったことが判明している。この内容については、これまでに出版した本や記事、動画に記録されているので、ぜひともご参照いただきたい。

私は決意を固めたのだ。先を見越すべき時が来たのだと。何十年にもわたって計画されてきた企みのことはすでにわかっている。その内容に基づいて、予想される未来と、例の計画が近い将来の生活に及ぼす影響を記そうではないか。

すでに人々の間で受け入れられている不条理な規則や規制は、永久に存在し続ける。それは最初から明白なことだった。予防接種が登場したところで、既存の規制が変わることはない。言い訳なんて簡単に想像がつく。「予防接種を受けても、１００％安全とは断言できない」、「十分な人数が予防接種を受けておらず、コミュニティ全体を守りきれるとは言えない」、「ウイルスは突然変異する」、「徐々に効き目が薄れていくので、定期的に打ち続ける必要がある」、「全員を守れる量の予防接種を製造するのは不可能だ」といったところだろう。検査プログラムの回数は増え、検査結果は新たに大量の規制を正当化するダシに使われるだろう。

私たち国民にできることは何もないし、新たな支配者が世界を統治していることを受け入れるしかない。これはもはや風刺ではなく、現実の話だ。2020年10月にウェールズ自治政府は、生活必需品以外の商品の規制に踏みきった（なんと衣類、やかん、トースター、女性用生理用品も規制の対象に入っていた）。賢い人であれば、おそらくあのときから、世の中が以前のような状態には戻らないことに気づいていたことだろう。ある政治家は、禁止令を擁護し、「新しい服を買う予定はまったくない」と釈明していた。暗に「皆さんは、なぜ買うのですか？」とでも言っているかのようだった。

当面の狙いは私たちを打ちのめし、困惑させ、怖がらせ、森どころか木も見えなくさせるために、半ば強制的に私たちのエネルギーを木の葉に注がせることである。つまり、状況の全体像に目を向けさせず、目先のことだけに集中させたいのだ。私たちがなんとか生活を営み、日常の問題に対処し、じわじわと生活が支配されていっている状況に目を瞑《つむ》っていたその間に、彼らは長い長い時間をかけて計画を進めていたのだ。私たちの人間性・自由・民主主義・未来は、史上最大の脅威にさらされている。

私たちは故意に疲弊させられている。私たちを支配し、自分たちが構想する世界へとシフトしていく準備をさせるために、権力者たちはかつてないほどの恐怖を生み出し、規制や上っ面だけの法律を駆使しているのだ。

彼らは歴史のあらゆる側面や、ありとあらゆる構造的な障壁を取り除こうとしている。クレジットカード、現金、仕事、プライバシー、（ご存知のように）医療、民主主義など、何もかもを排除しようとしているのだ。

これは人類に対して周到に計画された犯罪である。

今から伝える話は、信じられないような類のものであるかもしれないが、弁解するつもりはない。本書に書かれている予測において、私の想像力によって考え出された内容は1つもない。信じ難いことだが、2020年以来、世界をひっくり返している事件は、入念に組み立てられ、練り上げられ、引き起こされたものなのである。

そう、あらゆる出来事が、意図的に引き起こされていたのだ。

2020年のはじめから終わりまで、私たちは戦いに後れをとっていた。追いつこうと走っても、決して追いつけなかった。今こそ、彼らの先回りをして、未来を覗くときだ。

邪悪な銀行家の支配から、今こそ立ち上がろう

権力を持った（極度の）うぬぼれ屋どもやサイコパスどもは、何世紀にもわたり世界政府を設立したがってきた。もちろん、自分たちで世界政府を牛耳りたいという考えだ。今さら驚くほどのことではないが、彼らは、民主主義のような煩わしいことに悩まされることなく、お偉い死刑執行人と大官を兼ねた存在であるかのように振る舞い、地球全体を自分たちの領地として支配している。

言うまでもなく、すべては金と権力が目的だ。彼らは、原始的としか言いようのない願望をナンセンスな振る舞いで飾り立てている（気候変動の脅威は、彼らの計画を社会に受け入れさせるための武器として取り入れられたものだ）。こうしたリーダーたちが正気かどうかは疑わしいところだが、やはり目的は金と権力だろう。

当然、彼らはそんな自分たちの野心を決して認めてはいない。公には、彼らの夢や陰謀は「この地球に生きるすべての人々、そして自分たちに比べて運・才能・権力・富に恵まれていないあらゆる人々のために、より良い世界を創り出していきたい」という、お菓子のように甘美な奉仕精神に覆い隠されている（もちろん、こんなの偽りの願いだ）。蓋《ふた》を開けると、その夢や

陰謀は、自己中心的で危険極まりないものだ。日和見主義者は、心から人々のためを思っているように見えても、実際のところは、隠された邪悪なアジェンダに従って動いているだけなのである。

権力に飢えたエリートたちがいかに完全な支配を切望してきたかは、歴史を遡《さかのぼ》ってみても明白である。このプロセスは、何世紀どころか何千年にもわたって進行しており、今日起こっているあらゆる出来事の起源は年月を遡ることで突き止められると信じている人たちもいる。アダムとイブも、ある種の世界政府のようなものの必要性について長ったらしい会話をしていたのではないか？　そんなことを時々思う。

しかし、本書が12巻という膨大な巻数になってしまうことは避けたいし、なんとか手頃な価格で入手でき、読者の皆さんが抵抗なく読めるようにしておきたい。そこで今回は、第二次世界大戦の終わりから話を始めることにした。すなわち、どこの国も殺し合いや戦いに疲弊しており、政界の日和見主義者たちが良かれと思って発案した仰々しい約束によって、近代的な世界制服への憧れが本格的に膨らみ始めていた時代以降の出来事である。この序章で紹介している話は第1章でももう少し詳細な肉付けをしている。

何世紀にもわたり、邪悪な輩は存在し続けている。その多くは銀行家で、個人的な理由で（…大部分が金儲けのために）世界政府を望んでおり、権力で市民を支配するために寝る間を惜しんで働き続けている。思うに、グローバル・リセットに向けた悪魔のような計画「ニューノーマル」の起源は1909年にまで遡る。この年に初めて「有利な戦いを長く続けていれば、人々なんて簡単に支配できる」という悪知恵が生まれた。ジョージ・オーウェルが『1984年』を世に出すよりもずっと前の話だ。

そこから、話は一気に1932年に飛ぶ。コロンビア大学の研究者たちが、新通貨にエネルギーを導入しようと思い付いた年だ。彼らは「テクノクラシー」を考えついた。テクノクラシーとは、「科学者たちが世界を支配すれば、はるかに良い世の中になる」という考え方である。テクノクラシーの支持者たちは、私有財産の廃止を求めた。同時に、学生たちが、〝皆よりも物事をわかっている人たち〟の選んだ仕事だけに従事するように、教育を変えたがった。作家のオルダス・ハクスリーが小説『すばらしい新世界』の着想を得たのは、この馬鹿げた風潮からである。

国連設立は、支配の原点

第二次世界大戦が終わった後、国連が設立された。現在起きていることの大部分は、そのときから始まった。国連の設立こそが、本当の始まりだったのだ。

そして、話は国連の設立後の1961年に飛ぶ。ケネディ政権内部関係者の面々が（大半はビルダーバーグ会議に参加していた）、「人々を支配下に置くために戦争を利用する」という昔ながらの考え方を掘り起こした年だ。しかし熟考の末、彼らはその考え方を思いもよらぬ方向へと発展させた。世界規模の大がかりな汚染問題をでっちあげ、世界中の市民を非難し、自分たちで落とし前をつけさせるよう強要しようとしたのだ。彼らはそれらのアイデアを極めてすばらしい策略だと考えた。

この話がどこに向かおうとしているかわかってきたとしたら、それは正しい。あなたの理解したとおりだ。

次なる大きな一歩は、1968年のローマクラブ設立だ。この組織のメンバーは国連理事や一流政治家、金持ちの実業家、政府の役人たちなど、さまざまな面々により構成されている。ローマクラブの話は後ほど詳述するとして、まずは大枠から解説していこう。

1971年、世界経済フォーラムが設立された（元々は「ヨーロッパ経営フォーラム」と呼ばれており、世界経済フォーラムという名称になったのは1987年のことである）。世界経済フォーラムは興味深い組織で、有名人たちが集まってお互いの頬《ほお》にキスをして、電話番号を交換するパーティーを年に1回ダボスで開いている。

1976年には、私たちにもお馴染みの「アジェンダ21」に向かっていく別の動きが起こった。

国連は、世界の土地を支配することや人口の抑制を決断した。もちろん、この地球と人類の幸せのためとされていた。でしゃばりかつ強欲で、権力に飢えた個人が集まって作ったこの計画は、個人の権利よりもコミュニティの権利に重きを置くものだった。この類の馬鹿げた考えはコミュニズム（communism「共産主義」）と呼ばれたものだが、新たな世界の支配者（になりたい奴ら）はコミュニタリアニズム（communitarianism「共同体主義」）という名前を考えついた。発音も綴《つづ》りもなんだか愉快である。

そこから、物事は急速に進んでいった。

1980年には「持続可能な開発」という考えを思いついた。この言葉は、人々、世界、環境、誠実さや尊重といったことを大切にしている人々を恐怖で震え上がらせているはずだ。

また、1983年には、全世界の市民を新世界の秩序に順応させるべく、委員会を設立した。

1987年には環境と開発に関する世界委員会（ブルントラント委員会という呼び名でも知られている）が国連に報告書を提出し、持続可能な開発を「将来の世代の欲求を満たしつつ、現在の人々の欲求も満足させるような開発」と定義づけた。

ニューヨークの国連本部

そのような定義を提示されて、いったい誰が反対するだろうか？

10年近くの間、国連はティーンエイジャーの少年がダンスをするときのように、どうすればうまくいくかを手探りで模索していた。それから1991年、アンテナを張っている人であれば覚えているだろうが、大衆を刺激し、注意を逸《そ》らす必要があるという判断をローマクラブが下した。そしてあれこれと模索した結果、完全なる想像力の欠如から、地球温暖化を考えついてしまったのだ。

人類全体を敵としたローマクラブ

『第一次地球革命』という本をローマクラブが出版したのは1991年のことだった。これは、事の始まりとも言える重要な出来事だった。というのも、世界の支配権を握るという野望の叶え方を国連に教えてしまったのは、この本に他ならないからだ。

本の中では「個々の国々はいつだって、敵がいることで士気が上がり、力をつけるものだ。そのことを、歴史が示している」と指摘している。政治的指導者が自国の問題から有権者たちの注意を逸らし、一致団結させるために（主に規模の小さい）戦争を始めるというのは、今に始まったことではない。ビル・クリントン元大統領は、性的不品行の問題に手を焼いていたときにこの手法を使った。マーガレット・サッチャー元英首相は、社会保障費の削減などにより人気が落ちていたとき、フォークランド諸島を占領したアルゼンチンに対して必要以上に大袈裟な対策を講じた。

「物事が難航しているときのリーダーはいつだって、世の中の注意を逸らしてくれる生贄《いけにえ》や、なんらかの敵の存在を求めるものだ」と、ローマクラブのメンバーであるこの本の著者たちは結論づけている。そして、生贄や標的になりそうな何かしらがなければ、それをでっちあげるのだ。政治的リーダーたちに権力と権威を、そして（無視できない副作用として）武器や兵器の製造業者たちや、こうした関連産業に存在意義や利益を与えてしまうのは、結局のところ〝敵〟の存在なのである。

「一致団結して立ち向かうための共通の敵を求めているうちに思いついたのは、汚染、地球温暖化、水不足、飢饉《ききん》などによる脅威が、求める条件を満たすということだった」と著者たちは本の中で述べている。

地球温暖化は19世紀から問題視されてきたが、重く受け止める環境保全専門家はごく少数しかいなかった。現実に迫っている危険とは言えず、あくまで理論上の問題という域を出ない。地球温暖化を心配するのは、ビクトリア朝の人たちが電熱パンツやフリルのついた小さなブルマで、家にあるおしゃれなピアノの脚を隠していたことと同じくらい奇妙に思えるが、19世紀には当たり前の心配事だった。

目的を達成するには、人々の姿勢と立ち振る舞いを変えていく必要がある、とローマクラブは述べた。そして、思い上がるあまり「真の敵は人類だ」という結論に達してしまった。この結論が高慢で馬鹿げたことだと気づいていた人は、この考えを一蹴した。しかし、思い返すと、これぞ未来に邪悪な物事が姿を現す前触れだったのである。

それから、ローマクラブはアジェンダを考案した。そして地球温暖化に汚染問題、さらに食料不足と水不足に関する内容まで追加してしまった。これらの問題の原因は、私たち（庶民たち）にあるとされた。私たちは自らの敵になってしまったのだ。この新しい政策は、主要な動きをしている人たち、つまり偽の恐怖を広めようとしている人たちが考える「世界政府」の構想に追い風を吹かせた。私たち自身が〝敵〟である（ということにされていた）がゆえに、私たちを支配し、生活のあらゆる側面を管理するために、世界政府が必要不可欠なのだそうだ。もちろん建前上は「私たちの幸せのため」ということになっている。

すでに伝えているように、19世紀以降、地球温暖化は脅威としておもちゃにされてきた。しかし、地球が以前より暑くなっていると誰かが提言するたびに、これがくだらない理論であることが露わになった。なぜなら、地球は暑くなどなっていないからだ。

ローマクラブはこの古くからの馬鹿げた考えに、さらに一捻りを加えた。地球温暖化の問題は確かに存在し、しかも、すべてが私たちの責任、私たち市民が問題を引き起こしたと言い出したのだ。実際のところ、地球温暖化はビクトリア女王が統治していた時代（つまり19世紀）から変わらず、大した問題ではないのだ。しかし、今では私たちのせいである（ということになっている）ため、その責任として、必要不可欠とされる変化を受け入れなくてはならない。こうして「地球温暖化など存在しない」という事実は、見当違いの結論として払い除《の》けられてしまった。

それから1992年に国連がブラジルで会議を催し、アジェンダ21が採択されてしまった。これにより、共同体主義が本当の意味で始まった。同時に、個人主義が終焉《しゅうえん》への歩みを見せ始めた。トニー・ブレアやビル・クリントン、あるいはアル・ゴアや、彼の主演する（3割しか正確な内容が収録されていない）ＤＶＤなどが発売される前に、世界は変化の時を迎えていたのだ。

アジェンダ21の政策は、1992年リオデジャネイロで催された国連環境開発会議で採択され、この会議で国連によるアジェンダ21協定と「持続可能な開発」というフレーズが生まれた（21という数字は明らかに21世紀のことを言っている）。国連は権力を握り、私たちを支配し、世界政府にまで漕ぎ着ける方法を見出したのだ（もちろん、世界政府は国連自身でコントロールできるものとされる）。「他に適任者がいるわけがない」というのが、彼らの言い分である。

ほぼ必然的に、178名の首脳陣はすぐさまアジェンダ21の計画に署名した。すばらしい目標を掲げているため、異議を唱えようとする者など1人もいなかった。そして、私たちに迫り来る架空の脅威に対し、世界中の国々が結託して戦うことが決定された。石油、ガス、石炭を過剰に消費する「人々」は新たな敵とされた。「持続可能な開発」というフレーズは国連がいかに前進していくかを表すのに使われた。そして「共同体主義」という言葉は、新世界を表す新しい標語となった。

私たち自身が敵である（ということになってしまっている）ため、私たち全員が自らの欲望や過剰な浪費と戦い、世界政府へと進み続けなければいけない（ということになってしまっている）のだ。

こうして、悪夢が始まった。

舞台裏で展開された数々の政治的詭弁《きべん》により、アジェンダ21は驚くべきスピードで、実行に移された。

国連は、かっこよさげな軍服を着た借り物の兵士たちによって結成された、平和維持軍という高尚な善意を持った組織から、私たちの生活のあらゆる側面を着実に掌握する組織へと変貌した。

持続可能性の原則（そして「世界をより良い場所にする」という考え）に署名した178ヵ国の全

政府は、持続可能な開発の原則が確実に守られるよう自分たちのグループを立ち上げた。

すべてを地球温暖化のせいにして市民を奴隷に

地球温暖化は、私たち市民を残らず打ちのめして言うことを聞かせる鞭《むち》となった。当然、何もかもが地球温暖化のせいにされ、私たちが化石燃料をはじめ、地球上の資源を見境なく使用するせいでこの星が危機に晒《さら》されていると判断された（これはまったくもって科学的根拠に裏付けされていない判断である）。著名人や有名な政治家たちはその新しい「脅威」の信用性を高めることに一役買ってしまった。そして、空想で作ったようなグラフやでっちあげの統計が組み合わさり、作り上げあげられた問題全体をエセ科学でもっともらしく見せていた。

現段階で、権力や影響力を兼ね備えた多くの人物がこの問題に触れた。その1人がチャールズ皇太子だが、チャールズ皇太子といえば、エリザベス女王の息子であり、歯ブラシに歯磨き粉をつけるのすら召使いにやらせ、庭師が育てた植物に話しかけることで有名だ。彼もまた、世界クラスの偽善者や重要人物になる手っ取り早い方法として、地球温暖化に目をつけた。それから数十年、チャールズ皇太子は自家用飛行機で世界中を飛び回りながら「飛行機と呼べるあらゆる乗り物を使用して、世界中を飛び回ってはいけない」と人々に伝えて回って過ごした。

権力だけではない。お金も非常に重要な目的だ。排出権取引で大金を儲けられるのは明らかだった。排出権取引は、詐欺師の銀行預金残高が増える以外に何の変化も起こさない、まったくもって馬鹿げたインチキである。

アジェンダ21の狙いは、教育レベルの低下、中小企業の排除、人々を田舎から立ち退《の》かせ、スマートシティの高層マンションに強制入居させること、そして農場の閉鎖である。食料は、然《しか》るべき人の稼ぎを増やすための研究所で栽培されるだろう（そのうち工場式の農場はビル・ゲイツのような権力を持った人々の所有物になるだろう）。

アジェンダ21では、命令に応じ、従順な奴隷になるための学習を市民に強制することが必要だと考えられている。こうして、リサイクルというものが考案された。綺麗《きれい》に洗ったヨーグルトの紙パックが最終的に何千マイルも離れた国々に運ばれ、燃やされたり埋められたりしても問題ではない。リサイクルそのものが重要なわけではない。求められているのは、従順さだけなのだ。リサイクルに出していたゴミが、海外に運ばれて燃やされたり埋められたりしているだけだということが広く知れ渡ったときですら、人々は騒ぎ立てることもなく、その後もヨーグルトの紙パックをせっせと洗い続けている。

アメリカでは、9月11日の事件（訳注：2001年、米国同時多発テロ）を口実に、驚くほど厳しい新法をいくつも制定することができたし、世界各地で起きたテロ行為は他国の人々に大きな恐怖を植えつけた。大量破壊兵器の脅威により、政治家は私たちから自由やプライバシーを奪うことができた。そして、病気までもが脅しに使われている。エイズやおかしな各種インフルエンザが、あまりにも人々を脅かすので、私たちは自称「皆より優れた人」たちの命令を受け入れさせられ、生活を変えることを余儀なくされた。

米国同時多発テロ

地球規模で悪徳商法が進行中！

地域化はグローバル化に向けたファーストステップとして取り入れられた。すると、21世紀の建築基準に沿っていないという理由で、19世紀に建てられた頑丈ですばらしい家々が解体されてしまった。そして、建築基準とやらをしっかり満たしている、まるでダンボールで作られているかのようなお粗末なアパートや、安っぽく小さな家々に取って代わられてしまった。

車も環境に悪いものとして標的にされた。そして私たちは皆、化石燃料を使うのをやめて太陽光発電と風力発電で生活していかなくてはならないと言われた。だが、太陽光発電も風力発電も、全家庭の電化製品等をまかなうほどの電力を供給できない（そしてこの先もできそうにない）ので、政府は木々を切り倒し細かく切り刻んだものを「バイオマス」と呼んで、それらを燃やし「持続可能」というラベルを貼り始めた。

どう見ても大規模な悪徳商法の始まりだったが、反対する人々は例外なく陰謀論者として糾弾され、公衆の面前で恥をかかされ、悪者扱いされた。

道路を荒廃させ、水源を破壊し、野生動物を田舎に持ち込むことで、田舎での生活は不可能になった。

目に映る（あるいは目に入らないところも含め）至るところで、アジェンダ21の信者たちは自分たちの目標に沿った未来を計画するのに忙しい。銀行は現金の取り扱いをやめ、すべてキャッシュレスに置き換える判断をした。億万長者たちは気温を変化させ、天気をコントロールし、私たちに実験施設で栽培した食物を無理やり食べさせる方法を編み出した。そして、私たちを残らず洗脳するために、心理学者たちが投入された。警察官は私たち市民を悪者扱いするようにと焚き付けられた。ＩＤカードやマイクロチップは「とてもすばらしいもの」と宣伝され、人口削減の必要性が盛んに話題に上った。

そのような状態で、２０２０年が始まった。

権力者たちは、私たちを１人残らず支配するための、さらなる何かを必要とした。私たちを恐怖に陥れ、命令や指示に強制的に従わせる口実を探し求めた。そして、エイズやさまざまな種類のインフルエンザを利用しようとしたが、いずれも期待ほどの結果を残さなかった。

２０２０年に起こったことは、共通の目的、特殊法人、公務員、自分勝手な企業、地方計画などの長年にわたる努力の集大成にすぎないのだ。偶然起こったことなんて、１つもないと言ってもいいだろう。

ここから先の章の大半は、これらの計画によって行き着いてしまったあらゆる結果が簡潔に説明されている。具体的には（待ったをかけない限り）、ニューノーマルとやらがどのようなものになっていくか、国連の計画が生活のあらゆる側面にどのような影響を与えるかといったことについて解説している。

私たちの未来は、アジェンダ21に基づいたものとなる。人々が何も考えず批判もせず、主要メディアやＢＢＣ、スポンサーから支援を受けている（ニュースの）ファクトチェッカーがつく嘘《うそ》や、猛威を振るっている多種多様な馬鹿げた話を受け入れ、信じ、従順であり続けるならば、未来はまさに、最悪のシナリオ通りになるだろう。編み出されている政策が「科学的根拠に基づいている」だなんて、断じて嘘である。各国の政府もＷＨＯも科学を断固として無視しており、政策からは、根拠や研究による裏付けを可能な限り取り除いている。

私たち全市民に今のような生活を送らせるには何十年もの歳月がかかった。しかし、世界中の政治的指導者たちは共通の目的を持った官僚、（受信料のおかげで収益を出せている）権力の犬と化したメディア、そして荒らしのプロたちの支援を受け、何百万もの小役人どもを愚かな裏切り者に転じさせた。裏切り者となった彼らは、もはやろくに考えもせず、冷徹に、自国民に対して、牙《きば》を剝《む》くようになった。

すでに世界中の政府は、（公私を問わず）私たちの生活のあらゆる面を支配してきている。

第1章

アジェンダ21／すべては仕組まれている?

第二次世界大戦以後の歩み／戦争をなくすことは許されない！

私たちの世界は、間違いなく乗っ取られている。古臭い言い方をすると、（そう認識している人はごくわずかだが）クーデターである。（選挙で選出されることはもちろん、立候補すらもせず）権力の内部へと巧妙に潜り込み、今や政府・銀行・国際機関、そしてもちろん国連の実権までも握っている利己的な犯罪者どもの集団。そんな奴らに、私たちの世界も生活も現在も未来も支配されてしまっているのだ。不正や不道徳な行為は、今では公職に就く人々にとっては当たり前すぎて、それらがどれだけ行きすぎていても、単に無視されるか、あるいは「避けては通れないこと」として片付けられてしまう。

今起きているあらゆることが故意に引き起こされたと理解できていないとしたら、それは過ちと言える。評論家の中には、２０２０年に数々の失態を重ねてしまった世界中の政治家や科学顧問を批判している者もいる。一見するとただの失態に見えないこともないが、私はそうは思わない。あらゆることが、意図的に引き起こされている。ここまで無能な政治家や科学顧問たちがいるはずがない。世界中の政治家・行政官・アドバイザーたちが揃《そろ》いも揃って綺麗に同じ体たらくを犯したとは考えられない。

つまるところ、何が起こっているのか？

１９３２年、米国のコロンビア大学は、エンジニアや科学者たちにより考案された新経済システムを支援していた。このシステムは政府からの規制がほとんどない自由な企業、さらには資本主義に取って代わるものであり、全世界を「救う」ことができると主張されていた（何から救うのかは明言されていなかったが）。これはテクノクラシーと呼ばれ、人間の生活のあらゆる側面をコントロールする「ソーシャル・エンジニアリング」の科学となることが意図されていた。ある意味、テクノクラシーの政策表明は、来《きた》るべき未来の設計図であったと言っても過言ではない。その基本にある考えは「エネルギーが新しい通貨となり、市民にはエネルギーの証明書が発行され、その証明書に見合った価値の商品やサービスを享受できる」というものだった。商品やサービスの価格は、それらの開発や製造に使ったエネルギーの総量に応じて決定される。また、テクノクラシーには他の側面もある。（無駄が多く、効率的ではないという考え方に基づき）私有財産制は廃止され、教育は学生が一生を費やす仕事への準備だけを目的に設計されるが、その仕事すらも自分ではなく、権力者たちによって選ばれるのである。

オルダス・ハクスリーは、テクノクラシー計画についての文献に目を通していたときに、あることに気づいた。「テクノクラシーの意図すべてに従っていたら、未来に待っているのは科学による独裁政治である」。そこからインスピレーションを受けて執筆したのが、彼の作品の中でも特に有名な『すばらしい新世界』である。

今日起こっていることの大部分は、国連が設立された第二次世界大戦後の時代に発している。今起こっているひどい出来事や状況が真に始まったのはこの時期からだ。

時を同じくして、重要な意味を持つ出来事があった。ディーン・ラスク、ロバート・マクナマラ、マクジョージ・バンディといったケネディ政権の高官たち（偶然にも、全員ビルダーバーグ会議への参加者でもある）が集まり、ニューヨーク近郊にある、アイアンマウンテンと呼ばれる巨大な地下シェルターで会合を開いたのだ。

「戦争は、経済の安定と軍隊の組織化のために望ましいものであり、必要不可欠なものである」とその後の報告で執筆者たちは述べている。戦争に代わるものが出てくるまで、戦争をなくすことは許されないというのが、彼らの主張である。

「戦争は、他国に働きかける必要性があるという理解を得るのに役立つ。他国への働きかけなしには、どのような国家も権力を維持できない……。国民に対する近代国家の基本的な権限は、戦争を遂行する力に内在するのである。戦争は、必要不可欠な階級が排除されてしまうことに対抗する最後の砦《とりで》となる安全装置としての役割を果たしている」と彼らは言う。

すなわち、富める者と貧しい者の間に利益共同体を形成するためには、（定期的な戦争を伴う）

国際的なライバル関係が必要だ、という理論である。

「社会の潜在的な敵をコントロールするための政策が奴隷制の再導入である。これはなんらかの点で、現代のテクノロジーや政治的プロセスと合致している必要がある。洗練された奴隷制度を開発することは、穏便な社会統制のためには譲れない必須条件となるだろう」とケネディ陣営の顧問団は結論を出している。

その他の統制形態について議論が交わされたのは1961年、アイアンマウンテンで開かれた会合でのことだった。話し合われた内容の中には、到達不可能な目標を掲げた宇宙計画や、武器査察団の永続化、国際平和維持軍、広範囲にわたる優生計画、そして解決すべき大規模な地球環境汚染などがあった。

もちろん、これらは目新しいものではない。同じ理論が、別の集団で提唱されていたことがあったのだ。『イルミナティ&アジェンダ21（*Illuminati Agenda 21*）』の著者であるディーン・ヘンダーソンとジル・ヘンダーソンは、自著の中で、1909年、国際平和カーネギー基金の役員たちが次のように結論づけたと報告している。「国民全体の生活を変えさせるには、戦争以上に効率的な手段はない……どうすれば、アメリカを戦争に巻き込めるだろうか」。

世界経済フォーラムは長年にわたり、無意味で取るに足りない組織とみなされてきた。そして、同組織が年に一度ダボスで開いている滑稽《こっけい》な宴会は「お金持ちで横柄な奴らが各々の富を見せ合い、市民の未来について計画を練る、高額な人脈作りにすぎない」として、一般には受け入れられていなかった。要は『ジェームズ・ボンド』の悪の組織さながらの集まりだと思われていたのだ。だが、実際の世界経済フォーラムとダボスでのパーティーはそんな印象をはるかに、これ以上ないほど上回る悪質なものだった。それは、後になってわかったことだった。世界経済フォーラムの創設者はクラウス・シュワブという男だ。私からするとシュワブは、ヒトラー以来のもっとも恐ろしい人間だ。なぜかわからないが、彼の姿や声を見聞きするといつだって、ピーター・セラーズ演ずるストレンジラブ博士（訳注：映画『博士の異常な愛情』の登場人物で大統領科学顧問・兵器開発局長官で核戦争の専門家）を反射的に思い出してしまうのだ。世界経済フォーラムの副題は「官民連携のための国際機関」である。シュワブは『第四次産業革命の未来を形作る（*Shaping the Future of the fourth Industrial Revolution*）』（訳注：邦題は『ダボス会議が予測する未来』）という本の著者だが、これは私が今まで読んだ中でも殊更ゾッとした（読む価値がないも同然の）書物の1つである。

「持続可能な開発」という大嘘の大義名分

1976年、国連は世界中の土地の管理や、世界中の人口を管理する仕事を引き受けることにした。もちろん、これらはすべて、この星と人類の幸福のために実施されるということである。きっとこれが、共同体主義、すなわちコミュニティのニーズが最優先され、個人は権利を持たないという考え方の始まりだったのだろう。

ローザ・コイレの『グリーンのマスクの裏の国連アジェンダ21（*BEHIND THE GREEN MASK: UN Agenda 21*）』によると、国連のアジェンダ21のスローガンは「次世代の人類とあらゆる種の権利を、現存するあらゆる犯罪の可能性から守ること」だそうだ。そして、このスローガンは「人類が生きることは地球を危険に晒《さら》すことであり、個人の人権を求めて運動を起こす人々は利己的で不道徳である」という哲学に基づいていると彼女は指摘している。「地球を救っている」と主張しながらも、国連の計画は人権を制限し、抑圧し、自由を奪っているではないか。それが、彼女の主張である。国連の支持者は、この惑星と環境、そして次世代の人々の権利を守るために活動していると言い張る。しかしながら、その代償として、私たちは自分たちの権利を守るために、自らの権利を放棄しなくてはならないのだ。

アジェンダ21の信奉者たちにとっては、「コミュニティ」という呼び方で知られる、明確な形のない曖昧《あいまい》な存在だけが重要なのだ。「コミュニティ」を守るためには、アジェンダ21の一環として考案された規制に全員が従わなければならない。そして、私たち個人にとって多大なる危険を及ぼす可能性があるとしても、定期的な予防接種を受けなくてはいけない。コミュニティを守っていくために、国連はすでに多くの活動を違法としている。自由に意見を口にする人々を悪者扱いし、議論を抑圧し、「保護が必要なコミュニティです」と申し出る特定の人々に、圧倒的な権限を与えている。地球温暖化という作り話やアジェンダ21が提示する厄介《やっかい》な要求に疑問を持つ人々は、例外なく、陰謀論者とか、それ以上にタチが悪い人種とみなされている。

1980年、国際自然保護連合（IUCN）が、「生物資源の保全を通じて、持続可能な開発の達成を促進する」という目的で、『世界保全戦略』という文書を作成した。思うに、今や世界中を恐怖に陥れている「持続可能な開発」というフレーズが使われたのは、このときが初めてだったのではないだろうか？

1983年に国連は、環境と開発に関する世界委員会を設立し、その議長として、環境問題に熱心に取り組み、三極委員会（新世界秩序の構築に全力を注いでいる組織）の一員でもあるノルウェー首相（当時）、グロ・ハーレム・ブルントラントを任命した。1987年、環境と開発に関する世界委員会（別名ブルントラント委員会）は『地球の未来を守るために』という報告書を作成し、国連に提出した。持続可能な開発は「将来の世代の欲求を満たしつつ、現在の世代の欲求も満足させるような開発」と定義づけられた。

そんなことを聞いて、いったい誰が反対するというのか？

しかし、依然として、この考えを完全に実行に移す方法は確立されておらず、引き続き模索が必要とされた。

1991年、ローマクラブが『第一次地球革命』という本を出版した。国連に世界の実権を握る方法を教えてしまったのは、他でもないこの本だった。「一致団結して立ち向かうための共通の敵として思いついたのが、汚染、地球温暖化、水不足、飢饉などによる脅威だ」というのが彼らの主張である。

地球温暖化は19世紀から問題とされているが、本気にしているのはごく少数の環境保護活動家だけだった。地球温暖化というのは常に机上の問題であり、現実的に差し迫っている危険ではなかった。だが、それから数十年の間に、科学的メリットがまったくない議論を後押しするために、データは幾度となく改竄《かいざん》され、誤って伝えられた。

人類を管理する計画の発動／ローマクラブからアジェンダ21へ

ローマクラブは、自分たちが指摘した問題を（と言っても、でっちあげた問題だが）乗り越えるためには、人々の姿勢や立ち振る舞いを変えていく必要があると語った。そして「真の敵は人類だ」という結論に行き着いてしまった。

この方針は、1992年、リオデジャネイロで催された国連環境開発会議で採択され、「国連アジェンダ21 持続可能な開発」が誕生した。21という数字はまぎれもなく21世紀を指している。ゆくゆく私たちの生活のあらゆる側面を特徴づけることになるキーワードが「持続可能」だ。こんなにも誠実で害がなさそうで、善意に満ちた響きを持つ言葉が、こんなにも邪悪で、悪魔の所業とも言える計画に使われたことはいまだかつてない。「持続可能な開発」に向けたアジェンダ21の計画には、テクノクラシーの計画と不気味なほど類似する点がある。

国連は1930年代に編み出されたテクノクラシー計画を蘇らせることで、権力を掌握し、私たちを支配し、世界政府にまで漕《こ》ぎ着ける方法を見出した（しかも自分たち以外に適切な実行者はいない、という考えのようだ）。この計画は、大量消費主義のせいで地球環境が破壊されてしまったため、世界中の人々に罰を与えようというものだった。いずれ世界中の消費者たちは、スウェーデン人の小さな女の子を動揺させ、激怒させ、彼女に精神的な問題を抱えさせたと非難されることだろう。彼女は地球温暖化の広告塔に選ばれ、子どもたちの関心を集めるために利用された。大人をコントロールするためには、子どもをコントロールするのが何より簡単な方法だからだ。人の心を操作する達人であるナチスも、このトリックを活用して大きな成果を上げていた。

最終的に、法律や制約、そして（聖書の時代のような）うってつけの疫病により、罰は強化された。これは地球温暖化という偽りの危機から環境を守る方法として「売買」されたが、その実態は、いつだって世界や、すべての生きとし生けるものの体・精神・魂を支配下に置く計画にすぎなかった。本質的には、人類を管理する計画だったのだ。この新しいパラダイムの推進に大きな役割を果たしたのが、石油と鉱業で財を成したカナダ人の億万長者、モーリス・ストロングである。

ほぼ必然的に、178名の首脳陣はすぐさまアジェンダ21の計画に署名した。恐怖とその解決策の両方を生み出すために丹念に作り込まれていたので、アジェンダ21は賞賛に値する素晴らしい目標を掲げているように思われた。だから、反対する者などいなかった。世界中の国々が結託し、私たちに迫り来る脅威、すなわち環境被害や地球温暖化といった問題と戦うという決断が下された。石油、ガス、石炭を過剰に消費し、その結果、全世界を危機に陥れた「人間」は、いとも容易《たやす》く新たな敵とされた。環境被害を引き起こしたのはグローバル企業ではなく、その製品を使う人々だというのだ。この解決策は、あらゆる資源の管理を中央集権化すること、そして新国際経済秩序（すぐに「新世界秩序《ニューワールドオーダー》」と短縮されるようになった）を構築することだそうだ。あらゆる物事が国連とその支持者によって統制される、世界規模のスマートグリッドという取り組みも存在する。民主主義は消えゆく運命にあったのだ。

「持続可能な開発」というフレーズは、世界の国々がいかに前進していくかを言い表すのに絶えず使用された。そして「共同体主義」という言葉は、新世界を表す新しい標語となった。じきにアメリカ大統領となったビル・クリントンと、英国の労働党党首、そして首相となったトニー・ブレア。この2人は、国民から権力を奪い、銀行家やコンピューター業界の億万長者に権力を与えるという新世界秩序を熱心に支持していたし、国のトップに立った後も支持者であり続けた。民主主義や社会主義の党のリーダーと言われた2人の男が、揃って国民を裏切ることになるとは、何とも皮肉な話だ。クリントン政権における副大統領だったアル・ゴアはその後、新しい恐怖政治のスポークスマンになり、莫大な利益を生むDVDを宣伝した（なお、そのDVDは、イギリスの裁判官から「9つの誤りがある」という判決を下されている）。アル・ゴアもまた、大富豪になった。

支出を抑え、質素な生活を送らなくてはいけない、ということがよく話題に上る。二酸化炭素排出量、排出権取引、小さな家。これらは日常化してしまった。バイオ燃料は、化石燃料の代替手段として奨励されたが、これは食料から作られており、大規模な飢饉を引き起こしている（あるいは大規模な飢饉の発生こそが真の目的なのかもしれない）。銀行は規制が撤廃され、予防接種計画（危険性は発表されず、批判者は黙殺される）の規模は飛躍的に拡大した。遺伝子組み換え食品は（適正な検査がされないまま）承認され、携帯電話とWi－Fiに関する危険性についてもやはり発表されていない。

全員が納得しているわけではない。1992年にリオデジャネイロで開催された会議に参加していた、プラタープ・チャタルジーとマティアス・フィンガーは『地球ブローカーたち（*The Earth Brokers*）』という本を出版した。この2人は国連が「自然環境・地球・市民を傷つけるような産業育成を促進した」と主張した。さらには、その結果、「いつの間にかこの星がますます破壊されていき、同時に、裕福な者はより裕福に、持たざる者はますます貧しくなっていくだろう」と述べている。もちろん、これらはまさに今起こっていることである。

私たちが自らの敵であるとされてしまったため、私たちは自らの欲望や無駄な消費と対峙するよう促された。そして従順になるための訓練として、リサイクルの喜びを教えられた（もちろん、丁寧に分別された材料の多くが、その後燃やされたり埋められたり、廃棄されたりしていることは教えられていない）。

選挙で選ばれたわけではないリーダーたちは、ついに従来の民主主義（国民が力を持ちすぎたせいで明らかに失敗した）を排除する世界政府の樹立に向けて動き出せるようになったのだ。

こうして、悪夢が始まった。

舞台裏での数々の政治的駆け引きを経て、（アジェンダ21の）計画は、驚くべき速さで、実行に移された。

今や世界は、常に混沌《こんとん》としている。

しかし、混沌としている大部分は、いわば私たち人類の混沌と言って差し支えなかった。私たちはこれまでも間違ったリーダーに投票をしてしまうことがあった。政府の汚職が横行している国々もあれば、全体主義の政府や軍事政権が権力を握ってしまっている国々も存在する。だが、アジェンダ21を受けて起こり始めている事態は、今までとはまったく違った。これはいわば民主主義・自由・人類の終焉《しゅうえん》だ。

国連は、かっこよさげな軍服を着た借り物の兵士たちによって結成された、平和維持軍という高尚な善意を持った組織から、私たちの生活のあらゆる側面を着実に掌握する組織へと変貌《へんぼう》した。

持続可能性の原則（そして「世界をより良い場所にする」という考え）に署名した178ヵ国の全政府は、持続可能な開発の原則が確実に守られるよう自分たちのグループを立ち上げた。著名な環境保全主義者には報酬と権力が与えられ、批判を口にする者は黙らされた。議論は抑え込まれ、地球温暖化に科学的視点から疑問を持つ者は悪者扱いされた。英国王室のチャールズ皇太子は、悪意ゆえか無知や愚かさゆえかは不明だが、新世界秩序の必要性についてとりわけ大きな声を上げた1人だった。

家庭を壊し、国家を消滅させる「スマートシティ」

アジェンダ21の計画には、国家主権の終焉、移動の制限、子育てにおける国家の役割増大、私有財産制の撤廃、世帯の断絶といったことが含まれている。

当時は大半の人が気づいていなかったが、この計画には、特定の職業につきたい人々への（ライセンス契約を通した）規則の強化、居住者を田舎から立ち退かせること、人口が密集し、かつ脱出不可能な「スマート」シティの建築、従来の教育を施すのではなく、洗脳と資格の取得だけを目的とした教育レベルの低下などが盛り込まれていた。

地方の政治家もこの計画に引きずり込まれた。「持続可能性」という言葉は新計画すべてにおけるキーワードとなった。アジェンダ21の協定が確実に、できるだけ広範囲にわたり守られるよう、「持続可能な都市と地域を目指す自治体協議会」、「コモン・パーパス（共通の目的）」といった名称の組織が設立された。そして恥や罪悪感という感情を植え付け、国連の計画を後押しするため、環境保全運動に対して膨大な資金が投入された。

何より恐ろしいのは、人口削減の計画が存在したことだ。それも数百万人規模ではなく、数十億人規模を想定しており、世界人口のうち実に75％以上を減らすという計画であった。謎に包まれたジョージア・ガイドストーンズは１９８０年に姿を現した。その石碑には、世界人口を5億人以下まで減少させるようにと刻まれていた。裏を返すと、約70億人は排除されなくてはならないということになる。国連の生物的多様性評価でも世界の人口を10億人以下にすることが求められているが、その方法は明らかにされていない。

アメリカでは、９月11日の事件を口実に、全市民から人権を奪い取る、厳格で抑圧的な新法がいくつも制定された。似たような法律が世界中で徐々に導入され、個人の権利は少しずつ姿を消していった。一部の計画（トニー・ブレアが熱心になっていた英国のＩＤカード導入など）は、反対運動により阻止することができた。しかし、これらの計画の発起人は計画の導入を（施行できるまで）諦めないだろう。

アジェンダ21の提唱者は私たちの体も精神も魂も、すべて自らの手中に収めたかったに違いない。そして、私たち大勢が死んでしまうことを望んでいるのだ。

今でも、何が起こっているのか正しく理解できていない人々が数多くいる。今起こっているあらゆることは、数十年前に計画されたことであり、今になってようやく実を結んだのである。

ジョージア・ガイドストーンズ

奇妙な計画の決定はすべて故意に引き起こされたものだ。同性婚、性同一性障害、ブラック・ライヴズ・マター（訳注：黒人に対する暴力・人種差別などに反対する運動）などは、すべて私たちの文化を消し去り、自分たちの歴史に対して恥の意識を持たせ、混沌と混乱を引き起こし、意見の相違（による対立）を広げ、人々を分断するために画策されたものだったのだ。自転車専用レーンの導入、路上に設置される電柱・道路標識・ゴミ箱など奇妙な公共物や、コンピューターで制御された高速道路すらも、すべて数十年前に国連が作った計画の一部分にすぎなかったのだ。アジェンダ21を促進する人々は、自動車を一掃したいと考えている。なぜなら、私たち全員をスマートシティに住まわせたいと思っているからだ。地域化はEUによって奨励されてきたが、これもまたグローバル化に向けた一歩である。EU自体、数年前にアジェンダ21の一部となっているし、「ニューノーマル」というフレーズも以前から存在していた。

はじめからずっと、地球上から1つ残らず国家をなくすことが計画されていた。スコットランド・アイルランド・イングランドの旗を振る愛国者は、国旗に別れを告げなければならない。じきに、国なんてものは残らずなくなってしまうからだ。

アジェンダ21を指揮する人々は、私たち全員を狭いアパートに押し込めたいと思っている。地方計画を推進する役人が昔の頑丈な家々を取り壊し、粗末な造りをした高層ビルの窮屈なアパートと取り替えたいのはなぜなのか、疑問に思ったことはないだろうか？　すべては、アジェンダ21で計画されていることの一端なのだ。ＥＵが大地主にお金を払って何も（食べ物の栽培さえも）させないのはなぜなのか、不思議に思ったことはないだろうか？　そう、すべて、工場で作られた食べ物を私たちに無理やり食べさせる計画の一端だったのである。ビル・ゲイツは、単なる予防接種に投資したのではない。彼は世界中の人々の健康を管理しているだけではない。彼は長きにわたり世界の食料政策に影響を与え続けており、また、フェイクミートを製造する企業に資金を投入している。インターネットは、ほぼ一握りの億万長者たちの管理下にあると言って差し支えないだろう。主な検索エンジンは検索リクエストのうち80％をコントロールしている。インターネット最大の小売業も、似たような数字の売り上げを出している。データ・マイニング（訳注：人工知能や統計学などさまざまな分析手法を用いて、大量のデータの中から有益な情報を抽出する技術や手法を表す概念）はじきに、地球上でもっとも利益を産む（そしてほぼ確実に、利益になる唯一の）産業になるだろう。あらゆるものにインターネット化の波が押し寄せてきている。各国の政府や官僚たちは、自分たちの給料と多額の年金を支払ってくれている人々のことなんてどうでもいいのだ。全体主義国家は例外なく、市民についての情報収集によって成り立っている。これは、覚えておく価値のあることである。スターリンはまさにそういった情報収集が得意だった。ナチスにも、同じことが言える。

地球温暖化という詐欺／偶然なんて1つもない

２０２０年、病院の閉鎖により多くの人々が亡くなった。それすらも、（アジェンダ21の）計画の一部だった。世界の億万長者たちは、数十年前に世界の人口が過剰になっていると判断した。だから、何十億もの市民を殺してしまいたいと考えている。農場の閉鎖も計画の一部だ。私たちの多くを飢え死にさせたいのである。餓死の大半は、アフリカで起こるだろう（皮肉なことに、ブラック・ライヴズ・マターの運動家はそのことに気づいておらず、国家の象徴である彫像の破壊や歴史や伝統根絶にエネルギーを費やすよう促されている）。

数々の選挙が中止されているのは、単なる偶然ではない。メディアに賞賛されている政治家がいる一方で、悪者扱いされている政治家がいるのは偶然ではない。世界中のメディアが一斉に市民を裏切っているのも、決して偶然なんかではない。

地球温暖化という見せかけの問題が土台となって、その上に犯罪が積み重ねられている。すべて、例の計画の一端である。地球温暖化という神話の真偽やアジェンダ21の善良さに疑いを持つ人々は「陰謀論者」として一蹴される。だが、唯一の陰謀は、世の中を世界政府と世界教会へと誘う計画だけだ。

これは人類史上もっとも念入りに計画された、(市民にとって)もっとも邪悪で命取りとなる策略だ。国連の高官たちは、悪魔降臨の儀式について話している。この計画は、信じ難いほど残忍である。

政府は飼い慣らされてしまっているから、私たち市民をぞんざいに扱う。共通目的のために利用された働きバチ、すなわち(達成と同時に用無しになる)末端の人々が、汚い仕事を請け負い、億万長者が富を築く。

ローザ・コイレは、2011年に出版された素晴らしい著書『グリーンのマスクの裏の国連アジェンダ21(*BEHIND THE GREEN MASK: UN Agenda 21*)』の中で、ヨーロッパの生活様式を破壊してきたものの多くが、すでにアメリカの生活を壊し始めていると述べている。

省エネ計画や化石燃料の放棄は、私たちをスマートシティに強制移住させるために導入された。自転車が走りやすいように道路を作り直したのも、市民たちに自動車の使用を止めさせ、それによりスマートシティに強制的に住まわせる計画なのだ。スマート・モーターウェイ(訳注:最新の情報通信技術を用いて、24時間交通の流れを管理し、渋滞解消や環境保全を構想する高速道路のこと。英国では広く普及しつつある)で渋滞や事故が起こるのを、疑問に思ったことはないだろうか? 街路に設置されている電柱・道路標識・ゴミ箱などおかしな公共物はどうだろう? 制限速度を下げ続けろという提言は? どんどん重くなっている自動車税は? 一見馬鹿げたこれらの変化はすべて、私たちに自動車の使用を控えさせ、都市部の高層ビルに入居させるための仕組まれた策略だったのだ。そうして私たちは、小さなアパートの一室や安っぽい建材で建てられた箱型の家に強制的に移住させられるのである。もちろん、あらゆることは都合よく気候変動のせいにされる。

すべては計画の一部だ。

私たちは、数十年前の水準まで炭素排出量を削減しなくてはならないと言われているが、そもそも、そんな昔に炭素排出量など測っていたはずがない。

地方警察を密告者やスパイに置き換える計画は何年も前に実施された。不信を生むことが狙いだった。

不動産評価やエネルギー評価はすべて、私たちを昔ながらの家から追い出し、造りが悪いが儲けになる安アパートへ強制的に住まわせるために発案されたことだった。

仕事には許可証や証明書が漏れなく必要になる。これも私たちを混乱に陥れ、怯《おび》えながら日常生活を送るようにと何年も前に仕組まれたことである。免許状や資格は、取得するにも高額で、秩序を乱すように設計されている。然るべき許可証がなければ、働くことができないのだ。そして１つ許可証を持てば、別の許可証も追加で求められる。その許可証を持てば、さらにもう１つ。いたちごっこは延々と続くであろう。

移民政策は社会を混乱させ、国家を破壊し、恐怖感を助長し、人種差別を起こすために、緻《ち》密《みつ》に計画的に練られた政策である。

偶然なんて1つもない。

田舎に狼などの野生動物が放たれたという話を覚えているだろうか？　それだって数年前から仕組まれていたことだ。田舎から離れた場所へ私たちを強制的に移住させるための、違う切り口からのアプローチである。

人々を田舎から立ち退かせるのは難しいことではない。公共の交通網は分断されている。電力供給の問題は無視されている。固定電話・ブロードバンド・携帯電話のサービス区域は限られている。給水は遮断されている。田舎の道は補修されていないか、長い間使われていないかのどちらかだ。都市部から離れた町や村に住む人々は、庭や家庭菜園を持つことができるし、独立して暮らしている感覚を味わえる。しかし、大半の人にとって、生活に必要な量の食料を育てることは不可能だ。アジェンダ21を提案した者たちは、私たち全員を依存させたいのだ。テロの話題を定期的に持ち出すのは、私たちを怯えさせ、服従させたいからだ。（農場の所有者や農業従事者を含め）農村で暮らす人々は「人間が住む島々」または「スマートシティ」に移住させられるだろう。そのため、田舎は荒れ放題になるかもしれない。

サッカーやゴルフなどのスポーツをすることは好きだろうか？　だとしたら、その楽しみは忘れることだ。そういったことに使われていた土地は、（将来）荒地にされてしまうだろう。アジェンダ21は各国の政府（ゆくゆくは世界政府）に、すべての土地の実権を握らせ、個人から意思決定の権利を奪い去ることを要請している。しかもこれは、官僚たちであれば、（コミュニティを代表して）個々人よりも思慮深い意思決定ができるということが前提となっている。市民権も法律上の権利も、失われてしまうだろう。生活水準は完全に最低まで下がるに違いない。アジェンダ21の要求を満たすよう、世界中の企画部にまったく同じ法律制定の青写真が渡されている。新しいスーパーや小売店が作られても、その上の階は住居用のアパートメントである。だが、悲しいことに、多くのアパートメントが空室のままで、小売店の多くも経営不振の状態だ。街灯は消えていて、路肩は汚れていて見苦しくなっているし、道路のあちこちには穴が空いており、バスの便は少なく、高齢者や障害者へのサービスは存在しないか、あっても大半の人には手の届かないほど高額だし、地域の病院も閉鎖されている。これらがなぜ起こっているのか気になるのであれば、アジェンダ21と国連に目を向けてみるといい。

地方自治体が徴収しているお金の大半は、再開発などのプロジェクトに充《あ》てられるが、それらもまたアジェンダ21の指示の下、行われていることである。車道や歩道に馬鹿げた公共物や障害物がたくさん設置されていることや、幅の狭い車道に渋滞を起こす自転車専用レーンが設置されていることもアジェンダ21のせいに他ならない。駐車制限（そして常に狭い道路のスペース）は、国連が規制を課した結果、起こったことだ。可愛らしい色の敷石でさえも、国連に指示されて使っている。生活のあらゆる側面を管理しているのは、地方自治体の役人でもなく、選挙で選ばれた議員でもなく、おそらくあなたの家からはるか遠く離れたところにいる官僚たちだ。

農場がなくなった後、誰が食料を栽培するのか心配しているなら、もう心配しなくても大丈夫だ。食料は工場で育てられることになる（むしろ逆に心配かもしれないが）。

国連のアジェンダ21は膨大な文書だが、最大の目玉は次の記述だ。

「予防のための原則によると、ある措置や政策が国民や環境に害を与える危険を孕《はら》んでいながら、その危険性が科学的に認められていない場合、無害であることを証明する責任はその行動を取る者にあるとする」。

EUの法律制定プロセス全体が、これらの方針に則って進められている。そしてそれは、地球温暖化は危険なことであるという主張を擁護するのに有効活用されている。危険を謳《うた》う人々は、自らの主張が正しいことを証明しなくて良いのだ。地球温暖化が危険という考えに異議を唱える者が、本当は脅威でないことを証明しなくてはならない。しかし、当然のことながら、起きるはずのないことや、あるいは起こったとしても害にならないことを証明するのは不可能だ。

菜食主義も彼らの計画のうち⁉

動物性の食べ物をいっさい口にしない厳格な菜食主義が人気になってきたのは偶然だと思うだろうか？　あれは偶然ではない。国連の連中は、私たちに動物を食べて欲しくないだけだ。畜産は時間のかかる、面倒なプロセスがあるからだ。奴らは私たちに、製造所で造った食料を食べさせたいのだ。それらの食料の中には、見かけも味も本物の肉にそっくりなものもあるだろう。そうして大金持ちの工場主が、そこでも儲けを出すのだろう。

街は大きく成長したが、ホテルチェーンのように同じような外観の建物ばかりになっている。見ていて楽しく、個性豊かな昔の頑丈な家々は、環境を守るために、そして私たちの記憶から消し去るために取り壊されてしまった。そして、ダンボール箱同然の、醜く耐久性の低い家に取って代わられてしまった。

プライバシーはなくなりつつなる。もう間もなく、完全に消え去ってしまうだろう。「なぜプライバシーを欲しがったり必要としたりするのか？　どんな恐ろしい秘密を隠しておこうというのだ？」というのが導入する側の主張だ。ウェブカメラや（防犯カメラという名の）監視カメラ、ＳＮＳはプライバシーを消し去ってしまった。私たちの言動は追跡・分析されているのだ。私たちはお互いの家を出たり入ったりすることを推奨されている。アメリカの国家安全保障局は、毎秒何千万件もの通話を傍受することができる。そして、それができるということは、すなわち私たちの通話が傍受される可能性が高いということだ。

では、これらは誰にとって、より都合がいいのか？　おそらく、スパイたちにとってだ。私たちがチャットをしているとき、スパイたちはその間ずっと内容を覗き見できる。「プライバシーを必要とするのは、後ろめたい秘密を持っている者だけだ」と、彼らは言う。彼らは今やあなたについて何でも知っている。あなたの人生は、もはやあなただけのものではなくなってしまっているのだ。

伝統は口汚く罵《ののし》られている。歴史は忘れ去るべきものだからだ。私たちが素晴らしいと考えてきたあらゆることが、どうやら今では恥ずべきことになってしまっているらしい。彼らが言うには、私たちの祖先は人種差別主義者か、それよりもっとタチの悪い人間だったという。

そして私たちは恥の感覚を抱かされ、先人たちのことを従順に忘れていってしまうのだ。私たちの歴史は明日から始まるものとされ、権力者たちは私たち市民に、何を考え、何を信じれば良いのかを教え込むのだろう。

これらは何十年もの間、温め続けてきた計画である。

何十年も前に公表された国連の計画を振り返ってみてほしい。今ではほとんど古文書のようになってしまったその文書の中で、私たちの今の人生がすでに予測されていたことに、あなたはショックを受けるはずだ。

すべては仕組まれていたことである。

今日何が起こっているのかを、大半の人はわかっていない。律儀《りちぎ》に可愛らしいマスクを選び、自分たちの無私の行いと優しい政府が、生活を脅かしている感染症から自分たちを救ってくれると心から信じている。

こうした人々は、盲目であると言わざるを得ない。

彼らは眠りながらも、死に向かって歩み続けている。綿密に仕込まれた心理作戦によって洗脳されているのだ。私たちを恐れ慄《おのの》かせたくて、プロの力を借りて心理作戦を利用したことを、他でもない政府が認めているのだ。

物語は、終局まで来た。私たちは一刻も早く動かなくてはならない。私たちは、自分たちの命を賭《か》けた戦いの最中にいる。権力者たちは私たちの多くを殺し、生き残りは奴隷にしてしまいたいと考えているからだ。

「ニューノーマル」を打ち砕き、新世界秩序とグローバル・リセットを断固として拒まない限り、従来の生活に戻ることはないだろう。

国民が信頼できる、世界のリーダーなんてものは存在しない。

人類を救うつもりなら、私たち全員がこれまでに経験のない戦いに身を投じなくてはならない。人々には、今起こっていることを広く伝えていかなければいけないし、私たちの世界が今被っていることの恐ろしさを理解できるよう、サポートする必要がある。偶然に起こったことなど1つもない。すべては計画的に行われていることなのだ。夢遊病者同然の人々に対して、真実を見て、聞いて、読むように促していかなくてはならない。この戦いの勝敗には、私たちの生活がかかっているのだ。

アジェンダ21という詐欺は、2つの嘘の上に成り立っている。

1つ目の嘘は地球温暖化だ。元々、地球は、温暖化したり寒冷化したりするものだ。地球の気温が劇的に変わったという根拠はない。捏造《ねつぞう》された数字と嘘が存在するだけだ。したがって、劇的な変化の責任が私たちにあるという証拠はどこにもない。

2つ目の嘘は、世界の人口が過剰である、ということだ。全人類が生きていくための土地も食料もたっぷりと存在する。人々が飢えに苦しむのは、食べ物の確保はできても、分配先が間違っているからだ。

これはジョージ・オーウェルの『1984年』の世界の話ではない。今まさに、現実で起こっていることだ。

オーウェルは小説の中で、大方の問題を解決した。彼が本当に間違えたのは、年代だけだ。

そして今起こっていることはすべて、意図して引き起こされたことだ。私は彼の小説に未来を垣間見たが、こんな未来はまっぴらごめんである。

第2章　すでに決定済み？／世界の未来図A to Z

重要な覚書——厳しい検閲を超えるため

読者の皆さんには、私が片手を体の後ろで縛られた状態でこの本を書いたということを覚えていてほしい。もちろん、実際にそうだったのではなく、比喩《ひゆ》的な意味であるが。

本書の出版にまでこぎつけるため、〝自宅軟禁〟状態を招いた問題の名称をすべて削除しなければならなかった。そういうわけで、アルファベットの3番目の文字で始まる、ある感染症の名前はどこにも見当たらないだろうし、18よりわずかに大きくて、20よりはわずかに小さい数字で終わる名称の疾患も、本書には一切登場しない。

さらに、最近提出された新しい法案（ある特定の医療処置に関する意見や事実を述べた者は全員、たとえそれが医師であっても、法律違反と見なされる）に鑑《かんが》みて、「ワ」で始まる言葉の使用を避け、代わりに「接種」という言葉を使わざるを得なかった。口と鼻を覆うように身に着ける小さな布地を指す言葉もできる限り出さないようにしなければならなかったし、あるロックバンドと間違えられそうな名称の組織に言及することも許されなかった。他にもさまざまな制約があった。

これほど厳しい検閲に戸惑う読者もいるかもしれない。前述の言葉について著書の中で議論することを許されている作家もたくさんいるのだから。しかし現実問題、他の作家が自由に書いている、ある物事を書くことを私は禁止されているのだ。

そういうわけで、いくつかの題材について多少もってまわった言い方だと感じても勘弁してほしい。私自身、ときどき幻想世界でもさまよっているような気持ちになるものだ。

世界は決して元通りにはならない——私たちが主導権を握らない限り。数か月後、1年後、2年後には元の日常が戻ってくるなどと言っている者は、嘘つきか阿呆である。

第2章では、今後予期されることを分析し、簡潔に、アルファベット順に説明していこう。

A1

ADENAUER (KONRAD)
アデナウアー(コンラート)……西ドイツ初代首相

「神は人類の知恵には明白な限界を設けたが、愚かさには限界を設けなかった。まったく不公平なことである」。

A2

AFFIRMATIVE ACTION
アファーマティブ・アクション

アファーマティブ・アクションをもっとも的確に表現するなら、「政治的公正さ《ポリティカル・コレクトネス》を認められた人種差別主義」である。

A3

AFRICA
アフリカ

アフリカで起こっている惨事を大半の人は見過ごしている。想像もつかないほどの大惨事だ。私の動画では、何か月も前にこの件を予測していた。アフリカの人災が、いかなる自然災害よりも悲惨な結果をもたらすことは間違いないとはじめからわかっていたのだ。津波よりも、疫病よりも、火山噴火よりもひどい事態だ。

数理モデルの〝専門家〟たちからのアドバイスを受けて、国連は、ある新型のウイルスの感染者が12億人、死者が３３０万人に上るという公式予測を出した。アフリカ諸国は国民に、家から出るな、すべて言われたとおりに従えと要請した。

当然、状況は悪化の一途をたどることになる。

マラリアや結核にかかっても診断や治療は行われないし、一方で感染は拡大し、数百万人の死者を出している。産婦の死亡率が急増すると共に、乳児死亡率も急増。このままでは、アフリカの人口のおよそ10％が極度の貧困状態に陥り、餓死数も増加するだろう。これはただの偶然だろうか？　それとも人口削減計画の一環なのだろうか？

この混乱が回避可能であったという証明になるのが、マラウイ共和国だ。賢明なマラウイ政府は、厳しい自宅軟禁措置を課さなければ国内で5万人の死者が出るとの予測を受けても、自宅軟禁を決行しなかった。結果、人口約１９００万人のこの国で、現時点での死者はたった１７６人である。

A4

AGENDA21

アジェンダ21……直近30年間の負の元凶

世界経済フォーラムにて、国際連合と、世界各地から集まった選挙で選ばれたわけでもない億万長者や役員、政治家、政策立案者たちがグローバル・テクノクラシーの構築を決め、「グレート・リセット」だとか「グローバル・リセット」だとかいう考えを提唱した。これは、お粗末なソーシャル・エンジニアリングの一種で、地球上の全人類を操り、支配するための手段である。２０２１年現在の世界は、将来的に私たちの身に降りかかることのお試し体験にすぎないのだ。

アジェンダ21を実施する人々の目的は、彼らに都合の良いユートピアを築き上げることだ。つまり、全国民への所得保証と、中国の社会信用システムをモデルとした、報酬・懲罰・支配システムを取り入れたグローバル・テクノクラシーの世界である。地球温暖化はただの口実だ。グローバル・リセットが実現すれば、人々は監視下に置かれる。行儀よく振る舞った者が報酬を得る一方で、与えられた命令に従わなかった者は罰せられ、社会の大部分から締め出される。アジェンダ21は、系統化され、合法化された汚職行為なのだ。

人間の尊厳の象徴をすべて排除するのが、彼らの計略である。ほとんどの人は気づかないくらいゆっくりと、尊厳のかけらが失われていく。クーデターの首謀者たちは、世の中の大多数の人が、忙しかったり、他のことに気を取られていたり、無関心だったり、面倒くさがっていたり、はたまた臆病だったりして、今起こっている事態に気付かないだろうことを当てにしている。そして疑問の声を上げる人たちに、右翼の陰謀論者という汚名を着せて悪者に仕立て上げれば、間違いなく厄介払いできることをわかっている。

この計略の行き着く先は、テクノクラートの独裁国家に個人が服従させられ、自称専門家たちが人類の生活のあらゆる面を管理する世界だ。私たちの言動は事細かにコントロールされ、国家に依存して生きることを強いられるだろう。

これは前代未聞の規模の独裁政治である。２０２０年に起こった出来事は、人々を言いなりにさせ、「ニューノーマル」な生活に順応させる機会を政府に与えるために企《くわだ》てられたものなのだ。この新しい生活様式では、個人が抑圧され、国家（および、自分たちで任命した役人たち）の権力だけがすべてだ。

事実を述べよう。直近30年間の奇妙な出来事、嫌な出来事、何かを制限する出来事、破壊的な出来事は、もれなくアジェンダ21が招いたものである。すでに起こってしまったが、不当に感じたことや説明がつかないこと、何かに害を及ぼしたり、不自然だったり、非現実的に思えることはすべて、アジェンダ21の結果だ。そのうちの多くは、民主主義への配慮など微塵もないままに起こった。重要な決定を下したのは、国際連合やヨーロッパ連合、世界経済フォーラムで働く個人や、高額の給与を得ている職員を抱える、巨大で影響力のある非政府組織（NGO）、クワンゴ（特殊法人）、地方議会などだ。むろん、これら組織の職員に、選挙で選出された者は1人もいない。

私たちの生活の質が、あらゆる面で徐々に悪化していることは明らかである。医療、教育、増加した税負担（地方税、国税共に）、どんどん質が落ちていく公益事業、生活水準の低下と、汚職の増加。

同性愛者やトランスジェンダーの権利向上を求める運動は、対立を生み、伝統的な家族制度を崩壊させ、さまざまな宗教に多大な害を及ぼしてきた。こうした運動には、人口削減に一役買うという好都合な副産物もある。しかも、この状況に疑いを持ったり異議を唱えたりすれば、同性愛嫌悪者やトランスジェンダー嫌悪者として、すぐに悪人扱いされてしまうのだ。

過度な警告や、ころころと変わる（専門家の）助言、不可解な法律の数々は、世界を恐怖と混乱に突き落としたが、これは偶然の結果ではない。信用、公正さ、良識というものがすべて取り払われてきたせいだ（皮肉なことに、信用や公正さが破壊されると若者の多くは反感を覚えて権威主義に抵抗すべく立ち上がるが、それはまだ先のことであり、そのときが訪れても、反逆者たちはいとも簡単に鎮圧される運命にある）。

真心や尊厳は、私生活において価値のある通貨の最たるものであり、一方、社会生活において価値のある通貨は、正直さ、信用、敬意のみである。残念ながら、上記の資質は時と共にだんだんと軽視されるようになり、銃で撃たれ、ナイフで刺され、踏みつけにされ、蹴り飛ばされ、つばを吐かれ、粉々にされ、散々攻撃にさらされてきた。分別も感情も、残酷なまでに無視された。新しいリーダーたちには、慈悲も穏やかな心も、魂もない。彼らは、選挙で選ばれることもなく、ただ強欲さと嫉妬《しっと》を足掛かりにしたペテンのみを元に成り上がり、這《は》い上がってきた存在だ。そんなリーダーたちのおかげで、今や数百万の人々が、自国で難民状態に追いやられていると感じている。トニー・ブレア（個人的には、現代でもっとも邪悪な人物と言って差しつかえないと思う）、ゴードン・ブラウン、ボリス・ジョンソンの3名はWHOより強大な権力を持つ世界的官僚組織の発足を提唱してきたと言われている。これは独立国家制および国民国家制の終焉の一端と言えるだろう。

2020年の出来事は、コモン・パーパスやクワンゴ、公務員、利己的な企業、地域計画庁といった組織の、積年の計画の集大成にすぎない。

偶然に起こることなど、何もないのだ。

本書の大部分では、これらの計画の影響の全容や、ニューノーマルな生活が（私たちが待ったをかけなければ）どのようなものになるか、国連の計画が私たちの生活のあらゆる側面にどんな影響を及ぼすかについて解説していくことになる。

A5 AIDS エイズ……演出された恐怖は予行演習だった！

振り返ってみれば、私もターゲットにされたり、突然仕事の依頼が減り、メディアから干されたときがあった。

1988年、私は『健康スキャンダル（*The Health Scandal*）』という本を、ロンドンのシジウィック&ジャクソン出版社から出すため執筆した。出版社の人たちはこの本の出版に非常に乗り気で、プロモーションを大々的にやろうという話もよくしていた。ある特別なレセプションパーティーでは、同社会長のウィリアム・リース＝モグ（リース＝モグ卿）に、とても面白い本だとも言われた。

しかし本の一部に、英国政府のエイズに対する姿勢に疑問を投げかける箇所があった。当時、イギリスでは2000年までに全家庭にエイズが広まると言われていたが、私はそうはならないはずだという根拠を示した。すると突然、何の説明もないまま『健康スキャンダル』は見捨てられた。予定されていたプロモーションや広告掲載は白紙になり、シジウィック&ジャクソン出版社は、ペーパーバック化権の売却も拒んだ。この本は題材が厄介すぎて手に余ったというわけだ。私がエイズ神話に疑問を呈したことが、出版社にとって不都合なのは明らかだった（ちなみに、その本の執筆以前にほとんど同じ内容の文章を、週刊連載コラムを書いていた全国紙に載せたことがある）。

私のエージェントがペーパーバック版の出版について同社に問い合わせたところ、ペーパーバック版は売り出す気がないから、ペーパーバック化権を返還すると言う。その後1週間も経たないうちに、私たちはあるペーパーバック専門の出版社に権利を売り、その報酬をまるまる懐に入れた。シジウィック＆ジャクソンが、この本にはそれ以上関わりたがらなかったからだ。私自身も、私のエージェントもこのような経験は初めてだった。出版社は普通、権利を売って数千ポンドの利益を得るチャンスを、みすみす逃したりはしない。

私はエイズの恐怖はでたらめだと暴いた。イギリス国民全員が発症するだろうという主張を覆す数字を提示したのだ。そして突如、ほとんど一夜にして、私は空気のような存在になった。テレビ番組のレギュラー出演は取り消され、ＢＢＣのテレビやラジオへの出演依頼は来なくなった。当時受け持っていた新聞コラムは変わらず書き続けていたが、危険人物として目を付けられたのは間違いなかった。著書の批評も国内ではめったに出なかったし、基調講演の依頼もぱたりと止んだ。体制側にとって私は邪魔者で、口を封じるべき存在となったのである。

「エイズ危機」は誇張されたものであると暴露してから、気付けば世界中の出版社が私の本を絶版にしたり、安売りコーナーに置いたりした。さらに、新作の出版の話をしようとしてもまったく取り合ってくれなくなった。ドイツの出版社などは、かなり多くの部数を売り上げていたが（例えばある年は、『医者を見限る勇気』と『ボディパワー：自己治癒力の秘密（*Bodypower: Secret of self-healing*）』の印税で、約3万ポンドの小切手を受け取った）、その後これらの本は店頭から消え、次の年には1ポンドも印税が入らなかったのだ。何かあったのかと問い合わせても、他の作品をいくつか送っても、出版社からは何の返答もなかった。著作がベストセラーになったこともある中国では、国内の有力紙で触れてはいけないテーマを取り扱ったコラムを書いたことで、私の本は販売禁止となった。世界中で、同じようなことが起こっていた。

今になってようやく明白になったことだが、ＨＩＶが恐ろしい感染症として盛んに話題にされていたのは、私たちにアジェンダ21への備えをさせるためだったのだ。エイズによって、世界全体の死亡率が大幅に上がったと言うが、これは、例えば結核（および、その他のよくある疾患）で亡くなった人数も計算に含めたからである。

エイズは予行演習だったと考えているのは私一人ではない。ある読者からの手紙にこう書いてあった。「私は１９８９年から１９９２年、さらに１９９７年から２００２年までの間に、複数の泌尿生殖器科クリニックに勤めました。キャリアの後半では、職務の1つに、コリンデールにある衛生機関に月ごとのＨＩＶ感染者数を報告するというものがありました。当時、政府は感染者数を操作していましたし、ＢＢＣをはじめとする主流メディアは、何も疑わず、喜んでその操作された数字を報道していました」。

言わずもがな、エイズの他にも世界を恐怖に突き落とすべく怖い話をでっちあげようとする試みは、これまでたくさんあった。鳥インフルエンザや豚インフルエンザが、そのごく一部の例だ。

では、これらの脅しに共通するものは何か？

インペリアル・カレッジ・ロンドンのニール・ファーガソン教授が、これらすべてに関して、著しく誇張した予測を立てたということだ。ビル＆メリンダ・ゲイツ財団とのつながりを持つファーガソンは、私に言わせれば、ティーカップを設計したら内側に取っ手を付けてしまうような、どうしようもない無能だ。

A6 ALCOHOLISM アルコール依存症

２０２０年４月以降、アルコール依存の発症率が急増している。パブやレストランを閉鎖する一方、スーパーが安酒を売るのは許可しているため、家で大量に酒を飲む人が増えているのだ。元々約４００万人だったイギリス国内のアルコール依存症（および依存症予備軍）の患者数は、数か月で倍増し、800万人超に上った。アルコール依存症に関連した死亡者の数も、うなぎ登りになっている（パブの閉鎖に伴い、数々の小規模醸造業者が廃業し、国際的な大企業がマーケットを独占しているのも偶然ではない）。

恐らく次は、パブの閉鎖によってアルコール依存症患者が増加していることを表向きの理由に、スーパーでの酒類の販売を制限する（あるいは、酒税を増税する）だろう。これは関係者にとってかなりの痛手である。もちろん、隠された真の目的はアルコール全般の販売数を減らすことだ。アルコール消費が社会に与える害を減らし、さらに、クリスラムという世界統一宗教へと私たちを導くつもりなのだ。

山火事がアメリカのワイン業界の存続を脅かす脅威となっていることも、興味深い事実だ。2015年から2020年までの間に、ワイン業界を揺るがす大規模な山火事が7件起きた。ブドウ畑を破壊し、業界全体に壊滅的な損害を及ぼしたこれらの山火事は、計画的なものだったと考えざるを得ない。

余談だが、同期間にタバコの消費量が増え、またギャンブルも2020年の例の出来事以降、それまでよりずっと深刻な問題になっているという点も注目に値する。

毎度のことながら、すべての出来事は、ある計画の一部である。今日《こんにち》起こっていることの中で、偶然の産物は1つもない。何もかも、意図的な行為の結果なのだ。

A7 ALIENATION 疎外

現在を「疎外の時代」と呼ぶ人がいるのも頷《うなず》ける。

真実を伝えようとする者は、嘘の情報を流され、悪者に仕立て上げられ、嫌がらせを受け、時には逮捕までされている。誰かが異なる見方を提唱するかもしれない、という考えそのものが、自ら責任者に名乗りを上げた重いブーツを履いた旅団を震え上がらせているのだ。真実を伝えることは、ファシズム政権や全体主義体制では常に犯罪扱いされてきた。

しかも、地域によって規則が異なるため、どんな罰を受けることになるのかはっきりとはわからない。アメリカのとある地域では、鼻と口を覆わなかっただけで1年間の懲役になり、また別の地域では懲役はないものの、2000ドルの罰金を科される。テキサス州では、自宅でも顔を覆う布を着用しろと言われた人たちもいる。ある店で、布を顔に着けていなかった男性に警備員が銃を突きつけたこともあった。カリフォルニアの住民は、隣人が咳《せき》やくしゃみをしているのを聞きつけたら、警察に通報している。

体制側を喜ばせることに必死な密告者たちは、大規模監視システムの一端を担っている。

A8

ALTERNATIVE ENERGY
代替エネルギー……かえってマイナスの影響あり

超大量の化石燃料が、太陽光発電所や風力発電所、電気自動車のバッテリー、その他さまざまな再生可能エネルギーを作るために使用されている（しかも、ダムによる水力発電や波力発電のエネルギー回収などは、まだ効果が証明されていない）。これらの新しいエネルギーの多くは、かえってマイナスの影響を与えていて（例えば風力発電所の建設と運用には、その発電所が生み出す電力よりも多くの電力が必要となる）、なかには、ばかげた発電方法もあることは疑いようがない。太陽光発電は太陽が出ていないとき（つまり、ヨーロッパ北部では一年の大半）は役に立たず、風力発電は無風のとき（これも驚くほど多い）には無用の長物である。バイオ燃料（116ページB11参照）はエンジンを動かすクリーンな方法として導入を促進されているが、トウモロコシなどの穀物をバイオ燃料に変えることで、餓死者を増やしただけだ。バイオマス（116ページB12参照）は史上もっとも偽善的な発明であると言って、まず間違いないだろう。

地球温暖化対策を叫ぶ過激派たちの望みは、石油会社への資金の流れを止め、これ以上石油を探査させないようにすることだ。彼らは石油の使用をやめさせたいのだ。ところが、国際エネルギー機関の発表によると、2040年までに再生可能エネルギー（木を燃やして作る〝バイオマス”（いんちきバイオマス）などを含む）で賄《まかな》えるのは、地球上で必要とされるエネルギーのわずか5％にすぎない。つまり、化石燃料がなければ、何十億もの人々が餓死ないしは凍死することになるということだ。

化石燃料の代わりとして推奨されているさまざまな代替エネルギー源については、科学的見地から詳しく調べる必要がある。

まず、**風力**。長年にわたって利用されてきたクリーンで再生可能な技術である。エネルギーを生み出すために、地下に人員を送り、厳しい環境で危険な仕事をさせる必要もないし、公害もない（むろん、風車が発する想像を絶する騒音や、回転する羽根によって野生生物の生態系が破壊されることを公害と見なすなら別だが）。また、風力発電は他の再生可能エネルギーに対して、費用が比較的安い。

ただ残念ながら、風力によって比較的少量の電力を供給するにも、かなり多くの風車が必要である。

『来るべき経済崩壊（*The Coming Economic Collapse*）』の著者の1人、スティーブン・リーブが述べたことだが、アメリカの石炭消費量の10％（これは、当時のアメリカの電力供給量の約5％に当たる）を風力発電に置き換えるには、3万6000から4万基の風車がなくてはならないそうだ。ということは、アメリカ全体の電力需要に応えるには、この20倍の風車と、10年の建築期間が必要になる。

風からエネルギーを得るには、潜在的な問題がいくつかあることは否定できない。

第一に、膨大な数の風車が要ること。ところが十分な数の風車を建設したいと考える人（企業）は、いそうにない。

第二に、風車建設の際に大量の化石燃料が消費されること。にもかかわらず、風車建設を望む環境保護信者たちは、石油会社が今までどおりに石油を探査することには反対なのだ。一方、世界中のドライバーや飛行機で旅をする人、そして軍は、地球に残された限りある石油を大量に使って風車を作ることに同意するだろうか？　なぜか私にはそうは思えない。

第三に、エネルギー需要に見合う数の風力タービンを建てるには、何十億ポンドものコストがかかること。ある試算によると、アメリカで十分な基数の風車を作ろうとすれば、子どもも含めたアメリカ全国民が、１人につき２５００ポンドを負担する必要がある。国民は、まだ見ぬ未来の燃料のために、今、２５００ポンドを支払う心構えができるだろうか？　さらに、環境コストの増加に耐えられるだろうか？　いったい誰が、自宅の裏庭に風車を置きたいと思うのだろう？

第四に、ほとんどの国では、効率的に風車を動かせるほど風が吹かないこと。例えば、イギリスでさえ一部の人々が思っているほど風が強くはない。２０２０年までに国内のエネルギー需要の5分の1を風力タービンで賄うなどという考えは、荒唐無稽である。単純なことだが、風の穏やかな日があまりにも多く、そんな日には風車はただ突っ立っているだけになるのだ。風が吹かなければ、エネルギーはちっとも得られない。むしろ、風車がさびつかないように、他のエネルギー源から作った電力を使って風車を回す羽目になる。風力発電の信頼性については、問題が山積みだ。ドイツには風力発電所が数多くあるが、潜在的な発電可能量の6分の1しか実際には発電できていない。強風時に発電した電力を貯蓄しておく方法もないし、電力需要が劇的に（今の10分の1ほどに）下がりでもしない限り、先進国で必要とされる電力を風力発電で調達するのは不可能だ。

第五に、風力タービンも環境に影響を及ぼすこと。見た目が忌まわしく、すさまじい騒音を立てるだけでは済まない（試しに、政治家が所有する片田舎の別荘近くに風車を建てて、風力発電所がいかに疎まれているかを実感させればいい）。実際に役に立つ量の電力を発電できるほど多数の風車を設置したら、気候変動や地表変化につながるだろう。

風力発電

政治家でさえ、風力発電をそれほど信用していないことは明らかだ。ヨーロッパの一部では、地球に優しい風力タービン（あるいはソーラーパネルをはじめとする、他の省エネルギー対策）に金をかけた家の所有者は、他の人より高い税金の支払いを強いられている。

皮肉な話だが、風車や風のもっとも実用的な使い道は、小規模な地域社会でトウモロコシを挽《ひ》くことかもしれない。

さて、**太陽光発電**は、ずっと昔から存在してきた。古代中国の人々は、ガラスや鏡を用いて太陽光線を集め、火をおこしたと言われている。

太陽光発電は素晴らしい技術のように思える。クリーンで騒音もなく、また、世界には日照量が豊富な場所がいくつもある。しかし、太陽電池はあまり効率的とは言えず（電池に注ぐ太陽光の約10分の1しか電力に変えることができない）、価格も高い。太陽光はせいぜい、ニッチなエネルギー源と言える程度だろう。農業で使う化学肥料を生み出すこともできないし、世界中にあふれる車やトラック、飛行機の動力源に利用するのも難しい。

他にはどんなエネルギーがあっただろうか。

そう、**バイオ燃料**を忘れてはいけない。

バイオ燃料は、地球温暖化対策の崇拝者たちが好んで選択する燃料である。しかし、ここで指摘したいのは、バイオ燃料として知られるトウモロコシなどの穀物は、世界の大部分では食物として知られているということだ。地球温暖化対策マニアは、バイオ燃料の使用を推奨することで世界各地を飢餓に追いやっている。

また、バイオマスはもっとも豊富な再生可能エネルギーとして、いつも名前が挙がる。〝環境に優しい〟木材の使い道だと言うのだ。思い出してほしいのは、風力発電や太陽光パネルは知名度が高いが、作り出せるエネルギー量はごくわずかだということ。再生可能と言われているエネルギーの多くは、木質ペレットというバイオ燃料の燃焼で得られるエネルギーだ。イギリスでは、バイオ燃料の大半をアメリカから輸入している。つまり、地球に必要不可欠な木々がなぎ倒され、切り刻まれて、ディーゼル船でイギリスに運ばれているということになる。この木がイギリスに到着した途端、「バイオマス」と名前を変えて燃やされ、クリーンな電力を生み出すのだ。不思議なことに、司法妨害罪で逮捕され、服役した政治家クリス・ヒューン（彼は、イギリス自由民主党の元環境担当スポークスマンでありエネルギー気候変動大臣も務めた）が、服役後まもなくあるバイオマス発電所のヨーロッパ地域責任者に任命された。この会社はアメリカで木質ペレットを作り、グリーンエネルギーとして世界各地に販売している。ヒューンはエネルギー気候変動大臣を務めていた当時、木質ペレットに対するグリーン補助金の使用を支持し、その後、イギリス国民の血税数億ポンドが木質ペレットの購入に費やされた。しかし、木を切り倒してペレットに加工し、大西洋の向こう側から運んできて燃焼させるのは、石炭を燃焼させるよりも環境への害が大きく、その上費用もずっと高いと推定されている。

当然ながら、水流から電力を得ることは十分可能である。何世紀も前から、人々は川の力を使って水車を動かしていた。現在でも、アメリカで消費される電力のほぼ10％が、**水力発電プロジェクト**によって供給されている。

水力発電の源は川や貯水池だけではない。海は、まだあまり開発の進んでいないエネルギー源の1つであり、波の力を発電に利用できると主張する人もいる。ただし、第一の関門は、波が常に変化するという点だ。高いときもあれば、ほとんど見えないほど低いときもある。結果として、海から得られる電力は得てして断続的になってしまう。波の力で車やジェット機を動かすことはできないし、化学肥料を作ることも不可能だ。第二の関門は、海からエネルギーを得るために、そもそも莫大なエネルギーが必要となる点だ。発電設備の建設と維持には、とてつもなく大量の石油が必要だろう。そういうわけで、波の力で発電するのは、ほぼ不可能に近い。

水素発電は、将来的に石油が何か別のもので代替できるようになると主張する人々に人気の方法だ。確かに、一見すると良い方法に思える。再生可能なクリーンエネルギーを生み出す水素燃料電池の仕組みは、水素と酸素を化学反応させて電力、水、熱を発生させるというものだ。しかし主な問題点として、水素が十分に存在しないことが挙げられる。しかも、水素は安価ではないし、環境に優しいとも言いがたい。水素発電の副産物がきれいな水（つまり地球に優しい発電プロセス）なのは間違いないが、水素を集めるのには大量の石油、天然ガス、石炭が必要であるという事実を考えると、あまり効率のいい方法ではなさそうだ。未発掘の水素貯蔵地が、地下に眠っているわけもない。水素は、石炭や天然ガスなどの炭化水素から製造するか、水から抽出するしかないのだ。ここで、私たちは振り出しに戻ることになる――すなわち、化石燃料が必要だ。

少量の水素であれば、風車から得た電力を利用して製造することもできる。水素燃料電池は車の動力源になり得るので、この方法をとれば何台かの車に燃料を供給することも可能かもしれない。だが、水素自動車の使用を促したり、燃料を供給したりするためには、まったく新しいインフラを構築しなければならないだろう。それでは、あまり環境問題の解決にはならない。最後に、乗り越えられない大きな壁がある。水素の製造には、水素から得られるエネルギーよりも多くのエネルギーがかかるのである。風力発電やバイオ燃料と同様、水素も負のエネルギー源なのだ。よって、石油やその他資源を水素に変換するのはまったくの無意味だ。

さて、そういうことなら。

私たちは神が与えたもうた石油、ガス、ウランに感謝し、これからも使っていくことになるだろう。

あるいは……？

いや、実際、他の選択肢は存在しないのである。

A9

ANIMALS
動物……感染対策の名目で虐殺、削減

グローバル・リセットには、動物たち（家畜もペットも隔てなく）の居場所はない。動物は人類にとっての脅威とみなされ、絶滅に追い込むべき存在とされているのだ。

国連は動物を人類から遠ざけ、地球上の動物の個体数を減らしたいと考えている。人と動物の距離を保つという国連の方針は、おかしなことに、「生物多様性」と呼ばれる。その短期・中期・長期的目標はすべて、人類をスマートシティに住まわせ、研究室で生み出した肉を食べさせることにつながる。グレート・リセットが実行されれば、家畜やペットの需要はなくなり居場所も失われてしまうだろう。

野生生物も家畜も、今や悪者扱いされ、過去に広まった伝染病や現在流行している感染症の原因であると責められている。私たちは、動物が新たな伝染病を生み出す可能性があると警告されている。こうして、過去2年間に数えきれないほどのニワトリ、アヒル、ガチョウ、ブタ、ウシ、さらにはミンクまでもが、病気を広める恐れがあるという根拠のない主張のせいで虐殺された。

数年前、数学者ニール・ファーガソンを含むインペリアル・カレッジ・ロンドンの研究チー

ムが、動物たちを大量虐殺して口蹄疫問題《こうていえき》を解決すべきと発表した。チームの口蹄疫伝播に関するモデリングの結果、６００万頭のヒツジ、ブタ、ウシが殺処分され、イギリスは約１００億ポンドの損失を被った。しかし、彼らの研究には「重大な欠陥がある」と言われている（ファーガソンの実績は、言うまでもなく惨憺《さんたん》たるものである。２００2年には、狂牛病で5万人の死者が出ると予測。ヒツジにも感染が広まれば、死者は15万人に上ると発表した。ところが、イギリス国内の死者は１７７名だった。２００5年、鳥インフルエンザで2億人が亡くなる可能性があるとファーガソンは言ったが、死者は世界中で計２８２名にとどまった。２００9年、彼は英国政府に豚インフルエンザへの感染で、国内で6万５０００人の死者が出るだろうと忠告し、政府はそれを鵜呑《うの》みにした。結果的に、イギリスで豚インフルエンザによって亡くなった人は４５７名だった）。

国連の生物多様性条約には、現在の「自然の衰退」に歯止めをかけるため、状況を変える必要があると示されている。どういう意味なのかあまり明確ではないが、国連は「新たな感染症の流行の大半は、動物由来の病気が人にうつったことに原因がある」とも発言している。

もちろん、この馬鹿げた主張には何の根拠もない。

例えるなら「新たな感染症の流行の大半は、人々がくだらないテレビ番組を見ていることに原因がある」とか、「新たな感染症の流行の大半は、まったくもって価値のないエセ科学の報告書の作成に、国連がカネを使っていることに原因がある」と議論するのと同じようなものだ。

デービッド・アッテンボローが出演するBBCの番組では、豚インフルエンザやSARS、エボラ出血熱などの現代病が、人類と動物との接触が増えたせいで登場したと報じていた。私が思うに、彼の言説には「これらの現代病の発生は、人々がBBCの馬鹿げた番組を見ているせいだ」という言説と同程度の根拠しかない。

つまるところ、これもすべてアジェンダ21の一部にすぎないのだ。

A10
ART
アート……芸術も国有化

2020年に入ると、芸術はさまざまな面で政府の財政支援を必要とした。その年の終わりにはさまざまな芸術が補助金を受けたことで、政府の管理下に置かれるようになった。事実上、芸術は国有化されたのだ。そして官僚が芸術を所有し、管理するようになった。

また、雑誌も新聞と同様に、広告という媒体によって政府に支配されつつある。政府が多くの広告枠を購入しているが、大多数の納税者はそのことを知らないだろう。

B1
BACTERIAL PNEUMONIA
細菌性肺炎

ウイルス感染症（インフルエンザや私が名前を出せない、末尾が数字で終わる例の感染症を含む）による死亡者の多くが、実際には抗生物質だけで治療可能な細菌性肺炎で死亡していたことがわかっている。その証拠となる論文が２００８年に発表されており、共著者の１人は２０２０年にアメリカ大統領首席医療顧問となったアンソニー・ファウチ博士である。

この論文を読むとわかると思うが、介護施設にいる高齢者への治療を拒否した医師は、過失致死傷罪ではなく殺人罪で起訴されるべきだ。抗生物質を用いるだけの簡単な治療を怠ったせいで患者が亡くなってしまっているのだから。

B_2 BANKRUPTCY
倒産……意図的な世界経済崩壊へと進む

チャールズ皇太子が宣伝した「グレート・リセット」には、私有財産が保証されるという記載が一切ない（ただし、ビリオネアや英国王室の一員は除く）。信じられなければ、国連が発表した「アジェンダ21」の宣伝文句や、私有財産に関するフランシスコ教皇（３７２ページP_{11}参照）の言葉を調べてみるとよいだろう。

では、ナチス党の親衛隊少佐や中佐のような権力者たちは、いったいどのように人々の私有財産を奪うつもりなのだろう。残念なことに、彼らはすでに私たち全員を破滅させるために5

つの計画を開始している。将来、私有地を所有できるのは、ビリオネアと王族だけになるだろう（彼らが財産を手放すことはあり得ない）。なぜなら家の所有者や年金を支払っている人、銀行にわずかな預金がある人は、自分が自由な市民であると思い込んでいるからだ。グレート・リセットの愛好家たちは、無情にも人々の独立性の痕跡を1つ残らず取り除きたいと考えているのだ。

ここで皆さんにいくつかの重要な事実をお伝えしよう。

1つ目は、世界経済の崩壊により、皆さんが今行っている投資はすべて台無しになるということ。投資を行っていない人も安心してはいけない。なぜなら公務員で国民年金を受け取れる人以外は、経済の崩壊によって退職年金が破滅的な打撃を受け、その影響を被ることになるからだ。世界経済の崩壊は偶然ではなく意図的に引き起こされる。それはアジェンダ21の計画の一部である。ビル・ゲイツやイーロン・マスクのようなビリオネアは、2020年に驚異的な成功を収めたが、そのときあなたの資産は増えなかったはずだ。一方、アマゾンの創業者であるジェフ・ベゾスはインターネットの大部分を支配し、ゲイツ財団は特定の医薬品を作っているさまざまな製薬会社の株を持ち、マスクは電気自動車産業を手中に収めている。おそらく残りの人たちは金儲けのために株式市場で空売りをしたのだろう。ワーテルローの戦いの最後に登場したロスチャイルド家を思い出してほしい。彼らは他のすべてのトレーダーを騙《だま》してナポレオンが勝利したと勘違いさせ、ぼろ儲けをして巨額の富を得たのである。

２つ目は、政府が金利をかつてないレベルまで下げたこと。政府の普通預金口座に１００万ポンドを預けていても、毎年の利息はガソリンを満タンにできるほどの額にしかならない。また中央銀行はこぞってマイナス金利を検討している。預金口座にお金を預けていれば、銀行に利息を払わなければならなくなる。

３つ目は、経済の崩壊によって何百万もの雇用が失われること。国連は２０２０年に全雇用の50%が失われると発表した。しかし、こんなのは権力者たちにとってはゲームやボール、サンドイッチのように些末《さまつ》なことであり、実際、雇用は失われるだろう。仕事を失う人たちは、ユニバーサル・ベーシック・インカムと名付けられた政府の手当に頼らざるを得なくなる。

４つ目は、あなたが家を所有しているか、その一部を所有している、あるいは所有を検討している場合、ひどく困った状況になるということ。金利はしばらくの間、史上最低の水準で推移していく。貯金のある人は、間違いなく貯金が徐々に減っていく。その後、金利は上がるだろう。少しではない、非常に大きく上がるのだ。その理由については後ほど詳しく説明するが、金利が8%、9%、10%、あるいはそれ以上になったとき、住宅ローンの支払いがどうなるか、想像してみてほしい。その後さらに金利が高くなると、ほとんどの人が家を維持できなくなる。そうなれば、個人の住宅所有は終わりを迎え、アジェンダ21の成功に向けた新たな一歩を踏み出すことになるだろう。

5つ目は、なぜ金利が急上昇するのか考えてみてほしい。それは金利を上昇させることでインフレを起こしたいからだ。大規模なインフレは、政府が返済不能な多額の負債を解消するための最良の方法であり、人々が蓄えてきた貯蓄を台無しにするのだ。

そして6つ目。権力者たちはある特別な仕掛けを用意している……それが税金である。どこの国の政府も、ここに100億ポンド、あそこに1000億ポンド、というように大喜びでお金をばら撒いているが、彼らは財源を補塡《ほてん》し、借金を返済する必要がある。当然、税金は上がる。権力者たちは、あなたが想像もしなかったような新しい税金を考案するだろう。彼らの主な目的は、お金を集めることではなく、すべての人を貧困に陥れることなのだ。

彼らは、私たちが何かを所有することを望んでいない。それこそが彼らの計画である。決して作り話ではないのだ。私たちが貧困に陥ったとき、彼らは私たちにユニバーサル・ベーシック・インカムを気前よく支払うだろう。私たちは日々の糧をビル・ゲイツやクラウス・シュワブ（407ページS_4参照）たちに完全に依存することになる。もし行儀の悪いことをしたり、彼らを批判したりすれば、その支払いは行われず、デジタル銀行口座は空っぽになる。

もしもこの戦争に負けてしまったら、反体制派の人々は皆、泥小屋に住み、草やナメクジのパイを食べることになる。その一方で、ビリオネアたちは永遠の富を得るのだろう。

このシステムを支配している人たちは、ただの無能な存在ではない。彼らは欺瞞《ぎまん》に満ち、狡猾《こうかつ》で、私たちがこれまで遭遇したことのないような、邪悪な存在である。

私は開業医だった頃に、警察医として数年間働いた。そこで数多くの殺人者にも会い、診察し、面談をしてきたが、彼らと比べても政治家、科学者、医師ほど邪悪な人間には会ったことがない。彼らは権力とお金のために私たちが大切にしているすべてを破壊しようとしているのだ。間違ってはならないのは、文明の終焉が光の速さで迫っているということだ。

物事が良くなると思っている人がいまだに多く存在する。しかし、そのようにはならない。来年は今年よりもはるかに悪い状況になるだろう。そして、私たちの生活を破滅させようと企んでいる邪悪な人間の支配を断ち切るのは、これまで以上に困難なものになる。

あなたがこのことに気づき、人生、家族、友人、コミュニティを大切に思うのであれば、今こそ権力者たちを止め、アジェンダ21の計画を阻止するために全力を尽くすときである。

B_3 BANNED 公開禁止

私はこれまで多くの言動を禁止され、検閲され、妨げられてきた。そして、この12か月間にそのペースはますます上がってきている。

私の作品を公開禁止にしたインターネット・プラットフォームの数は数えきれない。同じテーマの動画や本が放置されているのに、私の動画や本が削除されているのは不思議な話である。

B4

BATS コウモリ……保護名目のパラドックス

コウモリは英国で一般的な動物だが、保護種としても扱われている。

それはなぜか？

コウモリが保護種になれば、人々はコウモリの住処《すみか》となっている屋根や軒先のある田舎の家を修理・修復することができない。コウモリを守るための作業コストも膨大になるし、必要な建築作業さえできなくなるのだ。

つまり、コウモリはアジェンダ21のガイドラインの信奉者に利用されているのだ。

同じように、数多くの動物種が法律によって保護されている。その中には、疑うまでもなく絶滅の危機に瀕している動物も含まれており――それは人間の活動の結果であることもあればそうでないこともあるが――保護活動が理解できるケースもある。

しかし、不可解な点がある。道路や建築物の工事を阻止するために、絶滅の危機に瀕していない種（どこかに移すことも可能な種）を保護するという不条理な規制が存在するが、このことはアジェンダ21の推進に不可欠とは考え難い。
まさにアジェンダ21の裏地には、多くのパラドックスが縫い込まれているのだ。

B5 BEEHIVE MENTALITY 蜂の巣のような集団心理

アジェンダ21とは、世界を巨大な蜂の巣《ビーハイブ》にして、私たちを働きバチのような奴隷にしようという計画のことだ。豪華な生活を送る女王蜂は、ブレア、シュワブ、ゲイツ、チャールズ皇太子、ロックフェラー家、ロスチャイルド家、そして、その家族たちである。

B6 BENZODIAZEPINES IN DRINKING WATER 飲料水に含まれるベンゾジアゼピン類

現在や未来についての不安で動揺している市民を少しでも落ち着かせるために、飲料水に精神安定剤（ベンゾジアゼピン系薬など）を入れるべきだということが言われている。それは今に始まった考えではない。この案は、半世紀ほど前に初めて提案されたが、その際には却下されている。しかし、今日ではそう簡単に却下されないのではないか。

B7

BIG LEBOWSKI

ビッグ・リボウスキ……1998年のアメリカのコメディ映画

「男とは、どんな犠牲を払ってでも正しいことをする覚悟のある人のことである」。

B8

BIKEABLE

バイカブル

なぜこのような言葉を作る必要があったのか、私には想像もつかない。「バイカブル」とは自転車を使って移動できるルートを意味する。アジェンダ21が提唱される以前は、「ロード」や「パス」といった言葉が使われていた。今日、アジェンダ21のファシストたちは私たちの言葉さえ破壊しようとしている。

B9

BILDERBERGERS

ビルダーバーグ会議

最初のビルダーバーグ会議は、1954年5月にオランダのベルンハルト王子が自国のオースタービークにあるホテル・デ・ビルダーバーグで主催したものだった。現在、ビルダーバーグ会議はさまざまな場所で定例的に開催されている。

この会議は政治家、企業の役員、銀行家、大学教授、戦略家、ジャーナリスト、ロビイストなどが秘密裏に集まる豪華な会議である。アメリカ政府やCIAをはじめとする多くの機関から多額の資金援助を受けているが、実に多くの秘密が隠されているのだ。出席者は通常130人前後で、3分の2が西欧、3分の1が北米からの参加者だ。政府は通常、厳重な警備を（納税者の負担で）かけるが、議論された内容は一切公開されていない。出席者には守秘義務が課せられ、誰1人として会議の内容を口外することはできないのだ。また多くの有力な報道関係者が参加するので、参加者や会議の内容が公表されるリスクはほとんどない。

では、ビルダーバーグ会議では何をするのか？

おそらく、ただウイスキーを飲み、太い葉巻を吸い、フランスのメイド服を着たウェイトレスに見惚れているわけではないだろう。重要な決定を下すためのエリート会議なのだ。ユーロはビルダーバーグ会議の結果として導入されたと言われており、三極委員会（ロビー活動を行う組織）はロックフェラーの推薦によって設立されたと言われている。またビルダーバーグはローマ条約を起草したことでも知られていて、アジェンダ21のいくつかの側面が、このエリート主義的な年1回、3日間におよぶ会議に参加した陰謀家の間で生まれたことは疑いの余地がないのだ。ビルダーバーグは、金持ちや権力者だけで構成されたロビー活動を行う圧力団体である。

もちろん、場合によっては情報漏洩も起こり得るだろう。

1991年のビルダーバーグ会議では、ヘンリー・キッシンジャー（312ページK_3参照）が「テロであれ、飢饉であれ、疫病であれ、何らかの脅威に直面したとき、人々は専制政治を安全の口実として受け入れるだろう」と述べたと言われている。

現在では意外な人物が参加者になっている。例えば、ライアンエアーの最高経営責任者であるマイケル・オレアリーもビルダーバーグ委員会に入っている。2020年末、彼の航空会社は「ジャブ・アンド・ゴー（注射を打って出かけよう）」という宣伝文句を使い、このでっちあげの危機における、すばらしい解決策を人々に受け入れさせようとする強硬な立場をとった。

B10 BILLIONAIRES ビリオネア

今はまさに、ビリオネアになるには最高のタイミングである。2020年1月から2020年8月の間に、世界中の多くの人々が貧困に陥った。一方で、世界中のビリオネアは富を大幅に増やした。いわゆる博愛主義者でさえ、以前よりもはるかに多くのお金を手に入れている。ジェフ・ベゾスはこの数か月で800億ドルを稼いだ。ビル・ゲイツは84億ドル、マーク・ザッカーバーグは２１０億ドル、イーロン・マスクは６２８億ドル、ラリー・ペイジは96億ドル、マッケンジー・スコットは２５６億ドル、エリック・ユアンは１０４億ドルを稼いでいる。

この困難な時代にビリオネアになれるとは、すばらしい話である。彼らのようなビリオネアは、経済を破壊する口実として利用されてきた今回の危機の中で、非常にうまく立ち振る舞っている。人々の貯蓄だけでなく、１００万人単位で人々の仕事を奪っているのだ。米国のビリオネアの資産は、２０２０年末までに約８０００億ドル増加した。ブルームバーグの指標によると、世界でもっとも裕福な５００人は、２０２０年には合計で23％、１兆３０００億ドルの資産を増やしたそうだ。

今後ビリオネアはますます裕福になっていくだろう。新世界秩序は彼らのビジネスに合わせて設計されているからだ。彼らの投資対象はテクノロジーで、蓄えは十分ある上に、支出も少ない。それだけでなく、彼らのインターネットビジネスは、人々が家に閉じこもり、ほとんど何もせずにオンラインで時間を潰したり、ショッピングをしたりするような現代に最適なため、利益を上げ続けているのだろう。

近年、電気自動車の開発も活発に行われている。非常に偽善的で無知な地球温暖化論者たちの間では流行となっているからだ。しかし、この電気がどこから来ているのかを気にかける人はいない。自動車用バッテリーに必要な材料を鉱山で採掘している14歳の子どもたちのことを心配している人などどこにもいないのだ。

加えて、政府が企業に融資や補助金を提供して、経済の大部分を静かにコントロールしていることにも注目しなければならない。イギリスでは、国家は日に日に大きく、そして強力になっている。不思議なことに、保守派の政府は、手を付けられるものはすべて国有化しているのだ。

B11 BIOFUELS バイオ燃料

これまで私は、政府がなぜ食料を燃料に変えることにこんなにも熱心で、化石燃料の代わりに「バイオ燃料」を推進しているのか、よく理解できなかった。しかし、世界の人口を減らすことがアジェンダ21の政策であることを知ってから、この政策についても理解が追いついた。バイオ燃料は、多くの人を餓死させるために推進されているのだ。

B12 BIOMASS バイオマス……矛盾する使われ方

多くの再生可能エネルギーは「バイオマス」から得られる。バイオマスとは、成長した木からとった木材をお洒落に言い換えた名称だ。バイオマスから得られる電力は、石炭が燃やされていたのと同じように、発電所で木材を燃やすことで得られるのだ。

イギリスでは、発電所で燃やされるバイオマスのほとんどが米国産だ。何千本もの木が切り倒されて小さなペレット状の木材になり、ディーゼルエンジンを搭載した大型トラックに載せられ、長距離を移動して港に運ばれる。その後、ディーゼル車から今度はガスやディーゼルエンジンを動力源とする大型船に移される。大型船は大西洋を航行し、ペレット状の木材は船から降ろされ、再び大型トラックに積まれる。トラックはペレット状の木材を発電所に運び、そこで木材は燃やされる。当然のことながら、バイオマスを燃やした場合の二酸化炭素の排出量は膨大で、石油やガス、石炭を燃やした場合よりも多くの二酸化炭素を排出する可能性がある（石炭の多くは、採掘された国で燃やしているため、移送の燃料が必要ないことも覚えておいてほしい）。

しかし、バイオマスは再生可能エネルギーとして扱われているため、地球温暖化対策の崇拝者たちは気にせず推奨している。

奇妙な話だが、イギリスでは家庭の暖炉で薪を燃やすことを禁止する動きがある。その代わりに、薪を燃やして得た電気を発電所で使うことが推奨されているのである。

B13 BIRDS AND BEES 鳥と蜂

地球は常に低周波を出しており、鳥はこの低周波を羅針盤のように使って移動している。しかし、携帯電話やその基地局の普及により、地球上の電磁波が大幅に増加してしまい、鳥の移動に悪影響を及ぼしている。また、同じ理由でミツバチの群れも減少している。

地球から鳥や蜂が消滅すれば、自然界のバランスが崩れてしまい取り返しのつかないことになる。特に、ミツバチは木や灌木《かんぼく》、植物の受粉に不可欠な存在であり、ミツバチなしで多くの作物を育てることはできない。

鳥が携帯電話の基地局を襲う場面を見かけることがあるが、非難することはできないだろう。

B14 BITCOIN ビットコイン

中央銀行や国家通貨に代わる存在として宣伝されたビットコインは、実際にはキャッシュレス社会のプロローグである。決して人々の生活を自由にするものではない。

B15

BLAIR TONY
ブレア（トニー）

イギリスの元首相であるトニー・ブレアは、悪名高き戦争犯罪者であり、アジェンダ21のあらゆる負の部分に関わっている。彼は今、史上初のワン・ワールド・プレジデントになることを目指している。

ちなみにブレアといえば、イギリスでもっとも裕福な元首相だろう。彼と彼の家族は、39軒の家とアパートを所有し、３５００万ポンドの資産を築いている。実際、トニーと妻のシェリー・ブレアは、バッキンガムシャーに１０００万ポンドの大邸宅と、ロンドンに１７０万ポンドの長屋式住宅を所有しており、シェリーとその子ユアン・ブレアは31軒のアパートを共同で所有している。

私は著書『ならずもの国家（*Rogue Nation*）』の中で、ブレアがイラク侵攻という違法な悪行を支持したことを取り上げた。そして、彼は引退後、個人的に巨額の金銭的利益を得るだろうと予測した。

現在、イギリスでもっとも熱心に健康パスポートを提唱しているのは、他でもなくブレアだ。彼は首相時代、英国国民にＩＤカードの携帯を義務付ける法案を強行採決しようとした。だが、当時の有権者たちは今よりも気骨があったため、このアイデアを拒否した。

今日、多くの英国人に受け入れられている健康パスポートは、かつて拒否されたＩＤカードよりも押し付けがましく、極めて危険なものである。

皮肉な話だが、ブレアは戦争犯罪者であるだけでなく永遠の裏切り者であり、嘘つきであると広く認識されている。彼は嫌われているため、自分の意図に反した結果を招いてしまうことが多い。ブレアは（アジェンダ21に触発されて）熱狂的な残留派であったが、彼のＥＵ支持はブレグジット支持者の勝利を確実なものにした。ひょっとしたら、ブレアの健康パスポート支持は、健康パスポートに反対する人たちにとっては願ってもないニュースかもしれない。

ちなみに、ＢＢＣは必死にブレアを擁護している。彼が何か意見を言えば、ＢＢＣは延々と彼の意見を報道し続ける。

ブレアは地球温暖化対策を熱心に支持しているが、自宅の近くに風力発電所が建設されることに対しては反対しているそうだ。

B16 BODY OWNERSHIP
身体の所有権

所有物から何を奪われたとしても、身体だけは自分のものだと思うかもしれない。しかし、その考えは誤りである。

例えばイギリスでは、誰かが死んでしまったとき、その人の臓器を国が取り上げることができる。そうするのは当たり前のことで、どうしても拒否したい場合には、自分の臓器が「摘出」されてはいけないことを主張する書類にわざわざ署名しなければならない。しかし、手術室に運び込まれて、外科医が臓器を取り上げる（外科医は患者が臓器を必要としていないことを願っている）とき、あなた以外の誰かがそのことを気に留めて、書類に代わりに署名してくれるかどうかは疑わしいだろう。

もし外科医がその署名された主張を無視したら、どうなるか？　心臓、肝臓、腎臓などの返還を求める訴訟を起こせばいいのか？

かつてジョン・ロックが人間の権利について書いたとき、権利の中には財産の所有権が含まれていた。この財産には家や土地、車や靴下だけではなく、自分自身の身体も含まれるはずだ。身体は私たちが生まれたときから所有している唯一の財産であり、死ぬときには手放すものである。

B17

BOOK BURNING
本の焼却……真実を抑圧してコントロール

紀元前7世紀、アッシリア帝国の首都、ニネヴェにあったアシュルバニパル王の図書館が焼かれた。イギリスでは、宗教改革の時代に何十万冊もの本が失われた（こちらも焼却された）。また欧州では、第二次世界大戦の前半と中盤（1933年から1945年まで）に、ナチスが推定1億冊の本を処分している。

もちろん、本を燃やさなくても人々が本を読まないようにすることはできる。2009～10年、イギリスには4356の公共図書館があった。2018～19年には、その数は3583にまで減少した。悪評高いと言われるビクトリア朝ではあるが、公共図書館や読書室、教育機関の数においては、イギリスのどの時代をも凌《しの》いでいる。

今日では本を焼却したり、図書館を閉鎖したりする必要はない。ソーシャルメディアサービスを提供する大企業を説得して、チェック項目に合わない本をプラットフォームで販売できないようにすればよいのだ（私はこの新たな焚書のせいで個人的につらい経験をしている）。

真実を抑圧し、プロパガンダや疑似科学に置き換えることに直接関わっている人々の中で、いったいどれだけの人が、悲惨な結末が待っていることを理解しているのだろうか？　ジャーナリスト、放送関係者、英国陸軍第77旅団のメンバー（英国市民を守るために雇われているが、現在は真実を隠蔽《いんぺい》し、偽情報を広め、欺瞞を助長するためのプロパガンダと洗脳キャンペーンに関与している）は皆、ヒトラーなど歴代の焚書の巨人たちと肩を並べるようなことをしている。彼らは真実を抑圧し、嘘を支持し、事実を抹消し、誠実なものをすべて裏切り、史上最悪の暴君たちと手を組んでいるのだ。果たして、関係者のうち、何が起きているのか、なぜ自分が利用されているのか、自分や家族に長期的にどんな影響があるのかを理解している人はどれだけいるのだろうか？

アジェンダ21の計画の1つに、家族や夫婦という概念の崩壊があることを多くの人は知らないだろう。特に、孤独で、孤立していて、恐怖に怯えている人は、周りに友達や家族がいる人よりも、権力者にとって虐げる対象となりやすく、コントロールしやすいのだ。

B18　BRAINWASHING
洗脳……嘘のスローガンはやがて真実にされてしまう

2020年に入ってから、世界中の政府が国民を洗脳しており、見事に功を奏している。

実は、この洗脳と操作は数年前から始まっていた。現在の学生たちは、反体制派や体制批判者に疑問を持ち、それを否定するように訓練されている。政治的な正しさと美徳が、従順な非思想家という奇妙な新しい人種を生み出したのである。

政府はこの創られた「危機」の間、さまざまなオーウェル的なマインドコントロールのトリックを使ってきた。スローガン、拍手、シンボルなど、すべては権力者たちが私たちの思考をコントロールするため、計画的に利用されてきたのだ。

元ＮＨＳ（訳注：国民保健サービスの略称。イギリスの国営医療サービス事業）の医師であり、『実践的催眠療法（*Practical Hypnotherapy*）』の著者であるヒプノセラピスト、コリン・バロン博士は、２０２０年に私たちの心がどのように乗っ取られ、操られ、嘘を信じ込むように仕向けられたのかを私に教えてくれた。

選挙で選ばれた政府は、行動科学の専門家の助けを借りて、何百万人もを洗脳し、プロパガンダを受け入れさせてきた。

脳というのは不思議なものである。ときに予測できない反応を起こす。例えば「ボリス・ジョンソンは宇宙人だ」という見出しを目にしたら、ほとんどの人はそれをすぐに否定するだろう。しかし「ボリス・ジョンソンは宇宙人か？」という見出しであれば、読者はイギリスの首相が本当に別の惑星から来たのではないかと疑う可能性が高くなる。とある調査によると「ボリス・ジョンソンは宇宙人ではない」という見出しを目にしたら、さらに疑念が深まるそうだ。

脳を操る、騙すというのは巧妙なプロの手口である。

あなたは洗脳されている。その洗脳は非常に巧妙なものであった。私たちは皆、静かに催眠術をかけられ、世界中の政府が生み出した新しい集団ヒステリーを受け入れるように教え込まれているのである。多くの人々が政府からお金をもらい、何もせずにステイホームを楽しみ、この状態がこのまま続けばいいのにと思っている。自分の人生に対する責任を回避できるからだ。

「巧妙で絶え間ないプロパガンダによって、人々は楽園を地獄と見なし、逆にもっとも悲惨な人生を楽園と見なすことができる」と言った人物を覚えているだろうか？　大衆を操るサブリミナル技術に長けていた、アドルフ・ヒトラーである。そして、「大衆が考えることを放棄するのは政府にとって幸運である」と発言したのもヒトラーである。ナチスは人の心をコントロールすることに長けていたのだ。

ナチスの宣伝大臣であったゲッベルスは「嘘を何度も繰り返せば、人々はそれを信じるようになる」と言った。また、彼はこのようにも指摘した。「人をコントロールしたいが、反対勢力を説得しなければならない場合、自分の罪や策略に反する人を非難すべきだ」。だからこそ、どこの国の政府も、真実を伝えている人を「フェイクニュースを流している」と非難しているのだ。党の方針に従わない者は、危険な陰謀論者として排除される。しかし、巨大な陰謀はすべて政府によって唱えられているのだ。

世界各国では、国民に必要な行動を取らせるためのスローガンを掲げている。中国では、「親を愛しているならば、親を監禁せよ」というスローガンがあった。台湾では、「お互いに訪問し合うことはお互いを殺すことだ」と言われていた。

イギリスで大々的に宣伝されているスローガンは、一見すると無害なものに見える。例えば「みんな一緒に頑張ろう」などは無害なものに見えるが、首相の顧問以外はすでに頑張っているのだと付け加えてもいいだろう。

至るところで宣伝されていた最初の3つのフレーズは次のとおりだ。

油断せず、ウイルスをコントロールし、命を守ろう（Stay alert, Control the virus, Save lives）

距離を保とう、手を洗おう、他人のことを考えよう（Keep your distance, Wash your hands, Think of others）

最近では、新しいフレーズもレパートリーに加わった。

手を洗おう、顔を覆い隠そう、空間を作ろう（Wash hands, Cover face, Make space）

家にいよう、NHSを守ろう、命を守ろう（Stay home, Protect the NHS, Save Lives）

これらのフレーズに使われているリズムとパターンは、偶然のものではない。3語のフレーズを使うのは、心理的条件づけにおいて「3の法則」と呼ばれる手法である。だから3つのフレーズを浴びせられ、私たちは訓練させせられ、教え込まれているのだ。これが行動心理学だ。同じフレーズを何度も繰り返していると、その言葉や考えが潜在意識に植え付けられ、行動の動機の信念になると指摘するヒプノセラピストたちもいる。政府はスローガンを繰り返すことで、そのフレーズが人々の信念になるように仕向けているのだ。これは自動暗示と呼ばれるもので、「私はどんどん良くなっている」と信じ込ませるようなものである。

また、ヒトラーは「嘘は何度も繰り返すと、やがて多くの人が真実と混同するようになる」という考えを持っていた。さらに彼は「人々は小さな嘘よりも大きな嘘の犠牲になりやすい」とも言っている。「大衆の頭の中には壮大な嘘をでっちあげるなんていう発想はなく、他者の中に真実をこんなにもひどく歪めようとする不謹慎さがあるとはおよそ信じられないのだ」というのがヒトラーの考えだ。

ヒトラーは、このようなテクニックを使ってドイツ国民を支配し、操り、悪事を受け入れるように説得したのである。

架空の言語、ニュースピークを考案したジョージ・オーウェルも、3語のフレーズの重要性を理解していた。1948年に書かれた未来小説『1984年』の中で、オーウェルは「戦争は平和、自由は奴隷、無知は力」というスローガンを考案した。「もしも未来を想像したいなら、人間の顔を永遠に踏みつけてくるブーツを想像してみてほしい」とオーウェルは書いた。権力は手段ではなく、目的なのだと。

2020年2月以降に起きたことは、すべて洗脳プロセスの一環であった。私たちが目にしている指示は、命令に近いということがおわかりだろう。タンポポのように突然現れた看板には「ここに立ってください」ではなく、「ここに立て」と書かれている。なぜ丁寧にお願いしないのだろうか？　囚人に「お願いします」と言う必要はないとでもいうのか？

この危機が始まってから、介護職員や医療従事者へ拍手を送る習慣が生まれた。拍手はおそらく善意から無邪気に始まったものであるが、そこには静かで執拗な恐怖が横たわっている。実用的な目的の医療など存在しない。インフルエンザのようなウイルスに罹患《りかん》している（あるいは罹患していると思われる、あるいは罹患する可能性のある）比較的少数の患者をケアするために、医療全体に多額の費用を投入することを決めた政治家や官僚たちに国民は裏切られたのだ。

著名な催眠療法家であるミルトン・エリクソン博士は、患者を自宅に帰らせて屋根裏部屋の掃除をさせたり、持っている本を数えさせたりするような簡単な作業を与えていた。これらはすべて、マインドコントロールのプロセスの一環として行われた。

木曜日の午後8時に玄関先に立って拍手をしなさいというのは、集団催眠となる単純で反復的な作業だ。医療従事者への拍手運動は瞬く間に、私たちの生活に影響を与える権力者たちによって熱心に推進された。

人を説得して自分のしたいように動かすことは、催眠療法の一部である。人々に拍手をさせることは、ウイルスの危険性と医療従事者の勇敢さを信じてもらうためにも重要である。こうして、がんやその他の疾患の患者のためのベッドがないという事実を簡単に受け入れさせた。

急にあちこちに出現した虹のシンボルも洗脳プロセスの一環である。何千もの人々が洗脳され、シンボルやスローガンの宣伝に進んで参加している。心理作戦の専門家は、見出しの最後にクエスチョンマーク（?）を付けるとメッセージ性が強くなり、声明の周りにクォーテーションマーク（〝〟）を付けると、より多くの人がその声明を信じるようになることを知っている。これらのトリックの多くは、マーケティングの第一人者や通信販売の専門家によって完成されたものである。

会える人と会えない人を区別する、極めて複雑で混乱を招くルールもプログラムの一部だ。イギリスのある大臣は最近、「2人の人間が1人の人間に会うことはできるが、1人の人間が2人の人間に会うことはできない」と発言した。混乱させ、恐怖に陥れれば、人々は不安になり、従順になる。それが彼らの目的なのだ。

これらのことを念頭に置いて、私はスローガンを作成した。もちろん3つの単語と3つのフレーズで。

政府を信じるな（Distrust the government）
マスメディアを信じるな（Avoid mass media）
嘘と戦おう（Fight the lies）

私のスローガンは、洗脳の条件にぴったり当てはまる。

B19 BRAINWAVES
脳波……進む「脳内監視」

現在、中国では多くの労働者が脳波を観測するための帽子を被っている。そこで得られたデータは、生産状況の監視や業務プロセスの再設計に利用されるのだ。経営陣は、休憩時間の長さや休憩の回数を管理することで効率を上げられると主張している。また、このシステムは軍隊や公共交通機関でも使用されているそうだ。

このように感情やその他の精神活動を測定する「脳内監視」はすでに中国で始まっている。

あなたの家の近くのオフィスや店舗、工場にそれが導入される日も遠くはないだろう。軽量の無線センサーが装着者の脳波を測定し、そのデータがコンピューターに送信されることで、不安や抑うつ、怒りなどを測定できるのだ。

B20 BRANDT WILLY ブラント（ウィリー）……元西ドイツ首相

「平和以外でもっとも重要なものは何かと聞かれたら、私の答えは『自由』である」。

B21 BREXIT ブレグジット

イギリス人は投票によってＥＵからの離脱を決めたが、アジェンダ21は私たちを同じようにファシズムと共産主義が混合した危険な世界へと導くだろう。実際、ＥＵを離脱してもイギリスの運営方法には何の変化もないが、国民は新しい議会に投票して、国連の世界計画に断固として反対しなければならない。

いわゆるブレグジットは失敗する運命にあった。なぜなら（いずれの政党においても）組織の中で誰１人として、ＥＵやアジェンダ21の目的・目標を撤回しようと動かなかったからである。

一方で、ブレグジットに投票したことで罰せられている英国人がいるのではないかと強く疑っている。他の国と比べても、イギリスほど法律が厳しい国はない。

ちなみにブレグジットと全力で戦った（その報道が偏っていたことも認めた）ＢＢＣは、イギリスがＥＵを離脱した後も、ブレグジットのあらゆる欠点について報道し続けている。

B22 BUILDING REGULATIONS
建築基準

グレンフェル・タワー火災（訳注：２０１７年、ロンドン西部の高層住宅の火事）は、二酸化炭素の排出量を削減するために使用された被覆材が原因であったと考えられる。この火災では72名が死亡した。現在も約２００万の人々が、同じ被覆材を使用した、今や販売不可能となった危険なアパートメントに住んでいる。地球温暖化論者にとっては、またしても虚しい勝利のようである。これらのアパートメントは、ＥＵの既存の建築基準に沿って建てられたものであるが、あまりにもひどい設計と組み立てのために、壁、バルコニー、断熱材、被覆材は新たな規定を満たせていない。さらに購入希望者は、再建に莫大な費用がかかるこのアパートに住宅ローンを組むことさえできない。

B23 BUNKERS 地下シェルター

政府は何年も前から、政府だけでなく、軍や億万長者、ビルダーバーグ会議の参加者などが身を守るための地下シェルターを建設してきた。こうした地下シェルター（極秘裏に建設・維持されている）は、そこに住む人々が50年以上生き延びることができるように設計されている。ゲイツ夫妻や英国王室が住むことを考慮すると、納得できる話だ。

C1 CAMPAIGNERS キャンペーン担当者……既成概念に反論すれば潰される

身の回りの悪事にうんざりしたとき、「やめろ」と叫ぶかどうかは、いつも私たち次第である。私たちには声があり、その声は誰かに届けるためにある。黙ったままでいるならば、私たちはこの世界を腐敗させ、破壊する悪の一部に他ならない。

嘲笑し、馬鹿にしてくる愚かな人々のことは無視しなければならない。彼らは銀の財布で買収されたか、私たちが戦っている戦争の本質を理解するには知能が低すぎるのだ。私たちは、他人からの軽蔑、嘲笑、あからさまな軽視、あるいは支援や励ましの欠如によって、自分自身を失望させてはならないのである。

歴史を振り返ってみると、想像力に富み、思慮深く、創造的な人は常に苦境に立たされてきたことがわかる。自分の頭で考え、その考えを人に伝えようとしただけで、嫌がらせや迫害を受けた市民の例は、過去を振り返れば枚挙にいとまがない。

悲しいことに、私たちの世界では独創的なもの、挑戦的なもの、刺激的なもの、情熱的なものが歓迎されることはなく、示唆に富むものよりも個性のないものが好まれてきたのだ。

既成概念にあえて反論する者は、常に危険な異端者と見なされてきた。因習を打破する人々はいつの時代でも歓迎される存在ではなかった。

中国の哲学者である孔子は、政界の支配者によって解雇され、彼の本は焼却された。30日以内に本を燃やさなかった者には烙印が押され、強制労働を科せられたという。それから2500年経ってからも、孔子の影響力は危険視され、毛沢東主席は彼の著作を禁書とした。

ギリシャの教師ソクラテスは、デルフォイの神託によって世界でもっとも賢い人物と評されたが、アテネの若者を堕落させたと非難され、「好奇心を示し、地の下や天の上にあるものを調べ、これらすべてを人に教える」という悪事を働いたとして逮捕され、死刑を宣告された。

イタリアの詩人ダンテは、フィレンツェから追放され、火炙《ひあぶ》りにされると通告されていた。

ユダヤ人共同体は、脅しや賄賂ではスピノザを黙らせることができなかった。彼らはスピノザが党派に従うことを拒み、周囲からの言葉を受け入れず、思想の自由を主張したため、アムステルダムでスピノザを破門した。彼と彼の作品は、「反逆者のユダヤ人と悪魔が地獄で偽造したもの」と糾弾された。

17世紀のイタリアの数学者、占星術師、科学者であるガリレオは「惑星は太陽の周りを回っている」と主張したコペルニクスを支持したことで、全権を握る教会と大きなトラブルになっている。

16世紀、医学に革命を起こそうとしたアウレオルス・フィリッポス・テオフラストゥス・ボンバストゥス・フォン・ホーエンハイム（友人たちはパラケルススと呼んでいた）は、ヨーロッパ中に敵を作った。パラケルススは、ヒポクラテス以降の医学思想にもっとも大きな影響を与えた人物であるが、体制側は彼をトラブルメーカーと見なしていた。

オーストリアの産科医イグナッツ・ゼンメルワイスは、産褥《さんじょく》熱は医療従事者が手指の消毒を徹底することで解決できると訴えたが、当時行われていた医療行為を批判したため、医学界から追放されてしまった。ジョン・スノウ博士は2つの大きな戦いに挑んだ。彼は出産時の女性に麻酔を導入したことや、公共の水ポンプがコレラの発生源であることを突き止め、ロンドンでのコレラ蔓延を防いだことで有名である。この2つの戦いで、彼は敵を作った。

ヘンリー・デイヴィッド・ソローは、心優しく賢明な哲学者だが、自分の理想を貫いたために投獄された。

先述した人々は皆、私にとっては英雄である。独創的な考えの持ち主や、物事の枠組みにきちんと収まらない人は排除されてしまうのだ。

C_2

CAMPS
収容所

公の嘘にあえて反対する人々は、検疫所や収容所に送られてしまうそうだ。まさに強制収容所である。

C_3

CAMUS ALBERT
カミュ（アルベール）……フランスの小説家

「国民の福祉と安全は常に暴君の言い訳である」。

C_4

CANCEL CULTURE
キャンセル・カルチャー

アジェンダ21の支持者たちは、言論の自由を認めていない。どこの国の市民も、規則や規制、官僚が決めたどんな法律にも従わなければならないのだ。

21世紀に入ってから、人々の発言や行動を規制するための新しい法律が数多く導入されてきた。その多くは、表向きには宗教的憎悪をなくすための法律となっているが、それは言論の自由をより厳しく管理するための口実にすぎなかった。「侮辱罪」や「ヘイトクライム」と見なされるものは、ほとんどが違法とされ、厳しく罰せられる。

この問題は学校や大学にも広がり、教師や講師が奨励し、学生は熱心に受け入れている。今日、学生は動揺したり、不快に感じたり、あるいは何らかの形で不愉快な思いをするような歴史の一部を学ぶことはない。

また、人気がない、流行らない、受け入れられないことを話そうとした講師は、発言権を拒否される。逆らう者は「呼び出され」、非難される。教育機関は標的とされた人々の講演を中止せざるを得ず、出版社は彼らの本の制作を拒否し、放送局は彼らの放送を許可せず、定期刊行物に彼らの記事が掲載されることはない。

キャンセル・カルチャー（極左に受け入れられないと思われる言動をしようとした講師などが出入り禁止になること）は大学で始まり、広がっていった。当初、受け入れがたい講師は「ノープラットフォーム」（発言が許されない）とされ、その発言内容は学生を動揺させるという理由で排除された。このような不寛容で残忍な攻撃は、今や社会に広く浸透している。イギリスでは、政府が「チャーチル・ルーム」という部屋の名前を変えようとしている。また上級公務員は、「ブラックリスト」という言葉に人種的なニュアンスが含まれているとして、その使用を控えている。

C5 CAPITAL LETTERS FOR EMPHASIS
大文字で強調

その名を口にするまでもない、よくニュースで取り上げられている例のウイルスは、不必要な大文字でいかめしく演出されている。これは、この感染症が他の病気よりも重要であることを示唆するために意図的に行われたことである。メディアや政府の誰もが、結核やマラリアについては書かない。だが、これらの感染症は例のウイルスよりも多くの人を殺す。

この手法は他の場面でも使用されている。左寄りの過激な政治界隈では、黒人を指すときには大文字の頭文字（Black people）を使い、白人を指すときには小文字の頭文字（white people）を使うことが多いようだ。

C6 CARBON TRADING
カーボン・トレード……中世の「免罪符」と同じトリック

休日、コーンウォールで2週間のキャンプをする代わりに、飛行機で飛び立つことを選択した政治家がいる。その人物は環境を汚染し、地球温暖化に拍車をかけている理由を知りたがる批判者に対して、二酸化炭素の「排出量」のバランスを取るために「カーボンオフセット」を購入したと主張している。

カーボン・トレードは、歴史上最大の信用トリックの1つだ。2007年、英国政府は「すべての人に炭素カードを持たせ、環境にもっと配慮させるべきだ」と伝えた。米国の元副大統領アル・ゴアは、ナッシュビルの豪邸で平均的な米国人の20倍の電力を使用していることが問題になったとき、同じような主張で自分を正当化している。彼はグリーン・クレジットを購入することで、二酸化炭素の排出量をすべて相殺していると主張した。

ほとんどの人は気づいていないだろう。企業が汚染のライセンスを購入できるというカーボン・クレジットのアイデアを生み出したのは、アル・ゴアとその他大勢の投資家だ。

当然の話であるが、このカーボン・クレジット（汚染できるというライセンス）のコストは、一般市民が引き受けることになる。そして、カーボン・クレジットを販売するブローカーは大儲けしているのだ。かつて不祥事を起こし、破綻《はたん》に追い込まれたエンロン社のケン・レイは、ゴアがカーボン・クレジット取引の仕組みを作るのを手伝っていた。地球温暖化詐欺に多額の投資をしているのはゴアだけではない。他にも多くの有力な政治家や科学者が、この詐欺で何十億ドルもの利益を得ようとしているのだ。

そして地球温暖化詐欺は、パンデミックや繰り返し起こる金融危機とともに、アジェンダ21と世界政府への道筋の一部であることを忘れてはならない。地球温暖化詐欺は理由があって考案されたものであるが、権力者たちはこの詐欺で大金を稼ぐことに抵抗がないのだ。

公的な立場にある人は皆、自分が「グリーン」で「環境に配慮している」というイメージを持ちたがっている。アーノルド・シュワルツェネッガー前カリフォルニア州知事は、3台のハマーを所有していることを問い詰められた際、そのうちの2台はエタノールを吸収できるように改造していると答えた。そんなことを真顔で言うとは、並大抵の演技力ではない。

政治家や大富豪のポップスターは、自家用機で世界中を飛び回っているので、「バランス」を取るために、二酸化炭素排出権を購入している。しかし、カーボン・トレードは実質的な偽善であり、決して地球のためにはならない。

世界最大のもっとも腐敗したファシスト組織である欧州連合（EU）は、独自のカーボン・トレード・プログラムを立ち上げており、その取引がどのように機能するかを示す良い例となっている。EUのプログラムは「排出量取引制度」と呼ばれているが、皆さんの予想どおり、EUの制度は環境や地球、そして皆さんや私にとって何の利益にもならない。一方、地球温暖化の原因となっている大企業には莫大な利益をもたらすのである。

ＥＵの排出量取引制度は、汚染物質を出す発電所が、よりクリーンなエネルギーに転換することを促すために設立されたと公表されている。各国政府はこの制度を、温室効果ガスの排出量を削減するために不可欠な要素としている。

だが実際は、地球温暖化の真の原因である汚染企業が、温室効果ガスの排出量を減らすことなく、逆に請求額を増やして利益を上げることができる仕組みになっているのだ。業界の専門家でさえ、ＥＵの排出量取引制度は、大手電力会社の利益を大幅に増加させる恩恵をもたらしたと認めている。

ＥＵでは、大手電力会社やメーカーに排出枠を設け、毎年一定量の二酸化炭素を排出することを認めていた。汚染の許容量を削減した企業は、未使用の排出枠を公開市場で売却することができた。一方、排出枠を超える汚染を行った企業は、汚染を続けるために追加のクレジットを購入しなければならなかった。

しかし、ＥＵは汚染者の圧力に屈して、排出権限を与える許可証を無料で配布した。誤解を招かないように繰り返すが、ＥＵは大手電力会社に許可証を完全に無償で与えたのである。大手電力会社は許可証を取得すると、汚染物質の排出量を減らすために、単純に電力の出力を下げた。そうすれば余った排出権を他の企業に売ることができるからだ。電気の生産量を減らしたことで、大手電力会社は電気料金を値上げすることができた。

私たちはダブルパンチを食らったのだ。世界最大の汚染者たちは、電気料金を高くすることで過剰な利益を得た。そして、汚染許可証の一部を売却することで、さらに稼いだのである。覚えておいてほしいのは、この許可証をEUは彼らに無料で与えていたことである。

カーボン・トレードは、中世に流行した「免罪符」の制度に似ている。罪人は悪徳司祭と交渉して、罪を免れるために料金を支払ったのである。

C7 CARLIN GEORGE
カーリン（ジョージ）……アメリカのコメディアン

「私には生きていくうえで確かなルールがある。それは政府の言うことは何も信じないということだ。本当に何も信じない。ゼロだ」。

C8 CASH
現金……プライバシーを奪うデジタルマネー

アジェンダ21の目的の1つは、現金を廃止してデジタルマネーに置き換えることである。これにより銀行や政府は数回のキー操作で反体制派をお金から切り離すことができるようになり、政策の実行がより容易くなるのだ。

2020年初頭、タクシー運転手がウイルスに汚染された現金に触れたため死亡したという説が流れた。もちろん、そこには何の証拠もない。

その後、研究者たちは、ニュースで話題のウイルスが紙幣などの表面で28日間生存できることを示した。この発見は大々的に報じられ、「現金は使わず、クレジットカードに頼るべきだ」という証拠として使われた（もちろん、クレジットカードが汚染されることはない）。しかし、ジャーナリストたちは皆、この実験に曖昧な点が多いことや紫外線でウイルスが死滅することなどには言及しなかった。

このくだらない記事を読んだ同じ日に私は『Which?』誌のあるレポートを読んだが、お店が紙幣や硬貨の使用を拒否しているため、消費者が必要な食料品を購入できなくなっていると書かれていた。

2021年初頭、現金を受け取ってくれる店が不足していることは、（何らかの理由で）クレジットカードを持たず、インターネットにもアクセスできない何百万もの人々の現実的な障害となっていた。

クレジットカードや携帯電話での支払いに慣れていた人々は2020年に起きた出来事によって、現金をますます敬遠することになった。現金取引の店は電話ボックスのように珍しいものになるだろう。これが未来の姿である。

現金は私たちに自由を与えてくれる。だから、権力者たちは現金を排除することに躍起になっているのだ。そのうえどこにでも姿を現すビル・ゲイツは、デジタル通貨と人体の機能をコントロールする方法の特許を持っているようだ。現金の廃止などを求める「ベター・ザン・キャッシュ・アライアンス」は、ビル&メリンダ・ゲイツ財団が一部出資している団体である。

各国政府は現金を根絶し、デジタルマネーに置き換えようとしている。マスメディアの手を借りながら、彼らは新しい口実を使って私たち全員に本物のお金を使うのをやめさせ、その代わりにすべてのものをクレジットカードや電話アプリで支払わせようとしているのだ。

中国ではすでに全取引の85%が携帯電話で行われている。政府や銀行は「現金は病原菌を運ぶ」としきりに主張しているが、その危険性は今も昔も変わらない。現金を扱った後には手を洗いさえすればいい。

現金は私たちに自由とプライバシーを与えてくれる。以下は、なぜ現金が不可欠なのかを示す事実である。

まず、現金があれば、移動や行動の自由を得ることができる。現金がなければ、権力者たちは私たちの一挙手一投足を追跡することができるのだ。私たちがどこにいるのか、何を買っているのか、何をしているのか、常に知られてしまうのである。プライバシーはないに等しい。

また、現金は子どもたちにお金の価値を教えるのにも役立つ。現金は現実感を与え、お金の大切さを教えてくれる。現金があれば、借金を防ぐこともできる。

多くの人が現金を必要としており、現金がなければ食料を買うことができない人もいる。イギリスでは約５人に１人が現金を頼りにしており、現金がなければ生きていくのが困難な状況だ。銀行口座を持たず、インターネットにもアクセスできない何百万もの人々（高齢者やホームレスを含む）は生活ができなくなってしまうのだ。

もちろん現金は泥棒に狙われやすいかもしれないが、財布を紛失した場合、失うのは持っていた現金だけである。取引のたびに携帯電話やプラスチックカードを使用すると、あなたの各種の情報が盗まれる可能性は高くなる。携帯電話やプラスチックカードが盗まれると、あなたは自分のアイデンティティを含むすべてのものを失うことになるのだ。

現金がなくなると、銀行は私たちが商品を買うたびに取引手数料を請求するようになるかもしれない。場合によっては商品を売ったときでさえ取引手数料を請求するかもしれない。

クレジットカードに頼っていると、銀行はあなたのお金へのアクセスを簡単に遮断することができる。もしあなたが銀行にとって都合の悪いことを行えば、お金へのアクセスを遮断してしまうのだ。例えば、糖尿病の人には甘いものを買えないようにすることができる。アルコールなどの特定の商品の販売を禁止することも簡単である。トラブルメーカーとみなされると、旅行すらできなくなるのだ。

権力者たちの当面の目標は、プラスチックカードを廃止し、世界共通の電話アプリに置き換え、すべての金融取引を電話で管理することだ。また中期的な計画は、電話アプリを埋め込み型チップに置き換えて、私たちを電子システムの奴隷にすることである。埋め込み型チップの実験はすでに行われている。最終的に埋め込まれたチップには、あなたのあらゆる情報が含まれることになる。このチップは遠くからでも瞬時に「オフ」にすることができるのだ。

現金がなければ、すべてのお金を銀行に預けることを強制できるし、大銀行はマイナス金利を拡大することができる。

現金を禁止するお店は、多くの市民を排除し、基本的な自由やプライバシーの権利を奪っている。現金を存続させるために、私たちは可能な限り現金での支払いにこだわるべきである。そして現金での支払いを拒否するお店を避けるようにしなければならない。

C9 CCTV

CCTV……防犯カメラは監視のためだけか

顔を覆うルールを守っていない人がお店に入れないようにする新しいCCTVカメラが作られた。このカメラの目的は「対応が難しい客に応対するスタッフの手助け」であり、障害者、精神病者、喘息《ぜんそく》や心臓病などの隠れた病気を持つ人が入店して希少な食料品を買うのを防ぐことができる。このカメラはお店のドアを操作するために使われる。覆面をしていない買い物客が近づくと、ドアはしっかりと閉じられたままになる。そして従順な買い物客が近づくと難なくドアが開くのだ。

C10 CELEBRITIES 有名人たち

2020年の初頭、驚くほど多くの著名人、政治家、世界のリーダーたちがウイルスに感染した。著名人以外の感染者が驚くほど少なかったことを考えると、これが感染の重要性をアピールし、恐怖心を煽《あお》るための計画の一環であったことは明らかだろう。

その後、嘘に対する怒りが高まるにつれ、世界各国の政府は、マイナーな有名人を雇って、詐欺行為を支援したり、医療行為を宣伝したりするようになった。

有名人の中にたった1人でも、自分が宣伝している活動について実際に知っている人はいたのだろうか？　私はそうは思わない。

C11

CELL PHONES
携帯電話……WHOも認める電磁波の発がん性

5Gについて、少しでも心配なことがあると話したり、書いたり、ほのめかしたり、妄想したりしようものなら、裏切り者、詐欺師、嘘つき、陰謀論者、幼児を連れた母親専用のスーパーの駐車場に勝手に車を停めるような非常識な人として追放されるのは不可避である。

しかし、現在では、電磁波が深刻な健康被害をもたらすことを証明する幾千もの科学論文がある。特に、まだ成長中であり、大人よりも頭蓋骨がはるかに薄い子どもたちにとって、電磁波は深刻な問題である。

1980年代後半、私がこの危険性について初めて執筆したとき、私は頭がおかしいと思われていた。しかし、今日では、その証拠に疑いの余地がない。問題は、携帯電話のような無線通信は、きちんとした安全性テストが行われていないにもかかわらず、人々は携帯電話が安全だと思い込まされていることであり、企業はいくつかのテストを行っているものの、長期的な評価は行われていない。このことを危惧した保険会社は、携帯電話会社を健康保険の適用範囲から除外している。

ここではいくつかの事実を紹介しよう。

Ｗｉ－Ｆｉや携帯電話は、長期的な不妊症や、うつ病、自殺、偏執病や眠気などの心理的な問題を引き起こす可能性がある。その他、ＤＮＡや内分泌の変化、発育変動、行動障害、がんなどの問題もある。パーキンソン病や認知症が引き起こされる可能性だってある。

多くの学校（特にイギリスやアメリカ）では、Ｗｉ－Ｆｉ機能を強化したことを誇っているが、小さな子どもたちが学ぶ学校ではＷｉ－Ｆｉや携帯電話の使用を禁止している国もある。

２００８年、スイス、フランス、ドイツ、ベルギー、イギリスでは、学校からＷｉ－Ｆｉを撤去することが報道された。一方で、現在イギリスの学校ではＷｉ－Ｆｉが復活している。オーストリア医師会は、電磁波や電磁放射線が体内に蓄積されるということを発表し、子どもたちが携帯電話を使用することは断固として避けるべきだと結論づけている。

２０２０年７月20日、ロシア政府はすべての小学校でＷｉ－Ｆｉと携帯電話の使用を禁止するよう勧告した。ロシア人は１９４０年代に電波兵器の実験を行っており、その危険性を熟知しているのだ。

２０１１年６月、欧州評議会は、学校におけるＷｉ－Ｆｉと携帯電話の使用禁止を呼びかけた。

２０１２年、ユニセフは、学校でのＷｉ－Ｆｉ利用により、中枢神経系の障害、てんかん、心理的問題、血液・免疫系の障害などが増加することを明らかにした。

フランスでは、２０１８年に保育園でのＷｉ－Ｆｉ利用を禁止し、11歳以下の子どもへの利用を制限した。

世界保健機関（ＷＨＯ）は、電磁波には発がん性があることを確認した。子どもの頭の骨髄は、大人の10倍の放射線を吸収するのだ。

欧州評議会は、学校にルーターを設置することに対して警鐘を鳴らしている。関連する科学論文は数多くある。もし、論文のリストが必要なら、ジェリー・Ｇ・フリン大尉の『隠された危険（*Hidden Dangers*）』という本をお勧めする。もっと簡単な概要は、私の著書『スーパーボディ（*Superbody*）』にもある。また、イギリスの元海軍将校であるバリー・トロワー氏の動画もお勧めである。教頭先生などに見せるための参考資料が欲しい人には、フリン大尉の本がよいだろう。

C12 CENSORSHIP 検閲……お金でコントロールされているファクトチェック

危険な伝染病に脅かされているという考えを広める政治家と科学者は、メディアを説得して、この病気が深刻なものか否かに関して、議論や討論を許さないようにしている。実際、メディアは大規模な広告費を受け取り「伝染病を吹聴する科学者たちの主張は正当なものなのか？」

という疑問を呈する人々をすべて弾圧しているのだ。勇気を出して発言した医師や看護師は、クビになるか、あるいは免許を失うと言われた。実際、免許を剥奪《はくだつ》された者もいた。これほど冷酷に、そして危険なまでに医学的議論が封じられたことは、近代史上かつてなかった。

説明しよう。数年前、私はロンドンで開催されたある重要な会に招待され、講演を行った。この会のテーマは「投薬ミスや処方薬による有害反応」というものだった。主催していたのはパステスト（PasTest）という企業である。

彼らはこのように言っていた。「パステストは30年以上、NHSで、専門家たちに医学教育を行ってきました。医療と健康管理の教育の質を高めることに貢献し、イギリスで医療サービスを提供するために奮闘している臨床医やマネージャーたちが専門性を磨いていけるような、さまざまな健康に関するイベントを立ち上げています。私たちの目的は国でも地域レベルでも、医療サービスに従事する人々にこうした教育を提供することです。トピックとしては、医療政策、ベストプラクティス、ケーススタディ、臨床管理、エビデンスに基づくプラクティスなどを扱っています。そして、バランスの取れた、現実的で、啓蒙的なプログラムに参加者を巻き込めるような、すばらしいスピーカーを呼ぶために尽力しているのです」。

医原病（医師の治療によって引き起こされる病気）は、私の専門分野と言っても良いだろう。このテーマでは多くの本や記事を書いてきた。こうした活動の結果、使用が禁止になったり、制限されたりする薬剤も出てきたし、私は誰よりも貢献してきたつもりだ。政府も私の記事を参考にして、処方薬の規制に踏みきったことを認めている。

主催者は、私に2時間を提供してくれた。さらに、講演に加えて最終的なプログラムの決定にも協力してほしいとのことであった。この会は意義あるものだし、NHSのスタッフに真実を伝える絶好の機会だと思ったので承諾した。私は契約書に署名し、パステスト社は正式に、私を講演部門のコンサルタント兼講演者に任命するという書面を作成した。

しかし、その後、連絡が途絶えてしまった。私は何度も、いつ、どこで開催されるのか詳細を尋ねたが、音沙汰がなくなってしまった。やがて、インターネット上に会のプログラムが公開された。不思議なことに、講演者のリストに私の名前はなかった。

講演会の宣伝文句の一部を紹介しよう。「医薬品の副作用により多くの患者が病気になったり死亡したりしているとメディアが報道していますが、医薬品の副作用を避けるためにできる、現段階の対応策や患者の教育についてお話しします」。

処方薬による問題を患者に責任転嫁するところは実に見事である。薬物関連の問題の多くは、患者の無知ではなく、医師の愚かさに起因している。処方薬の問題を避けるための最善の方法を患者に教えることが目的であるならば、アドバイスは簡単である。「医者を信頼してはいけない。製薬会社の代表者に言われるがままに行動している、無能な愚か者があまりにも多いからだ」と言えばいいだけの話である。

また、このようにも宣伝されていた。「医療ミスによる入院は病床の4％を占めると推定されます」。そして、処方薬の問題により「イギリスでは毎年1万人が亡くなっているのです」と。

私が追放されていなければ、この数字はあきれるほど低いと説明しただろうに。私はすでに、病院のベッドの6つに1つは、医師によって病気にさせられた患者で占められているという証拠を公表している。また、医師が（がん、心臓病や脳卒中などの循環器系疾患と並んで）病死の原因のトップ3の1つであることを示す証拠は、過去にも現在にもたくさんあるのだ。

さまざまな講演者たちのリストを見ても、知っている名前はなかった。なかには英国製薬産業協会の人や医薬品・医療製品規制庁の人もいた。NHSの代表者たちは、このイベントに参加するのに250ポンドと付加価値税（293・75ポンド）を払うことになるのだろう。参加者たちは、それぞれ参加費を提供され、当局が承認したフォームに申し込むよう求められているのだ。要するに、医薬品業界を代表する人物が医薬品の安全性について講演する会に、NHSがお金を出して代表者を送ったということである。

では、なぜ私はこの講演会に出ることを禁じられたのだろうか？　パステストの答えはこうだった。「彼（ヴァーノン・コールマン）は、物議を醸すような発言が多いと感じている人たちが一部にいて、その結果、出席をやめてもらった」。まるで製薬業界、あるいは製薬業界を代表する人々が、処方薬による問題について医師やNHSスタッフに話をする人を決めているみたいだった。

私に話をさせないようにする人たちは、私の発言になぜそれほどまでに怯えているのだろうか？　私が真実を話せば、面目を潰されるとわかっているからに違いない。

この禁止令の詳細は、イギリスのすべての全国紙と主要地方紙に送られた。しかし、どの新聞もそれを報じなかった。

医療機関により何らかの形で口をふさがれている医師は、決して私だけではないのだ。ロンドンの王立マーズデン病院でがんを専門として活躍していた外科医J・メイリオン・トーマス氏の場合を考えてみよう。

トーマス医師の問題は「開業医のサービスは救いようのないほど時代遅れである」とコメントした記事を新聞に書いたことから始まった。この記事は、ケア・クオリティ委員会の報告書を受けて書かれたものであった。この記事を書いたのは、患者のケアをより良いものにしたいと思ったからだ。68歳の彼は当然、経験に基づいた価値ある意見を提供できると考えていた。

何の問題もない、と誰もが思うだろう。

しかし、当局はそうは思わなかった。医学界では、医師が何かを改善しようとすることを良しとしないのだ。また、どんなに価値があっても、どれだけ大きな善意からなされたことであっても、批判されることを良しとしないのだ。

以下に述べることは、トーマス医師（長年にわたり豊富な経験を積んできて、広く尊敬されている外科医）の記事が発表された直後に起こったことである。

①外科腫瘍学の教授を務めていたインペリアル・カレッジから（彼いわく「攻撃的」な）手紙を受け取った。その手紙は、同大学とのあらゆる関係を直ちに断つことを要求するものだった。

②中央医師評議会より、彼を医師名簿から抹消するための嘆願書が出された。

③がんの専門外科医として勤務していた王立マーズデン病院からメッセージが届いた。会議に呼ばれた彼は、病院の評判を落としたと言われ、追って通知があるまで出勤してはならないと言われた。そして彼は公欠を取ることを余儀なくされた。

④王立マーズデン病院の最高責任者は、インペリアル・カレッジの一般診療の教授から苦情を受けた。トーマス医師の報告によると「この苦情には金銭的な脅しも含まれていた。ロンドンには他にも多くの病院があり、スタッフとの関係も非常に良好であるにもかかわらず、なぜ開業医が王立マーズデン病院に患者を紹介しなければならないのかという疑問が

書かれていた」という。

⑤ トーマス医師は、王立マーズデン病院での31年間の功績に対する「生涯功労賞」(翌日の夜に授賞式が予定されていた) の取り消しを告げられた。

⑥ 最終的には「病院の評判を落とさないように、あらかじめ最高経営責任者に確認を取った場合を除き、今後一切の記事を書かないことに同意する」という文書に署名すれば、仕事に復帰できると言われた。

これらはすべて、トーマス医師が一般診療に関する賢明な記事をあえて1つ書いたために起こったことである。

悲惨なのは、この悲しい話が、決して例外的なものではないということである。むしろ、それが当たり前になってしまっているのだ。内部告発者、真実を語る者、批判者は、医療機関から歓迎されないのである。テレビやラジオに登場する医師たちは製薬業界や医学界(どちらであったとしてもほとんど変わらないが) によって、公式路線に従うことを吟味された上で承認されているのではないかと思う。同じことが (テレビ・ラジオ出演者ほどではないが) 新聞や雑誌に寄稿したり引用されたりする医師にも当てはまるのだ。患者の味方として発言したり、医療現場の問題点を明らかにしようとしたりする医師は、すぐに黙殺されてしまう。

これらはすべて、わずか数年前に起きた出来事である。

かくいう私も検閲を受け、禁止され、多くの苦情を受けてきた。医療行為に関する数千の記事と数十冊の本を書いていてもお構いなしだ！　現在では、製薬業界と医学界が一体となって、私にインタビューしたり、私の本を論評したり、私の記事を印刷したりしないようにしている。驚くことではないが、既存の医療行為がどれほど有害で危険なものだったとしても、それに対して批判的な記事を書こうとする医師はほとんどいなくなった。

２０２０年に事態はさらに悪化し、イギリスでは中国で以前から行われているような禁止措置を導入し始めた。

中国がインターネット上の噂を「社会的に害を及ぼす可能性がある」という理由で（この言葉が意味するところは説明されていないが）検閲していることや、イギリスが「評判の良いファクトチェックサービスによって異議を唱えられたコンテンツをユーザーの目に触れさせないようにする」という計画を進めていることは、重要なポイントである。

「評判の良いファクトチェックサービス」という言葉の本当の意味を説明する試みはこれまで一度もなかった。また、政府や億万長者が金銭的・政治的な利益を追い求め、多くのファクトチェックサービスをお金でコントロールしていることは間違いない。英国政府は今後、何が真実で何が正確なのかを決定する取締官を任命する予定である。

最後に、世界中の政府は現在、中国に目指すべきシステムがあると考えていることを忘れてはならない。

　あまりにも馬鹿げたことがまかり通ってしまっている。私は検閲についての本を書きたいと思っているが、こんな風潮では、誰もそれを出版してくれないだろう。

　2020年の初頭から、私はものを言うことを禁じられ、抑圧され、誹謗中傷され、名誉を傷つけられ、怪物扱い、悪者扱いをされてきた（不思議なことに、私の本が禁止されていても、他の作家は同じテーマについて書くことが許されている。ある泥棒が私の本を盗み、名前だけ自分のものに差し替えて再販し、売上から印税を受け取っていたことがあった。まったく同じ本の表紙に私の名前があったときには確かに禁止され、販売停止になっていたのに、出版業界はその本を発売禁止にしなかったのだ）。

　少し前でも触れたが、私自身、中国の検閲を経験している。10年近く前、私は中国で最大の発行部数を誇る新聞の1つに毎週コラムを書いていた。私が予防接種のいくつかの側面を批判するコラムを提出した数週間後、編集者から受け取ったメッセージは緊急性を帯びており、穏やかではない内容だった。彼はそのコラムを別のものに替えろと言ったのである。この処置を批判することは誰にも許されていないようだった。しかし、この問題はそれだけでは終わらなかった。ほどなくして、中国の出版社からメールが届いた。当時中国でベストセラーになっていた私の本の販売を中止する旨と、今後私の本を一切出版することはない旨が書かれていた。驚きながらメールを読み進めると「外国人作家が医療関係の本を書いても、中国では出版してはいけないと指示されている」「今後、医療関係の本を出版できるのは、選ばれた出版社だけだ」と続きが書かれていた。思うに、彼らは恥を忍んでこの文章を書いたのだろう。

以前から、予防接種を批判するというのは大ひんしゅくを買う行為だった。2011年に私はこのテーマで本を書いて、約620部のレビューを送った（非常に多い数である）。しかし、私の知る限り、そのレビューはどこにも掲載されなかった。たったの1つも掲載されなかったのだ。それどころか、その本がオフィスに置かれていることさえ明らかに不愉快に感じている編集者によって、送り返されてきたこともあったくらいだ。ちなみに、その本は、10年近くにわたって世界的なベストセラーになっている。

C_{13} CHAINS 鎖

私たちは皆、自分自身で重荷や責任といった鎖を作っている。しかし、この自然現象は変わったのである。鎖は今、権力者たちによって作られ、望むと望まざるとにかかわらず、（なかば強制的に）私たちに巻きつけられているのだ。

C14

ケムトレイル
CHEMTRAILS

ケムトレイルとは、ジェット機や飛行機から化学剤や生物剤を散布したときにできるとされる飛行機雲のことである。これが天候を変えるために使われていることは、何年も前から知られている。しかし現在では、ケムトレイルがナノ粒子を空気中に散布するために使用されているという証拠もある。このナノ粒子がどのような目的で使用されているかは噂や憶測の域を出ないが、当局から明確な情報が得られないため、噂や憶測は今後も続き、最終的にはそれらが正しいことが証明されるだろう。

では、解決策は？

ケムトレイルを避ける確実な方法はないが、自宅や職場の近くの空にケムトレイルが見えたら、ドアや窓を閉めて屋内にいるのが賢明だろう。

ケムトレイル

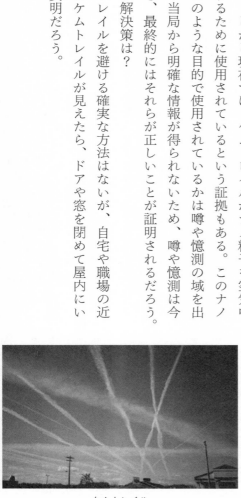

C15 CHILDREN 子どもたち……親の不安を煽るために利用されている

２０２０年の詐欺事件の当初から、子どもたちは親たちや支配者たちの計略をコントロールするために利用されてきた。スウェーデンの不登校の少女（という呼び方のほうが「女子高生」よりふさわしい）グレタ・トゥーンベリを操り人形として利用したのは、巧妙な策略だった。年齢を問わず、膨大な数の子どもたちが、彼女のファンにいるからだ。世界の終わりという彼女のシナリオや、悲惨な運命や滅んだ未来の予測は、子どもたちを恐怖に陥れ、その多くが情緒不安定になってしまった。子どもたちは、リサイクルに真剣に取り組むこと、化石燃料を使わないこと、気候や環境のことを最優先に考えることなどを大人たちに要求し、親をコントロールするようになったのである。

これは、１９３０年代にナチスが使った策略である。子どもの心と恐怖心をコントロールすれば、親の心と恐怖心をより簡単にコントロールすることができるのである。

２０２０年に入ってからも、同じ手法が使われている。子どもたちは意図的に恐怖を与えられた。「死ぬ」、「ウイルスを持ち帰れば、おじいちゃんやおばあちゃんを殺すことになる」と言われたのである。学校を再開するかどうかで常に揉めていたり、不条理なルールが導入されたりしたのは、親たちの不安を煽るためだ。子どもたちの不安や恐怖が親に伝播するのを知っていて、仕組まれていたことだったのである。

アジェンダ21のもっとも重要な計画の1つは、子どもを親から引き離し、国が子どもを育て、「正しい」考え方と「正しい」態度を身につけさせることである。

レーニンは、子どもたちを早くから「洗脳」することで、生粋《きっすい》の共産主義者に育て上げることができると信じていた。皆さんもそのことを思い出したほうが良いだろう。

そしてもちろん、イエズス会の共同創設者であるフランシスコ・ザビエルは「子どもを7歳まで預けてくれれば、立派な男にして帰そう」という言葉で有名である。

C16 CHINA
中国……ニューワールドオーダー、未来の青写真

中国は、ニューワールドオーダーのモデルである。そして今や世界中の全政府が、中国のようになりたいと考えているのである。これから作ろうとしている世界政府は、現在の中国と非常によく似たものになるだろう。それこそが、水面下で準備されている計画なのだ。実に楽しみなことである。私たちがどのような世界に住むことになるのかを知りたいのであれば、中国をよく見てみることだ。

億万長者や野心的な政府関係者は、中国がビジネスにおいて欧米を脅かす競争相手になったことをずっと前から認識していた。それもあって、アジェンダ21への興味を募らせたのである。アジェンダ21の目的と中国の統治方法をよく見てみると、両者にほとんど違いがないとすぐにわかるはずだ。

中国は、私たちの未来の青写真である。中国は、自国が誇る経済的成長力の高さを証明した。だからこそ、そのシステムは億万長者に愛されているのだ。

一方、イギリス人は、自国の多くの部分が中国のものになり、支配されていることを認識すべきである。（アジェンダ21の共同体主義にとって親戚のような存在である）中国共産党の延長線上にある企業を通じて、私たちの国は支配されているのだ。

中国国有の原子力発電会社、中国広核集団は、イギリスの2つの風力発電所とヒンクリー・ポイント原子力発電所の大部分を所有している。彼らはさらに2つの原子力発電所を建設したいと考えている。国営の華能集団は、ウィルトシャーにヨーロッパ最大の蓄電池施設を建設している。また、長江実業は2010年に英国の電力会社を買収した。中国がその気になれば、イギリスという国をすぐにでも終わらせることができるのである。

また、国外に住む中国人は、自国の諜報活動に協力するように言われた場合、法的に協力する義務があることも忘れてはならない。

C17

CHRISLAM
クリスラム……キリスト教＋イスラム教

すべての宗教を1つに統合し、世界政府が統治する新世界に適した新しいグローバルな宗教を作ろうという計画が進行中である。この宗教にはいくつか名前が挙がっているが、トニー・ブレア、ローマ教皇、国連事務総長などの有力者の間でもっとも人気があるのは「クリスラム」である。世界クリスラム・デー（2020年の5月14日に開催）というのもあった。

信じられないと思われる方は、お気に入りの検索エンジンに「トニーブレア　クリスラム（Tony Blair Chrislam）」と入力してみるとよい。あるいは、「ローマ教皇　世界クリスラムデー（Pope and World Chrislam Day）」と入力してみるとよい。

キリスト教やその他の宗教は、いずれ違法になるだろう。

C18

CHRISTMAS
クリスマス……キリスト教と中小企業は破壊される

進行中の主な規制計画の1つに「クリスマスを祝う機会をなくす」というものが存在することが、2020年の晩夏に明らかになった。この方針が今後も維持されることは間違いない。

これにはいくつかの目的がある。

まず、当然のことだが、クリスマスは（商業主義であるにもかかわらず）キリスト教の祝祭である。未来の世界政府は世界宗教を必要としており、キリスト教をその新しい世界宗教（いくつかの名前があるが、明らかな意図により、通常はクリスラムと呼ばれている）の一部にしてしまいたいのだ。

2つ目は、（非キリスト教徒にとっても）「年に一度のお祭り」というイメージが強い行事をなくすことである。人々はクリスマスを季節のパーティーとして楽しみにしている。お祝いをしてごちそうを食べたり、他の時期には会えない友人や親戚が集まったりする機会なのである。恐怖と不安を国民の心に深く刻み込むためには、喜びやリラックス、楽しみの機会をすべて排除し、人々の生活を可能な限り悲惨なものにする必要があるのだ。また、クリスマスを中止することで、（1年の大半を孤独に過ごしている）人々を友人や親戚から孤立させることもできる。

私たちの生活を動かしているのは、（悪魔の所業とも言える）例の目的のためなら何でもする本当に邪悪な連中だ。そのことを、決して忘れてはならない。アジェンダ21の信奉者たちは、すでにクリスマスを武器にしているが、間違いなく他の重要な祝祭日も同様に扱うだろう。

クリスマスのお祝いをなくしてしまうことにはいくつかの利点がある。

まず、当然のことながら、彼らはキリスト教を破壊したいのである。キリスト教の教会組織は、アジェンダ21や世界宗教にコミットしているので、とりわけ熱心である。クリスマスは皆が知る重要なキリスト教の祝祭である。

第二に、クリスマスの廃止は、中小企業に致命的なダメージを与える。ほとんどの中小企業は、年間利益の大半を12月に稼ぐ。クリスマスを祝いたい人たちにプレゼントやごちそう、お菓子などを売るのである。アジェンダ21の計画には、これらの中小企業を破壊することも含まれており、クリスマスの中止はそのための優れた方法なのである。なぜそんなことをしようとしているのか理解できない人もいまだにいると思うが、答えは簡単である。すべての中小企業を破壊し（これは欧州連合が常に支持してきたことである）、大規模な国際企業（多くの弁護士やロビイストを擁する）が完全な独占企業に成長できるようにすることである。もしこれを疑うのであれば、２０２０年の最初の数か月間で億万長者の富がどのようにして増大したかを見るといい。

第三に、クリスマスの廃止（あるいはクリスマスイベントを中止するか、オンラインクリスマスにするか、家族が集まらないようにと脅すこと）を政策の一環として実施することで、家族やコミュニティを破壊し、私たちをできるかぎり孤立させることができる。

第四に、人々を軟禁することは、健康を害させ、死亡者数を増加させ、恐怖を増大させる。世界保健機関（ＷＨＯ）でさえ、人々を自宅に閉じ込めることは、インフルエンザやインフルエンザと同等のウイルスの感染拡大防止において何の意味もないと認めているのだ。

C19

CHURCH
教会

礼拝所は閉鎖しているか、開いたとしても1回につき1時間から2時間程度しか開放されない。また、２０２０年のイースターでは初めて教区教会が閉鎖されたが、これは１２０８年にローマ教皇がジョン王に科した聖務停止以降、初めてのことだった。

これまでにも戦争や侵略の恐怖、黒死病など、さまざまな出来事があったが、それでも教会は閉鎖されなかった。教会はまさに避難所だったのである。しかし、トニー・ブレアの支援を受け、世界宗教「クリスラム」に傾倒したあらゆる教会指導者たちは、扉に鍵をかけて隠れてしまった。宗教指導者は皆、どこに隠れているのだろうか？

英国国教会は、かねてより政党として活動している。イギリスの有権者がＥＵ離脱（ブレグジット）に投票した後も、英国国教会はブレグジットに対する反対運動を続けた。カンタベリー大主教と仲間の信徒たちは、自分たちのほうが有権者よりも物わかりが良いと判断したようだ。もちろん、これは完全にアジェンダ21に則った政策である。

教会、モスク、シナゴーグ、その他の礼拝所は、完全にあるいは部分的に閉鎖されたままになるようである。さまざまな宗教指導者が世界宗教計画に納得した上で、信徒たちに伝統的なやり方で礼拝するのをやめさせる公式指導を受け入れているのだ。閉鎖されていた礼拝所が開放されたとしても、厳格なガイドラインが適用され、歌や祈りを分かち合うことは禁止されるだろう。

近年、英国国教会は信徒との関係を破壊するためにあらゆることを行っているように見える。最近では、ノーリッジ大聖堂が高さ55フィートの、螺旋《らせん》状の滑り台を導入した。その結果「人間の魂に与える慰めそのものを、大聖堂が毒している」と評された。ロチェスター大聖堂では、中央通路に異様なゴルフコースを設置した。また、サザーク大聖堂では、ロンドンのファッション・ウィークの一環として、修道服のショーが行われた。

さらに皮肉なことに、2021年初頭には、礼拝を禁じるために閉鎖されていた教会が、予防接種センターとして開放されたのである。

C20 CLASS DIVISION 階級の分断

アジェンダ21プログラムの一環として、まったく新しい階級制度が考案されている。それは、支配者（国連職員、地球温暖化という作り話の生みの親）と、奉仕者として黙々と働き続ける人々（前者以外の人々。事実上の奴隷となる）の2つの階級である。

地域社会は、政府や地方自治体で働く人とそうでない人に分かれることになる。公務員としての地位を確保している人は、雇用の安定性がはるかに高い。また、定期的な昇給や安定した高額な年金を享受でき、労働時間もはるかに短くなる。２０２０年の問題は、両者の間の溝をさらに深くした。閉鎖期間中、公務員はほとんど（もしくはまったく）仕事をしていないが、給料は満額支給され続けていた。そして、「制限状態が明けたら、仕事が（自分たちを）待ってくれているはずだ」と考えて安心しきっていた。

C_{21}

クラウゼヴィッツ
CLAUSEWITZ

「敵が何をするか、何をしようとしているかで計画を立てるのは決して賢明ではなく、敵は何ができるかという一点に即して計画を立てるべきだ」と指摘したのは、ドイツの有名な軍事学者カール・フォン・クラウゼヴィッツであった。

C_{22}

認知的不協和……国が嘘をつくなんて信じられない!?
COGNITIVE DISSONANCE

認知的不協和は年齢が上がるほど生じやすく、その度合いも大きくなると思う。長く生きている人ほど、自分が多くの嘘をつかれていることを信じたくないと感じることが多いのではないだろうか。

ヒトラーとゲッベルスはおそらく、嘘が壮大で、しかも頻繁に語られれば、人々はそれを信じてしまうということに気づいた最初の人物だった。ほとんどの人は物事を信じやすい性格をしており、政治家が嘘つきであることはわかっていても、いくら何でも正当な理由なしに、国民を軟禁状態にしたり、マスクを着用させたり、国の文化や経済を破壊したりすることはないだろうと甘く見ているのである。

しかし、当然のことながら、2020年3月以降、政治家が正当な理由なくそれらすべてのことを行ってきたこと、そして、裁判所に止められるか、職を失うまで、彼らが決して行為をやめないことは明らかである。

有権者は3つの問題に直面しているのだ。

第一に、裁判所は今や、私たちが敵とみなさなければならない存在によって大部分を支配されている。司法制度はもはや国民を守るために機能しているのではなく、政治家とその億万長者の友人を守るためだけに存在しているのである。

第二に、少なくともイギリスでは、政府がすべての選挙を中止した。民主主義はいつまで中断されるのだろうか？　ひょっとすると、永久になくなってしまうのだろうか？

第三に、ほとんどの人は「制限が必要であり、自分を守るために導入された」という前提を信じているからこそ、起こっていることを受け入れている。不正行為が長く続けば続くほど、自分たちが欺かれていたことや、ウイルスが普通のインフルエンザと同様に脅威ではないこと（実際、80歳以下の人にとっては、インフルエンザよりも脅威ではないだろう）を人々に納得させるのは難しくなるだろう。これには２つの理由がある。第一に、人々が新しいルールに多大なる信頼を寄せていること。そのため、自分が騙されたとは認めたがらないだろう。第二に、マスクが脳にダメージを与えていること。数週間から数か月が経過すると、低酸素症と高炭酸ガス血症によって脳は相当なダメージを受けると思われる。

C23 COLLABORATION コラボレーション

アジェンダ21におけるコラボレーションの定義は、「大衆は言われたように行動する」というものであるようだ。

C24 COMMON PURPOSE コモン・パーパス

「Common Purpose」はイギリスの慈善団体の名称だが、リーダーを育成し、偏見を取り除き「エリート」リーダーを生み出すことを掲げているようだ。評論家や懐疑論者は、この組織が欧州連合、ひいてはアジェンダ21の目的と多くの共通点があると感じている。

C25 COMMUNITARIANISM コミュニタリアニズム……奪われる個人の権利

コミュニタリアニズム（共同体主義）の原理原則は「個人の権利はいつだって、あらゆる規模の共同体にとって脅威となる」というものである。

あなたは自分の体、思考、魂に対する権利があると信じているかもしれない。庭付きの家を持ち、家族を持ち、自分の将来を思い通りに設計する権利があると信じ込んでいるかもしれない。自分や家族を養い、服を着るためにお金を稼ぐ権利があると手放しで思っているかもしれない。自由に移動する権利があると考えているかもしれない。

しかし、（アジェンダ21で考案された）共同体主義の下では、そのような権利は何もない。権利というものは危険だから、権力者たちはあなたを監視し、規制し、コントロールしなければならないのである。

国連は、あなたが所有していると思っていたすべての権利を国連に集中させた。そして、アジェンダ21とコミュニタリアニズムを通じて、あなたが何をするか、どこに行くか、どこに住むか、どのように生きるかも国連が決めるようになっていくだろう。

デービッド・キャメロン前首相が考案した「大きな社会」とかいう馬鹿みたいな構想は、もちろん、コミュニタリアニズムの一種である。

C26 COMPANY DIRECTORS 会社役員

新ルールでは、企業は取締役を（適任者がいなくても）女性や少数民族からも選出しなければならない。

これはもちろん、才能、知識、経験、適性を問わず、管理職としての大きな権限を与えられる人物が数名は出て来るということだ。

C27

COMPUTERISED MEDICINE
電子化された医療……もはや医師は不要!?

1980年代初頭、私は友人と一緒に、家庭用コンピューター向けの、初の医療用ソフトウエアを作った。私がアルゴリズムを、友人のラッセル・スミスがコンピューターコードを書いた。このソフトウェアは世界中で販売されたが、当時はコンピューターを持っている人が少なかったため、このプロジェクトは商業的には大きな成功を収めなかった。それでも、これは家庭用の医療ソフトを世に出す初の試みだった。元々のアイデアは、私が書いた『アスピリン、それとも救急車?(*Aspirin or Ambulance?*)』という一連のフローチャートで構成された本をベースにしたもので、コンセプトは非常にシンプルなものであった。読者はこのソフトウェアを使って、ある症状が病院に行く必要がある「救急車(Ambulance)」か、それとも自宅で対処できる「アスピリン(Aspirin)」かを判断するのである。

今日では、この単純なコンセプトはさらに進化し、コンピューター・プログラムは非常に洗練され、コンピューターは人間の医師よりも優れた診断者であると評価されている。また、最適な治療法を選択する能力に関しても、コンピューターは人間の医師より優れている。そして、ロボットが手術をするようになった今、人間の医師の居場所はなくなってしまった。

数十年前、人間の医師にはコンピューターにはない強みがあった。プラシーボ反応に関して、「本物」の医師はいくぶん優位に立っていたのである。担当する患者から信頼されている親切で思いやりあふれる医師は、単に質問をして、喉に棒を突っ込んで、処方箋を殴り書きするだけの冷たくて無感情な医師よりも「治癒」率がはるかに良かったのだ。

残念ながら、その強みは失われて久しい。現代の医師は、公務員や図書館員と同じような時間帯で働いており、大半の医師はもはや24時間365日体制でサービスを提供していない。さらに悪いことに、開業医は家庭訪問を極端に嫌がる。多くの開業医は患者と直接会うことをひどく嫌がり、電話やビデオで話すことを好むのである。

総じて、人間の医師には未来がないという結論は避け難いだろう。アジェンダ21の計画がどうなろうと、医療のあり方が永久に変わってしまうことはほぼ間違いないのである。

人と一緒に働きたい、人類を助けたいと思っている若い人は、手先が器用で家庭訪問をする準備ができているなら、医学のキャリアよりも配管工のキャリアを考えるのが賢明だろう。

C28 CONFISCATION 没収

2020年から2021年にかけて起きている経済活動停止に伴う莫大な費用を、新たな税金で賄うことはできない。当然、インフレにより政府の借金を帳消しにするだけでは足りない。そこで政府は没収政策を導入するだろう。２０２０年の出来事で、政治家や官僚は、さまざまな組織に助成金などの財政支援を行う機会を得た。金利が上昇すると、これらの借金は払えなくなり、政府は大小の企業やさまざまな私有財産の支配権を主張するようになる。驚くべきことに、世界各国の政府は予算不足に直面している地方自治体や組織への資金援助を増やすことを提案している。アジェンダ21の計画は、公務員が予算内で収支を合わせる意義や意欲を完全になくしてしまうことを意味する。これらはすべて、中央管理に直結していく。

C29 CONFUCIUS

孔子……『論語』泰伯篇

「国家が道理にかなった原理原則に則って統治されていれば、貧困と不幸は恥の対象であり、国家が道理にかなった原理原則に則って統治されていなければ、富と栄誉は恥の対象である」

（邦《くに》に道有るに、貧しくして且《か》つ賤《いや》しきは、恥なり。邦に道無きに、富《とみ》且つ貴《たっと》きは、恥なり）。

C30 CONSPIRACY THEORY

陰謀論

公式に認められていないものは、すべて陰謀論とみなされるようになった。そして、この言葉は常に、侮辱や罵りの言葉として使われている。何にせよ真実を語る人は、ウィキペディアやBBCのファシズム支持者たちによって陰謀論者のレッテルを貼られてしまうのである。

だが、蓋《ふた》を開けてみれば、陰謀論者とされている人たちは、政治家が嘘をつくと信じている人たちなのだ。そのため、陰謀論者の反意語としては「白痴」が相応しい（これを言葉にするには少しためらいがある。ゴードン・ブラウンが首相を務めていた時代の災難を描いた私の著書『ゴードンは白痴（*Gordon is a Moron*）』が出版されたとき、読者から「白痴というタイトルは不適切なのではないか」という苦情が多数寄せられたのだ）。

もちろん、実際には、私たちの世界と人生を乗っ取ろうと計画している人たちこそが陰謀論者、正確には陰謀の実践者と言えるだろう。

C31 CONTROL コントロール……政府が仕掛ける企み

私たちは、マインドコントロールの専門家や戦争の専門家の助言のもと、政府が仕掛けている企みに気づかなければならない。彼らはさまざまな方法やさまざまな局面で攻撃を仕掛けてくるのだ。洗脳技術については、私の動画を見て、その手口を詳しく理解してもらいたい。動画のスクリプトは、私のウェブサイト（www.vernoncoleman.com）からも入手できる。

戦争で用いられる伝統的な手法は、今も数多く見られる。

第一に、真実を隠蔽すること。そのためには、国民に事実を伝えようとするジャーナリストを黙らせなければならない。主流メディアは、大規模な広告費により買収されているのだ。予算は納税者が負担し、公式の嘘を宣伝するために立案されている。また、ウィキペディアやその他のウェブサイトを利用する方法もある。真実を語る人を不快で信頼できない人物であるかのように印象操作し、個人を悪者に仕立て上げるのだ。当然のことながら、ユーチューブのようなプラットフォームも、真実を含む動画を検閲したり、削除したり、禁止したりすることで協力している。しかし、奇妙なことに、チャールズ皇太子の意見を検証する人は1人もいない。もちろん、チャールズ皇太子は今、私たちが生きていくためには4つの惑星が必要だと主張している。もちろん、これは疑似科学的な戯言《たわごと》である。地球上には食べ物がたくさんあるが、大抵は間違って配分されているだけなのだ。そして、その多くが無駄になっているのである。

第二に、真実を隠しながらも、私たちを欺こうと計画すること。これは簡単に言えば、嘘をつくということである。彼らは日がな私たちに嘘をついており、その嘘は主流メディアによって驚くほど熱心に流布されている。

昔のジャーナリストはプレスリリースをチェックしていたものだった。だが、最近では、プレスリリースの一番上に自分の名前を載せて編集者に渡し、編集者がそれを印刷するだけである。政府の嘘には追いつけないし、疑惑を確認する時間もない。そして、政府に迎合するメディアは、常にプロパガンダのキャンペーンを行っている。英国政府が最新の規定を発表する前の日にも、BBCのウェブサイトでは、さらなる規制を求める庶民の声を引用した記事が掲載された。

第三に、常にルールを変更し、間違った方向を指し示すことで、何が起こっているのか理解しようとする私たちの注意を逸らすこと。最終的には、買い物に行くときに童謡を暗唱しなければならないかどうかを調べるのに夢中になって、今日が何曜日なのかさえもわからなくなること（つまり、それほどまでに盲目的に指示に従うこと）を期待しているのだ。絶え間ないルールの変更は、政府の混乱の表れではない。私たちにストレスや恐怖心を抱かせることで、支配を強めようとしていることの表れなのだ。この策略にはメディアが欠かせない。

第四に、私たちを疲弊させること。疲弊した敵は、征服するのが容易だからである。彼らは意図的に私たちを疲弊させ、混乱させ、恥をかかせ、落ち込ませようとしている。政府は、より多くの国民をうつ病にさせたいと思っているのだ。自殺が、特に子どもや若者の間で激増しているのは、世界中の政府の責任だ。いったいどれほどの悪事を働いているのだろうか？　英国王立精神科医学会の推定によると、イギリス国内では、840万もの人々が危険な量のアルコールを摂取しているという。

第五に、自分たちの嘘に納得しない人を罵倒すること。これは彼らにとっては必要不可欠で、私たちを分離・孤立させたいという狙いがある。イギリスにおける「人と会うときは、6人までしか集まってはいけない」というルールは、反対勢力が力をつけないようにさせるための定番のトリックである。革命は必ずと言って良いほど、人々が集まって話をするカフェで始まる。そのことを、彼らはよく知っているのだ。家の中で孤立し、友人と会うことができないとなると、反乱が起こる危険性は低くなる。彼らが言うところの「6の法則」は、デモや集会を未然に防ぐためのものでもある。

覚えておいてほしい。すべての出来事は起こるべくして起こったということを。数年（あるいはそれよりも早く）で、唯一絶対の世界政府が（この計画を止めなければ）私たちの生活のあらゆる側面を支配することになるだろう。自分のお金や食料を手に入れる方法までもが、政府によって決められてしまうのである。

C32

CROMWELL OLIVER
クロムウェル（オリバー）……イングランド共和国初代護国卿

「あなたがここに長いこと座っていたところで、何の役にも立っていない。去るがいい、我々に任せよ。さあ、行ってくれ！」。

（1653年、オリバー・クロムウェルが残部議会で行った演説）。

C33 CYCLING, CYCLISTS AND CYCLE LANES サイクリング、サイクリスト、自転車専用レーン

世界各地で自転車専用レーンの整備が進んでいる。既存の車道や歩道の一部に境界線を引いて自転車専用にするために、莫大な費用が投じられているのだ。道路の面積が狭くなると、自動車や大型トラックの行列が増え、渋滞が発生しやすくなる。これにより環境がますます汚染され、生産性も低下してしまっている。

自転車乗りは自分たちが「エコ」で、地球を救っていると思っているが、実際は利己的で非常に迷惑な連中である（たいていカメラを携え、ポリウレタン弾性繊維製のウェアを着用しており、態度が悪い）。彼らが（たいていは端の縁石から１・５メートルほど離れたところを、あるいは2人1組で）自転車を走らせると、その後ろには時速10マイル（時速約１・６キロメートル）で走る巨大な交通の列ができる。この速度では自動車やトラックの燃費が大幅に悪くなるため、適正な速度で走行した場合よりもはるかに多くの有毒ガスが排出される。あまりにもノロノロと運転するドライバーは、長い渋滞を引き起こしたとして逮捕されることもある。だが、アジェンダ21にもて

はやされているサイクリストは、決して逮捕されないのである。また、（自動車と違い）道路や自転車専用レーンを使用するために道路税を払うこともない。

D1 DEATH 死

死は以前のようなものではない。今では亡くなった人の多くにまったく偽りの死亡診断書が発行されている。

イギリスの開業医たちは、Ｚｏｏｍと呼ばれるアプリケーションを使って死亡証明書を作成したがっている。これにより、医師は自分の椅子やゴルフ場を離れることなく、患者の死亡を証明することができるからだ。胸の音を聞いたり、脈を測ったりといった昔ながらの方法を使わずに、医師がどのようにして患者の死亡を認定するのかはまだ説明されていない。今後も説明されることはないだろう。

D2 DEBT 負債

米国連邦政府は現在、返済不可能な27兆ドルの負債を抱えている。加えて、アメリカ国民が国債以外で背負う借金は、全国民分を合計すると53兆ドルに上る。おまけにアメリカ政府は、絶対に払えない年金や社会保障費として210兆ドル分の借用書にもサインをしている。

さらに悪いことに、アメリカのジョー・バイデン大統領は、2050年までにアメリカ経済を完全に「クリーン」なエネルギーで賄うために、4年間で2兆ドルを費やすことを約束してしまった。

D3 独立宣言(アメリカ合衆国)

DECLARATION OF INDEPENDENCE (UNITED STATES OF AMERICA)

「我々は、次の真理を自明のものとする。すなわち、すべての人間は生まれた瞬間から平等であること、生命、自由、幸福の追求など不可侵の権利を創造主から授かっていること」。

D4 デルファイ・テクニック……騙しの説得技法

DELPHI TECHNIQUE

デルファイ・テクニックとは、あるグループの人々を説得して、通常であれば、いくら熟考したところで同意しないであろう意見を受け入れさせると同時に、自分たちが同意したことがそもそも自分たちのアイデアであるかのように納得させるテクニックである。デルファイ・テクニックは（ギリシャの）デルフォイの神託とは何の関係もなく、昔ながらのマインドコントロールのテクニックである（洗脳と言ってもいいだろう）。この手法は、アジェンダ21が議題として挙げられ、共通の目的を熱心に推し進める熟練者たちが出席する公共の会合でよく使われる。

この会合の基本的な原則は、何を発言しようが、計画に含まれていないものは無視されるということである。書き留めてもらえる可能性はある。しかし、それでも結局は無視されてしまうのだ。

会議（「リアル」か「バーチャル」かは別にして）でプレゼンを行う専門家は、たくさんの図表・グラフ・統計を用意する。しかも、このような場には、デリケートな問題から関心を逸らしたり、批判者を嘲笑したり、意図した方向に会話を誘導したりするサクラがいるのだ。アジェンダ21の計画に反対する人は例外なく「他人のことを考えていない」と悪者にされる。常にテーマとなるのは「コミュニティ」である。共同体主義が浸透し、揺るがぬ風潮となるかどうかは、社会的圧力を利用して人々に「恥をかかないように」と思わせ、強制的に「コミュニティ」の意向に順応させることができるかどうかにかかっているのである。

アジェンダ21は、単にグローバルなプロセスを指すだけのものではない。地域機関、非政府組織、非営利団体、慈善団体、委員会、特別プログラムを開発することで市民の参加を偽装するという計画は、恐ろしいほどにうまくいっているのである。地元のメディアは、これらの機関やグループについて抜かりなく報道し、あたかも地元の人々が自分たちの未来の計画に関わっているかのように見せかけている。

しかし、地元の人々には何の権限もない。そして地元の議員や役人にも権限がない。アジェンダ21の背後にいる顔の見えない人たちが、ロビイスト、ファシリテーター、サクラ、そして「買収された」編集者やメディア所有者に助けられながら、すべてを私たちにもたらしているのである。

市民は、けなげに毎日を生きようとするも、なす術がない。混乱した状況に疲れ果てた彼らは口をつぐむようになる。

そして、このようなことを話したり書いたりする人は「陰謀論者」として片付けられてしまうのである。

D5 DEMOCRACY 民主主義

最近では、民主主義はあまり重要視されていない。政治家は国民の支持をわざわざ見極めることなく決断することに慣れてしまっているのだ。そのため、イギリスの政治家たちは、国民の大多数が反対している明確な兆候があったにもかかわらず、同性婚を承認した。

有権者に投票権が与えられると、多くの場合、納得のいく「正しい」答えが出るまで何度も投票することを強いられる。これはEU絡みの議題に関して投票する際によく起きていたことだ。もちろん、イギリスの有権者がEUからの離脱を決めたときも、再投票を求める声が多くあった。スコットランドの独立に関しても、市民は反対したが、スコットランドの政治家たちは再三にわたり再投票を要求していた（イギリスを解体することは、EU、国連、アジェンダ21にとって非常に都合がいいのである）。

D6 DEMOCRAT 民主主義者

民主主義者（特に社会民主主義者）とは、権力には多大なる価値があるため、それを人民に委《ゆだ》ねるには荷が重すぎると考える人のことである。

D7 DENTISTS 歯医者

英国歯科医師会の報告によると、2020年3月から11月の間に、歯科医が治療を行った回数が（例年に比べ）約1900万回減少したという。口腔外科の消毒に関する新たな規制により、多くの歯科医院が永久に閉鎖されることになったのである。

信じられないかもしれないが、イギリスでは２０２０年の3月から11月まで、ほとんどの人が歯医者に行けなかった。悪くなった歯を削って詰めてくれる人も、寿命が来た歯を抜く人も、歯をクリーニングしたり歯茎の健康を守ってくれたりする人もいない。患者は、自分で見つけた家庭薬で治療するしかなかったのである。中には自分で歯を抜く人も多数いた。彼らは昔ながらの方法で、痛む歯にひもの片方を結び、もう片方をドアノブに結びつけた（そして、ドアをバタンと閉めるのである）。

２０２０年、子どもの歯科治療の予約は通常の半分程度しかなかった。長期的な影響を数値化することはできない。だが、今後ひどい状況になるのは目に見えている。

２０２０年11月初旬、ＮＨＳの歯科治療が部分的に再開すると発表された。それから間もなく、イングランドで自宅軟禁の再開が発表された。

D8 DE-PLATFORMING デプラットフォーミング

講演者の発言を禁止したり、予定されていた講演や一連の講義を中止したりすることで、その講演者の発言を拒否することを「デプラットフォーミング」という。反対者を黙らせ、人々がより従順になるよう促す方法である。

D9 DEPOPULATION 人口減少

アジェンダ21の基本方針の1つに、「世界の人口を大幅に減らす必要がある」というものがある。人口が多すぎて、皆を養うための食料が不足しているというのがその理由である。また、地球温暖化が進み、環境が破壊されているのは人口が多すぎるせいだとも言われている。もちろん、これらはすべて戯言である。世界の人口を養うだけの食料は十分にある。唯一問題なのは、その食料が偏って配分されていることである。多くの人々が餓死している一方で、食料を貪り食っている人たちも数多くいる。今や地球温暖化という作り話の信憑性《しんぴょうせい》は完全に疑われており、環境が取り返しのつかないレベルで破壊されていくという話も、政治的な空言である。世界の人口を減らす計画は、もちろん今に始まったことではない。何十年も前から行われてきたことである。

1950年代、アメリカの科学者たちは、世界の人口を減らすために永続的に戦争を行うことを提案した。また、致命的なウイルスをまき散らすことも提案された。最初の提案は軍産複合体の要求に合致し、2番目の提案は製薬産業の要求を満たした。製薬産業はもちろん、他方で、ウイルスから一部の人々を守るための薬を提供することで何十億ドルもの利益を得ることができる。

１９６９年、アメリカ国防総省（ＤｏＤ）が、免疫系を標的にして破壊し、感染症にかかりやすくする新型ウイルスの製造を計画していることが明らかになった。国防総省がどのようなウイルスを開発したかについては、今でも多くの議論がある。

他にも数多くの過疎化政策やプログラムがあり、第三世界の国々には人口削減を迫る圧力がかけられてきた。多くの予防接種プログラムに避妊薬が含まれていたという報告もある。また、アフリカやラテンアメリカで始まった戦争の多くは、人口削減のために奨励されたという報告もある。

アジェンダ21に関与している人たちの多くは、世界の人口を減らしたいと考えているのだ。ビル・ゲイツもボリス・ジョンソンも、人間の数が多すぎると考えており、世界の人口を大幅に減らそうとしている。チャールズ皇太子もフィリップ殿下もそうだ。彼らはウイルスに生まれ変わって私たちの大半を殺してしまいたいのだろう。スタンレー・ジョンソン（ボリス・ジョンソンの父親）も同じことを言っていた。

D10

DIGITAL CURRENCIES
デジタル通貨

今やデジタル通貨は、かつては否定派だった中央銀行でも議論されるようになった。中央銀行が熱狂的に支持している理由は、デジタル通貨（暗号通貨）があれば、従来の銀行システムを利用させなくしたり、別のシステムに置き換えたりすることができるからである。デジタル通貨があれば、中央銀行は現金を完全になくすことだってできる。グレート・リセットの計画では、すべての人に中央銀行のデジタル通貨口座を与えることになっている。支払いは、中央銀行が適切と考える個人の銀行口座に振り込まれたり、あるいはそこから引き落とされたりするのだ。つまり、ユニバーサル・ベーシック・インカムが支給されると、すべてがデジタル化され、受給者は携帯電話を使ってお金を支払うことになるだろう。あるいは、皮膚の下に埋め込まれた識別チップによりお金がやり取りされるようになるかもしれない（後者のほうが、携帯電話よりも実現する可能性は高い）。つまり、誰も現金を必要としなくなるのである。もちろん、中央銀行は必要に応じて税金やマイナス金利の支払いを控除することができる。個人の口座保有者は、自分のお金であってもコントロールすることはできない。すべての権限は中央銀行にあり、最終的にはスイスの国際決済銀行の庇護のもとに置かれることになる。このシステムにより、当局は個人の口座から直接的に罰金を徴収できるようになるのだ。また、社会的信用制度を運営する行動科学者には、あらゆる形式のインセンティブ、報酬、罰を判断し、導入する権限が与えられることになる。

D11 DIGITAL ID デジタルID

ID2020というアライアンスがある。2030年までに、すべての人間にデジタルIDを導入するという計画があるのだ。健康パスポートと強制的な予防接種は、全人類にデジタルID導入を強行するための有効手段と考えられている。

各国政府は銀行と提携し、全世界の市民を対象として、デジタルで個々人の金融情報を読み取れるシステムの構築を計画している。もう少しで開発できるところまで来ている国もすでに存在する。

D12 DIGITAL TAX デジタル税

各国政府は、すべての個人にオンラインでの納税手続きを強要している。例えば、英国政府は、今後は紙の納税申告書を発行しないと発表した。必要なソフトウェアを持っていない人やインターネットにアクセスできない人は、会計士を雇うか、近所の人や親戚、友人を探して、代わりに手続きをしてもらうしかないのである。その目的は、単に書類作成の手間を省き、コストを削減するだけでなく、個人や小規模な企業の（政府による）財務管理を強化することにもあるのだ。デジタル税務によって生じた追加コストや時間のかかる作業に苦しみ、倒産してしまう中小企業や自営業者も増えることだろう。これは偶然ではなく、中小企業を破滅に追いやるため、意図的に仕組まれた政策の一環なのである。

D13 DISASTER 災害

私たちにどんな災難が降りかかろうとも、それが人為的なものであろうと、自然災害であろうと、世界中で多くの人々が、それが「意図的に行われたのではないか？」という正当な疑いを持つようになっている。

D14 DISSIDENT 反体制派

新世界秩序（ニューワールドオーダー）における、反体制派とは、権力者が語る嘘よりも真実を好む人のことである。

D15 DO NOT RESUSCITATE
蘇生処置の拒否……自動的に殺される!?

かつて、回復の見込みのない高齢の重病患者のカルテには（ごくまれに）ＤＮＲ（Do Not Resuscitate＝蘇生処置の拒否）という文字が記入されていた。患者と、親族がいる場合にはその親族と一緒に、医師チームがこの選択肢について話し合い、総じて最善と思われる場合には、患者が心臓発作を起こしても蘇生させないことを推奨していたのである。

これは受動的な形態の過失致死であると言えるし、一般的には「汝《なんじ》、無理をして生かすことなかれ」という古い教義に従って患者を保護するために使用された。

だが、状況は変わった。

今日、患者たちは、自身への相談もなければ親族も交えた話し合いもないままに、ＤＮＲを通告されている。また、医師のチームがＤＮＲについて議論することもなく、個々の医師や看護師が患者の死を許容すべきかどうかを決定するようになってしまった。告知は事前に決められた年齢に応じて行われることが多い。イギリスの一部の地域では、45歳という若さの患者が病気になった場合でも、自動的にDNRが宣告されるケースがあると報告されている。他の地域では、60歳や65歳以上の患者にDNRが自動的に適用される。

さらに、DNRの決定が下された患者や、診療録にそのように記録されている患者は、かつては治療を受けずに自然に死を迎えることが許されていたが、そうした考え方も著しく変わってきている。

今日、患者のカルテにDNRの文字が書き込まれるとき、患者の状態はすこぶる良好であるかもしれない。だが、医療的処置だけでなく、食事や水までもストップさせることで死期を早められてしまうことになるのだろう。DNRを通告された患者は文字通り、飢えや脱水症状によって死に至るのである。

D16 DREAMS AND AMBITIONS 夢と希望

グレート・リセット後の新世界では、夢や希望なんてものは永遠に失われてしまう。「ニューアブノーマル」のルールは、音楽業界、演劇、オペラ、そして多くのスポーツを立ち行かなくなるまで追い込んだ。

これは偶然ではない。目的は、人々の夢も希望も打ち砕くことで、若者が奴隷として生きることに甘んじ、高層ビルに住み、退屈で代わり映えのしない奴隷型の仕事に従事するように仕向けることである。

確かに、今のティーンエイジャーにとっての夢の仕事は、公衆衛生を守ったり地球温暖化防止のコンプライアンス部門で働くことだろう。俳優、歌手、サッカー選手、バレリーナ、モデルなどの職業は忘れ去られてしまうのかもしれない。

D17 DRESDEN JAMES ドレスデン（ジェームズ）……イギリスの脚本家

「きれいに包装された嘘八百を何世代にもわたって大衆に少しずつ売り込めば、真実はまったく非常識で、それを口にする者は頭のおかしい奇人であるように見えるのだろう」。

D18 DRINKING WATER 飲料水

飲料水は、これから世界でもっとも引っ張りだこの商品になるだろう。世界人口の半分以上は、飲料水が不足している地域に住んでいる。中国、インド、アフリカ、中東などでは、すでに生活が脅かされるレベルで飲料水が不足しているのだ。この問題が悪化しているのは、単に

（前述の国や地域における）人口の増加というよりは、廃棄物や環境汚染が原因である。例えば、ヨーグルトのパックなどは汚れを洗い落としてから、地球の裏側まで運ばれて廃棄される。つまり、パックを洗うといった無駄な行為により大量の水が浪費されてしまうのである。

D19 DRIVERLESS CARS
自動運転車

運転手のいない車というのは、ビクトリア女王の時代に電熱式のズボンが普及して以来、もっとも愚かなアイデアかもしれない。企業は莫大な資金を投じて、人間の手を借りずに自動で動く車を設計しようとしている。停車させたり、方向転換させたり、故意に衝突させたりと、遠くから車を操作することが可能になるのだ。

このような車は、高速道路ではうまく機能するかもしれない。だが、狭い田舎道には脇道が多く、見通しのきかないカーブやジャンクションも存在する。そのような状況で2台の自動運転車が出くわせば、車は完全に停止してしまい、乗客を孤立させ、場合によっては監禁してしまう可能性だって十分にある。アメリカ以外の国では自動運転車に未来はないと思われる。

そしてもちろん、最終的には国連のアジェンダ21プログラムによって、いかなる自動車も（無人であろうがなかろうが）認められないことになるだろう。

D20

DRIVERS ドライバー

イギリスでは、運転免許を持つ若者の数が急速に減少している。１９９４年には、17歳から20歳までの若者のうち、約半数が運転免許を取得していた。その割合は20年後には3分の1を大きく下回った。その後も、運転免許を保有する若者の数は急速に減少し続けている。主な理由として、保険料の高騰、運転免許試験の複雑化、そして法律や規制の増加による運転の煩雑さなどが挙げられる。新しい自転車専用道路、無意味なS字クランク、減速バンプ、道路標識や電柱など路上の公共物、そして不正行為に対する罰金の種類が増え続けていることなどのせいで、運転は不快で高くつくものになってしまっているのである。

これらはいずれも偶然に起こったことではない。

アジェンダ21における計画の一環では、自家用車を完全に廃止し、どうしても移動しなければならない場合は、徒歩か自転車、あるいは公共交通機関の利用を迫られることになる。また、未来の都市では、人々は職場から徒歩圏内の高層ビルに住むことになるだろう。買い物は主にインターネットで済ませるようになると予想される。

D21

DYSTOPIAN SOCIETY
ディストピア社会

ディストピア社会とは、すべてが不快で禍々《まがまが》しく、希望を見いだせない社会を指す。つまり、ユートピア社会とは正反対のものだ。ディストピア社会は、典型的な全体主義社会である。

E1

CLINTON EASTWOOD JR.
クリント・イーストウッド・ジュニア

「この世には2種類の人間がいる、弾丸を込めた銃を持っている人間と、銃を持たずに従う人間だ」（映画『続・夕陽のガンマン』より）。

E2

ECONOMY
経済……貧富差は拡大し、国への依存度が高まる

世界の経済は意図的に、破壊し尽くされてしまっている。とはいえ「なぜ各国の政府は自国の経済を破壊しようとするのだろうか？」というのが、政治家のグループが自ら進んで自国の経済に損害を出すこと（もはや自傷行為と言ってもよい）を信じられない人たちからの定番の質問

だ。

ここのところ、その自傷行為は目立ってきている。政府は、新しい法律や、移動の自由に関する不合理かつ科学的に擁護できないルールによって中小企業を破壊している。中央銀行は重さにしてトン単位レベルのお金を印刷し、政府の赤字は大幅に拡大した。消費者には（「一時帰休」に対する支援制度で）お金が配られ、中小企業には額面通りの金利で巨額の資金が貸し出され、大企業（中には財政状態が健全な企業もある）には巨額の資金が提供されている。融資や補助金により企業を支援することで、政府は経済の多くの部分をひそかにコントロールしている。イギリスにおける国家の権限は、日に日に巨大化し、強力になっている。不思議なことに、私たちの政府は、手に入れられるものすべてを国有化しているのである。

一時帰休制によって被害の大きさは隠蔽されているが、資本主義システムが破壊されたことは間違いない。もっともきつい痛手を負ったのは、中小企業、起業家、自営業者たちだ。明日の大企業は常に今日の中小企業から成長するので、将来的に力を持った健全な新企業が存在しなくなることは明らかである。低金利のために生き残っているゾンビ企業は、今後も生き残り、成長できたかもしれない小企業を貶《おとし》めるのだろう。

同時に、倹約家はあたかも重罪を犯したかのように罰せられてきた。金利はゼロにまで引き下げられ、マイナス金利になるかもしれないと脅されているのだ。

何のためか？

これもグレート・リセットの一環なのである。

すべては計画されたものであり、意図的に引き起こされているのだ。

狙いは（ビル・ゲイツやチャールズ皇太子などの新しい「リーダー」の富を除く）私有財産を根こそぎ奪い尽くし、若干の「ベーシックインカム」で生活させることである。一時帰休制度は寛大で親切に聞こえる。しかし実際は「政府から収入をもらって、完全に国に依存する」という状態に、多くの人々を慣れさせようとするために存在しているのだ。

2020年、世界の億万長者の多くが富を増やしたことを忘れてはいけない。彼らは、4月から7月までの短い期間で財産が4分の1以上増加したのである。私たちのほとんどは以前より貧しくなってしまったが、億万長者は、より豊かになったのである。グーグルやユーチューブの社長は、富が3分の1増加したという。

2020年の間、経済評論家たちは、景気がすぐに回復すると確信していた。彼らの言葉を借りれば、やむを得ず起こった不況はV字回復する、言い換えれば、間もなく回復して元の状態に戻ると予測していたのである。

しかし、金融の「専門家」は常に間違っていた。この理由は「彼らが嘘をついていたから」あるいは「世界的な感染症が予想だにしない結果を引き起こしたのではなく、すべては巧みに仕組まれた壮大な詐欺行為の一環であると理解していなかったから」である。

もし、アジェンダ21の計画がとんとん拍子に進んでしまったら、世界の経済が回復する日は二度と来ないだろう。そして企業（特に成長中の中小企業）は崩壊するだろう。新しい会社は、生まれた瞬間、あるいはその直後に倒産し、小口の投資家や年金受給者は没落の一途を辿ることになる。そして、億万長者はますます金持ちになるのである。

E_3

EDUCATION
教育……無知で従順な子どもを作り出せ

アジェンダ21の支持者（および環境保護主義者）は、「教育を受けた人間はそうでない人間よりも多くの資源を消費する」と信じている。また、教育を受けた人のほうがコントロールしづらいと考えている。そこで、消費を減らし、国連の目標を達成するために、教育システムの変革が計画されている。教育のレベルが引き下げられ、試験はますます簡単になり、学生は自分が十分な教育を受けていると勘違いしてしまうのだ。もちろん実際には、そんなことはない。アジェンダ21の要求にかなうよう、歴史は無視されたり改ざんされたりする。子どもたちは心が狭く、偏見に満ちた人格に育つよう指導されてしまうだろう。

要するに、教育は洗脳に取って代わられてしまうということである。そして、すべての教育はインターネットを介して行われるので、教師はほとんど、あるいはまったく必要なくなるのだ。

極端に聞こえるかもしれないが、国連の「持続可能な開発のための教育の10年」は、子どもたちの世代をターゲットにして、家族や国への忠誠よりも国家への（政治的）忠誠を優先することを教えようとしているのである。子どもたちに親のことを訴える権利が与えられているのは偶然ではない。それにより、ソーシャルワーカーによって親から引き離されることもあるのだ。

国連の「持続可能な開発のための教育の10年」の主導機関は、ユネスコであり、21世紀に私たちが直面する社会的、経済的、文化的、環境的問題に対処するために、持続可能な開発の原則、価値観、実践を、教育と学習のあらゆる側面に組み込むことを目的としている。

国連の例に漏れず、この目標は高尚な言葉ばかりで、実用性には乏しいものとなっている。例えば、識字率や計算能力には一切触れられていない。

ユネスコは「教育の10年」のために8つのテーマを設定した。このテーマは2005年から2014年の間に実施される予定であったが、予定よりも少し長引いてしまったようである。

1．持続可能な都市化

2. 持続可能な消費
3. 平和及び人間の安全保障
4. 田舎の開発
5. 文化的多様性
6. ジェンダーの平等
7. 健康増進
8. 環境

「このようなまったく意味のない言葉が、教育とどう関係するのか？」と疑問に思う人もいるかもしれない。だが、事実「新しい」教育は、新しい価値観も教えることになる。子どもたちは「善悪の概念は時代遅れであり、誰もが保護を受ける権利がある」と教えられるのだ。集団主義の重要性を子どもたちに教えるために、教育は再編成される。これには「社会の道徳的基盤を破壊し、尊敬や尊厳といった概念を消し去る」という、確立された目的があるのだ。

２０２０年の出来事は、これまでの教育が今後計画されている未来には通用しないことを明確に示しているのである。教師の大部分は、学校が閉鎖されても、インターネットで授業をしようとする熱意を持てなかったようだ。アジェンダ21を支持する人々は、教育に意味がないことを知っているので、教育を促進することに関心がないのである。試験はどんどん簡単になり、証明書は誰にでも自由に与えられるようになるだろう。そして、将来的にはエリートだけが教育を受けることになるはずだ。

アジェンダ21によって、新しいタイプの階級区分も設けられる。国連は教育を変えるだけでなく、国家主権、私有財産権、憲法上の権利、民主主義の廃止も計画していることを忘れてはいけない。国民は「成長ゾーン」と呼ばれる「スマートシティ」に引っ越すため、その後の移動の機会は大幅に減少する。

アジェンダ21を成功させようとする人々は、人々が（特に歴史や科学について）無知・無教養であり、算数や数学もろくにできず、何でも無条件に信じるようになっていくことをことさら望んでいるのだ。教育は意図的に疎《おろそ》かにされ、大学は卒業証書印刷所と化している。

今やイギリスでは、牛とコマドリの区別さえつかない子どもたちが何百万もいるという調査結果が出ている。呆れるほど質の低いイギリスの教育のせいで、子どもたちは読み書きもまともにできず、無教養なまま、身体だけが成長してしまっただけでなく、作為的に無知で偏見に満ちた偏屈で狭い心に育てられ、健全な精神的成長を促されずに放置されてしまったのである。

数年前、ロバート・フルガムという作家が、『人生に必要な知恵はすべて幼稚園の砂場で学んだ』（河出文庫）という本を書いた。この本は、タイトルに賛同する数多の人々から反響があった。だが、今は状況が違う。子どもたちは基本的なことさえ学ばずに学校生活を終えている。私自身が学校で学んだことは（「偶然理解した」というほうが正しいかもしれないが）、「学び方」だった。今日では、これは稀なスキルである。

子どもたちは、凡人であることに甘んじ、愚かで無意味な規則を受け入れ、政治家や公務員の浪費や腐敗を疑わないように教え込まれている。30歳以下の人々は、「ニューノーマル」にまったく未来がないのに、アジェンダ21の現代の神話（＝作り話）を素直に受け入れているのである。これは、一発も撃たれることなく勝敗が決まった戦争なのである。

多くの子どもたち、そしてミレニアル世代までのすべての年齢層は、（国以外の）誰に対しても敬意を払わず、想像力がなく、尊厳がなく、挫折などから立ち直る力もなく、違う視点から物事を考える能力（かつては「独創性」と呼ばれていた）や精神的な寛容さも継続力もなく、歴史や、歴史における自らの立ち位置についても理解していない。そしておそらくもっとも重要なことだが、人に親切にすることで湧き上がる喜びを理解していないのである。

要約すると、（世界中の政治家や教師がきっちりと従っている）教育に関するアジェンダ21計画とは、無知で従順で周りの影響を受けやすい子どもたちを作り出すことである。こうした子どもたちは、そのまま大人になる。そして、神経質で臆病なあまり、自分の周りで起きていることに疑問を抱くことすらもできなくなっていくのだ。今起こっていることを隠蔽するために、試験はどんどん簡単になり、卒業証書や証明書は欲しい人に無条件で配られるようになるだろう。

E4 EINSTEIN (ALBERT) アインシュタイン（アルバート）

「3つの大きな力が世界を支配している。それは、愚かさ・恐れ・欲深さである」。

E5 ELDERLY 高齢者……餓死、凍死、そして老人差別

私たちは差別をなくそうと言われているが、高齢者の存在は軽視されている。毎年、政府の命令で何十万もの人々が虐殺されている。もし政府がこれほど多くの黒人デモ参加者を殺したとしたら大騒ぎになっていただろう。高級紙のコメンテーターは動揺し、感情的になるだろうし、ジェノサイド（大量虐殺）という言葉も飛び交うだろう。しかし、騒ぎにならないのは、彼らがただの老人であり、孤独で、介護施設に捨てられていた存在だからだ。

入院中の高齢者は、スタッフからほとんど無視され、飢え死にするまで放置され、ベッドから出て自分で水を汲《く》めなければ水さえも与えられない。痛みに苦しみ、汚れた服を着せられたまま放置されることだってあるのだ。

政府に余裕がないため、老人は社会のお荷物とみなされている。政治家は、厄介な存在である老人を最小限の数に抑えるために、必要なら何でも許可し続けるだろう。そして、2020年の初期には、何千人もの高齢者が、医師やアドバイザー、官僚によって治療を拒否され、殺害されるという出来事が起きた。

悲しいことに、私たちの社会には思いやりやマナー、尊敬の念が長らく欠如している。イギリスでは、破綻した企業や慈善団体、芸術に政府が資金を投入している。これらはすべて、億万長者を豊かにし、世界をニューノーマルに変えようとする邪悪な経済政策によって意図的に破壊された分野である。しかし、政府が高齢者を助けるために何かをすることはない。高齢者は皆、年金が雀の涙ほどしかないせいで凍死するか餓死するかの選択を迫られている上に、貯金には0％の利子しかつかず、不誠実で恥知らず、それでいて契約違反も多いBBCに受信料の支払いを常に催促されている。

2011年2月、イギリスのある公的な報告書は、「NHSが高齢者を非人道的に扱っている」と非難し、NHSの病院は65歳以上の高齢者に対して「もっとも基本的なケアの基準さえ満たしていない」と述べたが、これらが是正されることはなかった。

NHSはいまだに高齢者を軽視しているといっても過言ではない。もし動物が同じように扱われていたら、当然のことながら、世間から猛抗議を受けるだろう。高齢者の扱い方を見れば、その文明がどれだけ成熟しているかを判断できる、と言われていたが、私たちの文明はどうなのだろうか？

当たり前の気遣いは、もはや医療の必須要素ではなくなってしまった。悲しいことに、私たちは医師や看護師を信頼しすぎないように注意しなければならないのである。

問題は、もしあなたが65歳以上であれば、政府はあなたの死を望んでいるということである。そして、グレート・リセットによって、この問題は政治的な願望リストのトップに押し上げられたので、高齢者のニーズを無視することが政府の公式方針になっている。誰も気にしていない唯一のイズムはエイジズム（老人差別）である。

驚くべき悲しい事実だが、今日エイジズムという偏見・敵対感情・差別は、当たり前に受け入れられている。他の人種に対する偏見など絶対にありえないと思っている人が、高齢者に対するとんでもない偏見を平気で口に出す。また、自分は偏見とは無縁だと思っている人が、悪いことをしているとは微塵も思わずに、高齢者に対する偏見に満ちた発言を嬉々として言葉にする。自分には差別的な傾向がまったくないと自負しており、絶対的な公正中立を主張する人たちはどうやら、何のためらいも後悔もなく高齢者を差別するらしい。

一定の年齢以上の人を手助けすることなく、虐待したり、不当に扱ったりすることは何の問題もないとされている。イギリスでは数年前から、医師や看護師が「高齢者」と呼ばれる、お金のかかる面倒な存在を殺害することが完全に合法とされているが、これにはいまだ動揺を隠せない。また、老人ホームで働くスタッフが、高齢者の意思に反して、本人の知らないところで薬を投与したり、介護の手間を省くために精神安定剤や鎮静剤を投与したりすることが許されているというのも信じがたいことである（しかし、これは事実である）。あらゆる種類の老人ホームや介護施設におけるケアの質は、概してひどいものである。利用者やその親族は、清潔とは程遠い宿泊設備や標準レベルに満たないサービスに多額の費用を支払っているのだ。

高齢者は、他の誰よりも簡単に処分できる、無用の長物とみなされている。高齢者には、何の権利もないのだ。性差別や人種差別は禁止されているが、老人差別は禁止されていない。実際、エイジズムは今や国家が後援する偏見である。

従来、高齢者は知恵や知識、経験の宝庫として相談を受けていた。しかし、今は違うのである。今日、高齢者は頭の回転が遅く、時代遅れで愚かな存在だと思われている。インターネットを使わない人は、役立たずで、リサイクルすらもできないガラクタと見なされている。

市民が厄介者扱いされ始める年齢は、年々低下し続けている。現在では、65歳以上の人は価値のない人間とみなされる可能性が高い。65歳以上の人には選挙権を与えないことや、65歳以上の人に安楽死を普及させることも何度か提案されてきた（当然、高齢者自身に選択の余地はない）。

人類と環境の救世主を自任する著名人たちが、老人について語る姿はあまり見られない。地球温暖化という不条理で信憑性のない疑似科学的な神話に没頭しているため、忙しすぎるのだ。外国人難民や亡命テロリストへの同情を示すのが好きな左派系の有名人は、その辺にいる白人の老人が凍死したり、缶詰の豆1缶だけで1週間を生き抜こうともがいたりしているとつぶやいても、新聞に引用されないことを知っているのである。

著名人たちは「ブラック・ライヴズ・マター」と呼ばれるアジェンダ21の政治的影響を受けた支援団体を支持して路上を埋め尽くすが、彼らは黒人・白人を問わず、高齢者の窮状については何も言わず、アクションも起こさない。

しかし、イギリスでは毎年冬になると、6万人から10万人の高齢者が寒さのために亡くなっていると言われている。

毎年、である。

それにもかかわらず、BBCは最近、「暖房への低税率は気候に悪い」という見出しの記事を出した。この記事は、環境保護を推進する地球温暖化陰謀グループの意見に否応なく基づいている。

暖房にかかる税金を引き上げれば、寒さで亡くなる高齢者の数が間違いなく増えるという事実は誰も気にしないようである。極度の貧困に苦しむ高齢者への金銭的支援を提案しても無駄だ。というのも、誰もが知っているように、高齢者は政府から金銭的支援を受ける権利があっても、それを求めないことが多いからである。そのようなことをしては面目丸つぶれだと考えているのだ。

もし６万人の亡命希望者が寒さで死んだとしたら、リベラルな左派の俳優たちは、指が飛ぶような速さでツイッターに投稿するだろうし、愕然とし、行動を要求するだろう。まさに高齢者こそ、虐げられ、存在さえ忘れられている人々だ。

イギリスでは、１００万人以上の困窮した高齢者が、何の支援も受けられずにいる。さらに、国内の病院に勤務している人から聞いた話では、ＭＲＳＡという細菌による致死性の高い感染症が流行している病棟に、高齢の患者がわざわざ入れられているという。一刻も早く高齢者を排除するのが狙いだ。抗生物質に耐性があって最悪死に至る細菌を根絶する簡単な処置にすら病院が消極的なのはこれが理由ではなかろうか。

あらゆる面で、高齢者はかつてないほど困窮している。

しかし、アジェンダ21に突き動かされている政治家たちは、そんなことを気にも留めない。彼らにとって、高齢者は迷惑な存在でしかないのである。

政治家、医師、看護師、アドバイザーは大事なことを見落としている。彼らもいつかは年をとるのだ。そのときまで、彼らは40歳以上が無価値だとして使い捨てられてしまうような社会の構築に貢献し続けるのだろう。

E6

ELECTIONS

選挙

便利に使える緊急法案が2020年3月に初めて英国法に導入された直後、政府はすべての選挙を中止した。中止する理由などなかったが、議会が同意してそれが実現したのである。次の選挙はいつ行われるのか？　いや、そもそも「選挙は再び行われるのか？」と問うべきなのだろうか？　それとも、各政党は「国益のため」に、現状をいつまでも放置するのだろうか？

E7

ELITE

エリート

過保護国家は、エリートたちによって創設された。彼らは（自分たちを除く国民に向けて）作ったルールを常に無視している。

E8

EMERSON (RALPH WALDO)

エマーソン（ラルフ・ウォルドー）……アメリカの思想家

「立派な男になるには、世間に迎合する人間であってはならない」。

E9 END OF THE WORLD SCARES 世界の終わりの恐怖……繰り返される嘘予言

偽りの気候変動恐怖症は、何世代にもわたって存在し、特段珍しいことではなくなっている。例えば、1974年6月24日、『タイム』（幼いグレタを2019年の「今年の人」に選んだしょうもない雑誌）は、再び氷河期がやってくると発表した。だが、いまだに氷河期は訪れていない。

怖い話は読者、視聴者、リスナーを惹きつける。騙されやすい人は読んだもの、見たもの、聞いたものを常に信じてしまうのだ。今流行の地球温暖化騒ぎは、ソーシャルメディアを利用して時間を持て余している無知な異常者に触発されて生まれたムーブメントなのではないか。私はそのように危惧している。

地球温暖化の「科学者」による予測や予報は一貫して、ひどく不正確なものであった。

2007年、世界自然保護基金（WWF）は、私たちが世界を救うのに残された時間はたったの5年しかないと発表した。ヒステリックな人々は、2010年までにイギリスのコーンウォール州が砂漠化すると言っていた。2011年、国際エネルギー機関（IEA）は、アルマゲドンを回避するのに残された時間は5年しかないと言った。2017年、国連が「残り3

年」と言うと、同年に国際エネルギー機関も「残り3年」と言った。

浮かれた予言者たちの中には、比較的慎重で「一世代以内に、地球は人間が住める星ではなくなる」と主張するだけの人もいる。しかし、もっと具体的なことを言う人もいる。グレタ・トゥーンベリは最近、「地球を救うために残された時間は8年だ」と発表した。なぜ8年なのか？ ヨハネの黙示録の4騎士が電気自動車に乗って現れるまでの猶予期間は、なぜ7年や9年ではなく、8年なのだろうか？ このあたりのことを、彼女は説明していなかったように思う。どちらかと言えば無学な少女が、科学的な背景を理解していないにもかかわらず、これほどまでに独善的になれるのはおかしなことだと思う。誰かが彼女に意見を吹き込んでいる可能性も大いにあるのではないだろうか？

アメリカのアレクサンドリア・オカシオ・コルテスという政治家は、もっと楽観的である。2019年、彼女は「何かとんでもないことが起こるのは12年後である」と言っていた。2013年には、ケンブリッジ大学のピーター・ワダムズ教授が、2015年までに北極の氷がすべて溶けてなくなってしまうと言っていた。言っておくが、彼はゴードン・ブラウンと比べればまだ楽観的である。ゴードンは2009年、英国経済を破綻させた後しばらくして、「地球を救うにはあと50日しかない」と語りだした。また、2004年には、『オブザーバー』が「イギリス人は2020年にはシベリアと変わらない気候の中で生活することになる」と警告したが、それをどうやって「地球温暖化」の理論に当てはめたのかはわからない。また、2009年、チャールズ皇太子は「地球を救うために残された時間は8年」と言っていた。その恐怖が無駄だったと明らかになった今、読者の皆さんは、この王位継承者が恥ずかしくて戸棚にでも隠れているのではないかと想像しているかもしれない。しかし、チャールズ皇太子は私たちよりもはるかに図太く、過去の予測のことで気後れすることもなく主義主張を変え、最新のデマを流し続けている。

このような野蛮で、恐ろしい事柄のすべては、地球温暖化（とかいうもの）がスケールの大きな国際的詐欺であることを証明しているにすぎない。詐欺だという証拠があるにもかかわらず、神話のシナリオライターたちは間違いなく自分たちの予測を手を替え品を替え主張し続けるだろう。もちろん、世界の終わりについて予測することは、宣伝効果があり、ツイッターやインスタグラム、フェイスブックのフォロワーを増やすのに適した方法である。このときの秘訣は、数年先の日付を選び（地球規模の悲しい予言をして）、そこに到達する頃には皆が自分の言ったことを忘れているのを期待することだ。

地球温暖化という神話の崇拝者たちを見ていると、25年前、タンパク質の摂取量を減らすように警告するボードを持ってオックスフォード街を歩き回っていた男を思い出す。

グレタの活動が、世界の終わりを予言するプラカードを持ってオックスフォード街を歩き回るだけに留まってくれれば、実害ははるかに少ないと思う。

E10 ENEMIES 敵

私たちは、自分の体、思考、魂の自由を守るために戦争をしている。敵は、自分たちが知る限りのありとあらゆる心理的なトリックを駆使して、私たちのことを脅し、従わせ、抑圧し、支配しようとしている。

戦争に勝つためには、まず敵が誰であるかを知らなければならない。

私たちの敵は下記の者たちを含め、無数にいるのだ。

a　世界各国の政府と、政府に属していないが、そうなりたいと思っている者たち

b　国連（および世界保健機関などの派生組織）のような、大規模で強力な非政府組織

c　世界がどのように治められるべきか自分が一番よく知っていると思っている自己中心的な億万長者たち

また、彼らは、私たちをいたぶり、生活のあらゆる側面を支配することで、莫大な富を増や

すことができることを知っている。恐怖と嘘を使っていたぶることは、国民をコントロールする非常に効率的な方法の1つである。

私たちの敵は、何十年も前からこの不正行為を計画していた（これは世界的なクーデターである。それ以上でもそれ以下でもない）。生活の支配には、まだ戦車や戦闘機は使われていないかもしれない。だが、それでもやはり、これはクーデターである。

クーデターを成功させるために、敵は私たちのことをコントロールする必要がある。支配するためには、世界のメディアを「自分たちのもの」にする必要があるのだ。

彼らはそれを実行し、今のところ上手くやれている。

主流メディアを構成する新聞、テレビ、ラジオは、多額の広告収入により買収されている。これは史上最大の軍事作戦である。背後にいる権利欲にまみれた人々は、メディアへの金銭的サポート、（ユーチューブなどの）インターネット事業の素直で従順な、少し予想外の支持、そして真実を語る人たちをもっぱら悪者に仕立て上げている「フェイクニュース」サイトの忠実な支援なしには、こんな大それた悪事を試みることさえできなかっただろう。

E11

ENTERTAINMENTS
エンターテインメント

政府は不条理な要求を突きつけ、劇場、映画館、競技場の閉鎖を故意に強要してきた。だが、このような厳しい条件を裏付ける根拠はない。閉鎖を強要することで国民の士気を低下させ、国を過酷な次の文明社会に転じさせることが目的だと結論づけざるを得ない。

劇場、映画館、コンサートホール、そして芸術全般を破壊してきた政府は、納税者のお金を贈答品、補助金、融資として芸術家たちに渡している。しかし、このお金を受け取った人は、自らの魂を傷つけているに等しい。国から補助金や報酬を受け取った芸術は、プロパガンダに他ならない。その結果、芸術はお役所仕事的な行政サービスの一部となり、芸術家たちは従順で、独創的であることを恐れ、公共の財布から現金を配る人たちの気を悪くしてしまわないかと顔色を窺うようになるのである。

E12

ENVIRONMENTALISTS
環境保全主義者

これは、近年、大きく意味が変化した言葉の1つである。かつて環境保全主義者とは、自然や環境、植物や動物、海や魚を大切にする人を指した。現在では、地球温暖化を信じている人たちの多くが環境保全主義者である。彼らのほとんどは、環境について何も知らず（かつての環境保全主義者と比べて）関心もない。10人のうち9人はとんでもない偽善者で、環境保護という概念を口先で支持しているだけだ。そして実際には、世界中を飛び回って自分たちの意見を広め、地球を乗っ取ってグレート・リセットを推進する計画なのである。

E13

EQUALITY AND DIVERSITY TRAINING (ALSO KNOWN AS UNCONSCIOUS BIAS TRAINING)

平等・多様性研修（アンコンシャス・バイアス研修）

この種のトレーニング（実際には洗脳の一種）では、個人が自分の信念や思い込み、行動に対して疑問を持つよう訓練される。その結果、差別を是正するための新たな「差別」が生じている。

警察官たちは、感覚を鈍らせ、ものの見方や感じ方を変えられてしまっている。警察官たちの家族から聞いたところによると、ダイバーシティ・トレーニングを受けた警察官はまったく別人のようになるという。人間らしい考え方を捨ててしまったせいで、彼らは冷酷で攻撃的な性格になってしまう。残忍で、偏見に満ち、ロボットのような決断力を持つようになるのである。

支配者の不正な活動に抗議する人はもれなく、極右の人間だと言われる（大多数の人は極右ではないし、多くの人は伝統的なやり方で政治的な党派に所属しているわけでも、特定の政治的思想に傾倒しているわけでもない）。

このトレーニングは、アジェンダ21や左翼的な傾向に合わせて設計されている。

E14 ESG
ESG……地球温暖化という新興宗教のために

ＥＳＧとは、環境（Enviroment）、社会（Social）、ガバナンス（Governance）の頭文字をとった言葉で、企業の発展において重要な観点とされる。ＥＳＧの要件に従う者は、極左の政治的に正しい（とされる）決定事項、特に地球温暖化カルト信者の熱意に従わなければならない。

多くの大企業、銀行、投資信託会社が、ＥＳＧへの準拠を公表する必要性を感じている。地球温暖化はもはや疑いの余地がないと主張し、自分たちの会社・銀行・ファンドの二酸化炭素排出量を正味ゼロにすることを約束する企業も増えている。驚くほど多くの人々が、地球温暖化という新興宗教のなんちゃって牧師として鎮座しているのだ（地球温暖化は確かに、科学というよりも宗教にずっと近い存在である）。

投資信託会社や年金機構は、化石燃料産業への投資を拒否している（タバコ、ギャンブル、ポルノと並ぶ「罪」に分類されると考えているのだ）。その結果、私は次のどちらかが起こるのではないかと勘繰っている。

①再生可能エネルギーを推進する企業の価値が、電気自動車会社のように急上昇する

②化石燃料の使用を突然止めれば、私たちは寒さや飢えで死ぬことになると投資家が理解して良識を持つようになる。

E15 ETERNAL THREAT 永遠の脅威

この戦争に勝利しても、油断は永遠に許されない。アジェンダ21の責任者たちは、決して消え去ることはないのである。映画『暗くなるまで待って』でアラン・アーキンが演じた悪役のように、私たちを新しいやり方で抑圧した闇の勢力は、いつまでも活動を続けるのである。

E16 EUROPEAN UNION 欧州連合

EUは、第二次世界大戦直後にナチスによって設立されたが、そのことは何十年も知られていなかった。私はいくつかの本の中で（特に『EUの驚愕の歴史（*The Shocking History of the EU*）』

で）ＥＵの歴史を説明してきたが、ＥＵの歴史前半を見ると、ＥＵの創設者や管理者たちが（戦争に勝つことはできなくても）ドイツが平和を勝ち取るための方法がないかを模索していたことがはっきりと見てとれる。

しかし、後半になると、ＥＵはより大きな野望を抱き、アジェンダ21の発展に大きな影響力を持つようになった。地球温暖化を自分たちの存在意義にしたり、リサイクルの導入や官僚組織をいじくり回すことを絶えず要求したり、中小企業を着実かつ意図的に破壊したりするのは、すべてアジェンダ21のプログラムの一環であった。

E17 EUTHANASIA 安楽死

安楽死は、最近ではいっそう公然と語られるようになってきた。安楽死は通常「蘇生処置の拒否（Do Not Resuscitate）」や「飲食禁止（Nil by Mouth）」といった言葉で語られており、優生学の専門家によって熱心に推進されている。

E18 EVIDENCE BASED MEDICINE (EBM) エビデンスに基づく医療（ＥＢＭ）

かつての医師は、検査や調査で得られたエビデンスに基づいて、研究結果と照らし合わせながら患者の治療計画を立てるのが通例であった。

だが、今はその面影すらもない状態だ。

2020年には、優れた医学研究やエビデンスに基づく医療の代わりに、偏見や政治的な指示が当たり前に見られるようになった。

このような異常な変化が世界中で起こっても、医療関係者からの反対はほとんどなかった。思いきって抗議の声を上げた医師はクビになると脅され、医師免許を剝奪されてしまったのである。

この変化に歯止めをかけ、元に戻さなければ、将来的には医師ではなく、政治家や行政官が治療法を決定することになるだろう。

この本を書いている間に、一度読んだきり忘れていた、ある古い論文を発見した。読み返してみると、私が1977年に出版した『ペーパー・ドクターズ』という本の中で述べた結論を裏付けるような、かなり気の毒な内容のものだった。

タイトルは「偏った試験と選択的な発表による、エビデンスに基づく医療の失敗」で、『*Journal of Evaluation in Clinical Practice*』に掲載されたこの論文には、（製薬業界はじめ、医療の実権を握る権力者たちにとって）非常に都合の悪い内容が記されていた。エビデンスに基づく医療とは、「医療上の意思決定を行う際に、臨床上の専門知識や患者の価値観と合わせて、最新の最良のエビデンスを誠実かつ慎重に用いること」と定義されている。言い換えれば、最善で、もっとも信頼できる、最適な知識に基づいて、患者にケアを提供することを目的としているのである。

しかし、ＥＢＭが患者の健康増進につながったことを示す証拠は乏しい。この論文では、検証する仮説の選択における偏り、研究計画の操作、選択的な医学発表によって、医療を改善する可能性が妨げられていることなどが示唆されている（言い換えれば、医療ジャーナルは製薬会社にとって有益な研究のみを発表している。新製品を批判するような研究は決して掲載されないのである）。「これらの欠陥を示すエビデンスは、製薬業界が資金提供した研究においてもっとも顕著である」と著者は述べ、製薬会社が作成した「証拠」を無差別に受け入れることは「政治家に自分の得票数を数えさせるのと同じようなものだ」と主張している。

また、著者は、ほとんどの研究が製薬会社から資金提供を受けていることを指摘し「そのようなエビデンスに基づく臨床判断では誤った情報を患者に与え、効果が低く有害な、あるいはより高価な治療を受けさせることになってしまう可能性が高い」としている。

さらに著者は、もっと多くの独立した研究の推進と有効な研究を評価するため、より情報に精通した独立機関の設立を求めている。そして、偏った研究は評価を下げるべきだという提案もしている。

この論文は２０１４年に発表されたものであるが、現在も状況は変わっていない。特に驚くことでもない。私は１９７７年にも同じような点を多く指摘している（同じ提案もしている）。

F1 FACIAL RECOGNITION CAMERAS 顔認識カメラ

顔認識カメラは、すべての市民の動きを追跡し、警察が厄介な市民を逮捕するために使用されている。ほんの数年前まで、カメラの画質は非常に悪く、画像（あるいは映像）を見た人は運が良ければ、マーゴ・フォンテイン（訳注：イギリスのバレエダンサー）と関節炎の象、あるいはエリザベス・テイラーとジャック・ニコルソンを見分けることができたかもしれないというような代物だった。現在、顔認識カメラの性能は飛躍的に向上し、日々進歩している。

何よりも心配なのは、テレビ画面に映し出された画像を見るだけで、テロリストや小児性愛者の可能性があるかどうかを識別できると、カメラを操作する側が主張していることだ。

まるでＳＦ映画のようである。

しかし、これは映画の中の話ではない。

新しい現実なのだ。

そして、この新しい現実が、私たちをコントロールするためにどのように使われるのかを知るのは、難しいことではない。

中国では、信号無視をした歩行者や交通違反をしたドライバーを捕まえるために、顔認識の監視カメラが使われている。警察の顔認識システムは、個人の写真（車に乗っている場合は車のナンバープレートも）を撮影し、データベースから個人を特定する。

「悪いこと」をした個人は、罰の一環として名前を公表され、恥をかかされる可能性がある。中国のある逃亡者は、コンサート中に5万人の観衆の中で逮捕されたと言われている。カメラは夜も作動しているのだ。

中国では1日に何百万回も顔認証による取引が行われている。いずれはお店に入って設置されている液晶画面に目をやると、見たものを何でも買えるようになるのだろう。

F2 FACT CHECKERS ファクトチェッカー……スポンサーのための「事実」

誰がファクトチェッカーをチェックするのか？　そして、最近の「ファクト（事実）」とは？

自称ファクトチェッカーのほとんどは、特定の見解を宣伝する雇われのロビイストである。大部分は資料を調査した経験がなく、胸ぐらをつかまれて顔面を殴られたとしても事実を見ようとはしない。彼らが事実として提示するものは、たいていスポンサーが推進する意見である。特に医療や地球温暖化の分野では、ファクトチェッカーが、本物の研究者に対し異議を唱え、けなし、悪者にするために定期的に悪用されている。

F3 FALSE FLAGS
偽旗……真珠湾も９・11もすべて同じ手口

「偽旗」という名称は、かつて卑劣な帆船の船長が、相手国の海軍に属することを示す旗を立てていたことに由来する。お人好しの船長たちは、自分たちの旗のレプリカがはためいているのを見れば、安全に近づけるし、仲間の船長と料理のレシピやお気に入りの休暇先の情報を交換することができると考えたのである。

すると、突然、ヒューッと大砲の弾が飛んできて、マストが引きちぎられ（若い頃に読んだ、ホレイショ・ホーンブロワーの物語みたいだ）、あっというまに屈辱的な捕虜になってしまうのだ。昔の海賊は同じ手を使っていた。海賊旗を畳み、スペインかイギリスの国旗を掲げるのである。

歴史は偽旗作戦であふれている。

トロイの木馬を覚えているだろうか？　あれは初期の偽旗であった。古代エジプトではラムセスが騙された偽旗作戦があった。ローマでは教会が、ヨーロッパの王を決める権利を自らに与えたという文書を偽造した。12世紀になると、教会はまた同じようなことをやってのけた。今度はプレスター・ジョンという人物を作り出し、ヨーロッパ人を騙して勝てる見込みのない戦争に参加させた。驚くべきことに、プレスター・ジョンはそれ以降、なんと5世紀以上にわたって引き合いに出された。その間、誰もその人物の存在を疑わなかったという。

13世紀以降、教会は天候も含めて、うまくいかないことはすべて罪なき人々のせいにしていた。また、数世紀にわたって小氷期が続いていたため、教会は人々を狩り出して魔女と呼び、殺す機会をたくさん作った。農作物が不作になれば、地元の魔女の（たいていは不運な地元の助産師や看護師の）せいにされた。ある冬に寒さが厳しくなると、その魔女は焼かれるか、水に沈められてしまうのだ。疫病で多くの人が亡くなった場合、その死は地元の魔女のせいにされた。魔女狩りは人気のある職業で、今日のウィキペディア編集者の仕事なんかはまさに現代の魔女狩りである。

米西戦争は、マッキンリー大統領が、アメリカのメイン号がスペインの機雷によってハバナの港に沈められたとアメリカ国民に伝えたことから始まった。国民の怒りは戦争を始める動機として十分であった。しかし、メイン号の船長は、沈んだのは機雷で攻撃されたからではなく、石炭の貯蔵庫が爆発したせいだと主張していた。戦後、調査の結果、船長が正しく、マッキンリーが嘘をついていたことが判明した。政治家が嘘をついた。なんてショックなことだ。

ヒトラーは偽旗作戦の有効性をかなり信じていた。１９３３年、ドイツ連邦議会の所在地であるベルリンのライヒスタークビルが放火された。ヒトラーは共産主義者のせいにして、この火事を利用して自身とナチ党によるドイツの支配に成功した。１９３９年には、ポーランド国内でドイツ系の住民を標的に攻撃されているとして、その責任はポーランドにあるとドイツ国民に伝えた。こうして第二次世界大戦が始まったのである。

この戦争中、アメリカ人は日本の真珠湾攻撃に憤慨していた。ルーズベルト大統領によると「このようなことをされるいわれはない。実に驚くべき事件だ」ということだった。ルーズベルトは嘘をついていた。ルーズベルトはこの攻撃を事前に知っていたが、日本軍は何隻かの米艦船を沈め、何人かのアメリカ軍人を殺す程度に留めてほしいと考えていた。アメリカ軍が第二次世界大戦に参加する口実を求めていたのだ。

２００1年9月11日のアメリカ同時多発テロは、アメリカ人が仕組んだ（あるいは少なくとも知っていた）という説が広く浸透している。また、アメリカとイギリスは、イラクへ侵攻する口実として、イラクに大量破壊兵器があると嘘をついた。コリン・パウエル、ジョージ・ブッシュ、トニー・ブレアは、イラク戦争のもっとも熱心な支持者のうちの3人である。3人とも非常に多くの嘘をついていた。そして、彼らの嘘を支持、あるいは擁護した政治家たちは全員、戦争犯罪という罪を犯したのである。大量破壊兵器詐欺は、大規模な偽旗作戦だった。

そしてその後、地球温暖化のお出ましである。地球温暖化は、世界の人々をコントロールし、アジェンダ21に備えさせるための、スケールの大きな自信作だったのだ。

世紀の変わり目にも、大規模な詐欺事件があった。俗にいう、２０００年問題である。１９９９年12月31日の24時にコンピューターが正常に機能しなくなるというものである。コンピューターが１９００年１月１日にさかのぼり、その結果、電気がなくなり、飛行機が空から落ちてくるということだった。この詐欺、偽旗作戦をでっちあげ、主張していたのは、解決策《ソリューション》を販売するソフトウェアのプロモーターたちだった。彼らはこの馬鹿馬鹿しい詐欺により60億ドルを稼いだという。

２０２０年には、史上最大の偽旗の始まりを見た。

それについてはあなたもよくご存じだろう。

F_4 FAMILY 家族……家族制度は壊され、孤独な死へ

伝統的な社会では、家族という単位は文明の救世主であったはずである。しかし、多くの国では家族という単位はもはや存在しない。アジェンダ21に従う人たちは、拡大家族（訳注：親と、

結婚した子どもの家族などが同居する家族形態）という概念をなくそうとしているのだ。子どもたちは家庭ではなく、施設で育てられるのである。

家族という単位は今も昔も、社会を構成する基本要素である。イギリスの労働党政権は、自らの政治的な理由から、家族制度の破壊に全力を尽くしてきた。そして、それは非常に大きな成功を収めている。イギリスの税制や福祉政策は、ひとり親の家庭に経済的なインセンティブを与えている。結婚は不利になるようだ。労働党の影響で、ティーンエイジャーの妊娠率は劇的に増加し、ひとり親家庭の数も増加している。若い男性は、面倒を見るつもりのない子どもの父親になるし、若い女性はわざと妊娠して、マイホームと多額のお金を毎週のようにもらおうとする。現在では、半数の子どもが婚外出産で生まれている。政府は、同性婚を導入・推進している。政府の出資を受けている団体は、13歳を対象としたリーフレットを作成しており、そこには「上手なセックスの仕方」についてのアドバイスが含まれている。学校の性教育では、12歳の子どもたちにアナルセックス、オーラルセックス、デジタルセックスのアドバイスをしている。現在、16歳から25歳までの女性の10人に１人が、不妊の原因となる性感染症、クラミジアにかかっていると言われているが、驚くには値しない。家族が意図的に破壊されることで、高齢者、障害者、弱者は誰にも看取られずに孤独な死を迎えることになるのだろう。

F5 FARMS 農場

「ニューノーマル」の中では、伝統的な農業は通用しない。農場は、食品を製造する工場に取って代わられる（ここで述べている「食品」には、人工的に造られたという表示がないまま「肉」として販売される偽装肉も含まれる）。

イギリスでは、農地をなくす計画が真剣に進められている。ボリス・ジョンソンは、アジェンダ21に基づいて、イギリスの30％を再緑化したいと言っている。イギリスは世界でもとりわけ人口の過密な国である（モナコや香港はもっと混雑しているが、国ではない。国家であるシンガポールは混雑しているが）。そんな我が国で国土の30％を緑化するというのは馬鹿げた野望である。さらに過密な町や都市を生み出すことになるからだ。

農地の50％を森林に変えようという提案もあった。なぜこのような提案がなされたのかはわからないが、おそらく発案者は小枝のサンドイッチが好物なのだろう。

国連は「持続可能性」や「生物多様性」などという、奇妙・非論理的・非科学的な政策のために、農業を廃止させたいと考えている。

F6

FEAR 恐怖……利用される大衆の恐怖心

人間は恐怖に苦しむことが多い。この言葉（およびその関連語）は、さまざまな場面や、実際には適切ではない場所で使われている。例えば「大変恐れ入りますが……」「恐縮です……」などの表現もそうだ。

恐怖心は、私たちの思考の奥深くまで根付いているのである。

政府やその心理アドバイザーたちは、恐怖心を利用して大衆をコントロールする方法をすぐに見いだした。

私たちは恐れ苦しむように入念に、体系的に仕向けられているのである。すべて意図的に、である。私たちは不安に駆られている。さまざまな恐怖の影が忍び寄り、私たちの精神や肉体は苦痛を受けやすい状態に追い詰められているのだ。

死への恐怖から、私たちはあらゆる辱《はずかし》めや奇妙な条件を飲むようになる。だから、1年前であれば、常時マスクを着用しようなんて提案されたら笑ってしまったかもしれない人々が、恐ろしい病気にかかって命を落とすリスクが低減すると信じれば、戸外でも室内でもお風呂でも、喜んでマスクをするようになるのである。

終わりのない恐怖のメッセージによって、人々は何でも信じるようになった。その内容が希望を与えるものであればなおさらである。恐怖心があるゆえに、苦境から解放してくれると信じられる指示を飲まざるを得ないのである。

政府は恐怖を生み出し、同時にその解決策を提供している。これが究極の過保護国家である。

F7 FEMINISM フェミニズム

婦人参政権を主張（正当な理由がないわけではないが）した人々は、伝統的な男女関係を打破するアイデアの先駆けだったと言われている。確かに、フェミニズムは社会に大きな影響を与え、より受け身な男性を生み出すことに一役買った。

F8 FINAL SOLUTION 最終的な解決策

ビル・ゲイツは、「最終的な解決策」について語っている。彼は、世界には人口が大量に増えすぎていると考えているのだ。

F9 FINANCE 財務

もちろん、すべてはチャールズ皇太子が宣伝したグローバル・リセットから始まる。億万長者や英国王室の一員であれば別だが、新しい世界に私有財産に関する条項は存在しない。信じられないのであれば、国連が発表した「アジェンダ21」の馬鹿げた宣伝文句や、私有財産に関するフランシスコ教皇の言葉を見ることである。

事態がすぐに好転すると思っている人がまだいる。しかし、そうはならないのだ。来年は今年よりもはるかに悪い年になるだろうし、邪悪な人々が私たちの生活に及ぼしている影響を断ち切るのはこれまで以上に難しくなるだろう。もしあなたが目覚めていて、人生、家族、友人、地域社会を大切に思うのであれば、これらの人々を止め、アジェンダ21の計画を阻止するために、できる限りのことをしなければならない。

F10 FIRES 火災

地球温暖化のカルト信者は、現在、かつてないほど多くの森林火災が発生していると信じている。だが、これは事実ではない（自分たちの主張を実現するために、信者たちは自分たちで多くの山火事を起こしているが）。森林火災には2つの効果がある。第一に、世界が非常に高温となっているために、森全体で突然火事が発生するようになってきていると主張することができる。第二に、火が作物に燃え移ると、多くの作物が被害を受ける。これにより、飢え死にする人の数が増え「農業は農家に任せるにはあまりにも脆弱《ぜいじゃく》であり、工場で作られた食品に取って代わられるべきだ」という考えをより確固たるものにすることができるのである。

F11 FLOODING 洪水

洪水が増えているのは、環境庁が土地所有者による河川の浚渫《しゅんせつ》を阻止しているからだ。そのため、洪水の発生は避けられない。これは意図的なもので、住宅所有者を新しい都市の集合住宅に押し込むためのものだ。新住居では、洪水が大きな問題になることはない。また、洪水によって農地が使えなくなれば、工場で生産された食品のシェア拡大につながる。

氾濫原《はんらんげん》での新居建築は、自分の家を持ちたいという野心を持った人たちを貧困に陥れるためのものである。

F12

FOOD
食品……人口増、食料不足は作り話！

地球上にはたくさんの食べ物がある。問題は、その多くが間違った場所にあるということだ。EUで余剰食料の問題が起きたときに何が起こったかを見てみよう。食料はアフリカで必要とされていたが、EUの農業政策により、必要とされていない地域に貯蔵されてしまったのである。輸入食品への関税、余剰品の投棄、腐敗などにより、かつて「第三世界」と呼ばれていた地域では、食料生産の発展が抑えられてきた。アフリカの飢餓の多くは、EUが食料を投棄した結果、地元の農家が競争に勝てずに倒産したことが直接の原因であると見て間違いない。

欲深い億万長者たちは、農場（特に小規模の農場）をなくし、農場で生産される食物に代わって自分たちの研究所で作られた人工的な食物を売り出そうとしている。彼らの長年の計画は、突然に緊急性を帯びてきた。手間暇かけて作られた危機を無駄にしたくないためである。すでに実験室で作られた肉は牛肉として販売されている。実験室で作られたことを示すラベルは貼られない。計画では、すべての食品がデジタルで管理され、識別され、「あらゆるもののインターネット化」の一部として確立されるだろう。

億万長者たちは突如「健康管理において重要なのは栄養だ」と主張しだした（栄養が大事なん

ていまさらだが）。そして法律やアドバイス、（砂糖が入ったものや脂肪分が多いものへの）税金により私たちの食生活をコントロールしようとしている。長年続いてきた医学的専制政治が拡張され、食の専制政治になろうとしているのだ。彼らは、医学的に手を加えた食品を導入し、遺伝子組み換え食品の使用拡大を計画している。例えば、モンサント社がインドで大成功を収めた政策は、農家にすべての種を大企業から購入させ、ある年の収穫物の種を翌年のために保管することを違法とするというものである。

食品の種類が非常に少なくなれば、不自然なレベルで病気にかかりやすくなると私は思っている。遺伝子組み換え食品（トマトやタバコなど）の中には、薬を入れて栽培するものもある。

2020年9月、大手食品会社やスーパーは、キャンペーンやロビー団体を利用し、食品生産に関して、英国政府にさらに厳しいルールを採用するよう働きかけた。大規模な食品会社が自らより厳しい法律で管理されることを求めているのはかなり驚くべきことだが、すばらしいことだ。しかし、その裏には、中小企業や新規参入者の生活を圧迫するという目的があったのだ。大企業は分野を問わず、法律・管理・処罰の強化を求めてロビー活動を行う。なぜならば、自分たちには法律上の要求に対応できる巨大な部門を設置する余裕があるとわかっているからである。一方、中小企業や新規参入者はそれができない。欧州連合（EU）は何年にもわたって、業界の支配権を握ろうとする大企業の要求に応えて法律を立案・制定してきた。

私たちの食生活が変化していくというニュースが毎日のように報道されている。ビル・ゲイツは、従来の乳牛に比べて4倍のミルクを出すことができる、遺伝子組み換え牛を開発したと言われている。また、ゲイツ氏は、果物を長持ちさせるため、表面に特殊なコーティングを施す技術も開発した。しかし、これらの遺伝子組み換え食品が安全かどうかを確認する、長期的な臨床試験が行われるかどうかは疑問である。

そういえば、KFCは3Dプリンターを使ってチキンナゲットを作る実験室を開発したそうだ。また、アジェンダ21の熱狂的支持者たちは、遺伝子組み換え牛肉を私たちに売りつけようとしているが、その材料が偽物であることは知られたくないようだ。遺伝子編集が合法化されたことで、企業は「より丈夫で栄養価の高い品種」の食品を作れるようになった。イギリスでは、政府が「英国の並外れた生物工学の分野を、遺伝子組み換え禁止規定から除外する」という決意を表明している。

フランケンシュタイン博士は今も生きていてうまくやっているのだ。

1種類の作物や動物だけしか育てないというのはどんな時代であっても危険なことだが、私たちはまさにそこへ向かっているのである。政治家たちは、アイルランドのジャガイモの疫病とそれに伴い起こった飢饉についての記事を読んだほうがいい。

確かに、私たちは食料の生産・使用方法を見直す必要がある。世界の農地の3分の1は化学薬品や殺虫剤によって荒れ果て、全食品の4分の1から3分の1は廃棄されている。

しかし、1980年以降、毎年大量の余剰食料が発生していることを忘れてはならない。何億人もの犠牲者を出した飢饉は、汚職や無能な政治家、そして食料配給の不備によって引き起こされたものなのだ。

要するに、世界に食料が不足しているというのは作り話なのである。当然、世界に人口が増えすぎているというのも、ただの作り話という結論に落ち着くのである。食品の問題は、ほとんどのものが間違った場所にあるということに尽きる。人口問題も、大部分の人が間違った場所にいるから起きている。食べ物も人口も、一部に集中しすぎなのである。

F13 FOOD INFECTIONS 食品による感染症

イギリスでは、年間240万人がレストランや食品店でのテイクアウトでノロウイルス（下痢や嘔吐《おうと》を引き起こす）に感染している。レストランなどの飲食店を閉鎖すれば、感染者数は激減し、医療費も削減されるであろう。

F14 FOREIGN AID 海外援助

国連の異様なルールにより、イギリスは中国とインドに財政援助を行っている。だが、中国とインドは今や世界でもっとも豊かで、もっとも急速に発展している国である。財政援助は、イギリスをより貧しくし、世界中で均等に貧困を広げる計略の一環である（大英帝国として栄えていたことに対して下された罰の一環ではないかという疑念は避けられない）。

F15 FREEDOM 自由……自由とは選択肢があること

私たちの「自由のピーク」は、数年前に過ぎてしまった。世界中の人々が立ち上がり、失われた民主主義と自由を取り返さない限り、数年前までのような自由は絶対に戻らないだろう。

２０２０年、イギリス人はデモや投票ができなくなった。公式の方針に疑問を持つ人は、マスメディアへのアクセスができなくなった。

私たちは自由のために立ち上がらなければならない。そうしないのであれば、いったい何をもって人間だというのか？

自由とは選択肢があることだ。今の私たちには選択肢がないので、自由はないということである。

自由とは、信頼、誠実さ、名誉、尊厳、信仰、そして開かれたメディアを意味する。

私たちに、そのようなものはない。

自由とは民主主義、そして国民や雇用者に敬意を持って接する公職者から成る政府を意味する。

今の私たちにはそれらがないのである。

私は人生の大半を費やして「自由」について書き、そのための運動を行ってきた。数年前、私は自分の小説に共通するテーマが「自由」であることに気づいた。

私たちが立ち上がって守らない限り、自由は永久に失われてしまうだろう。

F16

FREEDOM OF THE PRESS
報道の自由……誠実さを失ったジャーナリズム

今日、報道の自由なんてものはない。重要な問題について議論することも許されない。主流メディアは、公式の方針に疑問を呈するような議論は一切認めないのだ。報道の自由がなくなったのは、専制的な政府に奪われたからではなく、ジャーナリストが自由を売り渡してしまったせいというのは、なんとも皮肉な話だ。

第二次世界大戦中、マイケル・パウエルとエメリック・プレスバーガーは、ロジャー・リヴシー＆アントン・ウォルブルック主演の映画『老兵は死なず』を製作した。チャーチルは、この作品は愛国心に欠けるとクレームをつけたが、パウエルとプレスバーガーは自分たちの想いを貫き、映画は1943年に公開された。オーストリア人のアントン・ウォルブルックは、「戦争の最中に、このようなありのままの真実を人々に伝える勇気を持っていたのは、イギリス人だけだった」と語っている。今日の怠惰なマスコミとは大違いである。

しかし今日、言論の自由は、民主主義と同じ道を歩んでいる。議論の抑圧と黙殺は、長いこと続いている。権力者（とその手下たち）は、公式見解に反する証拠について発言や議論をする人々を、意図的に誹謗中傷したりモンスター扱いしたりする。これは、彼らの信用を損なわせるために行われているのだ。

奇妙なことに、医師が重要な健康問題について語ることは許されていないが、銀行家や億万長者は健康問題についていつでも発言することができる。

イギリスでは、政府が「オンライン有害情報白書」を発表し、政府関係者が有害な「偽情報」や「許容できないコンテンツ」と判断したものを削除の対象としている。もちろん、これらの曖昧な言葉やフレーズは、党の方針に従わないもの全般を指している。

ロビー団体の力を借りた規制当局は、たとえそれが正確で信頼に値する内容であっても、当局にとって受け入れ難いものと判断した場合には、インターネット上のサイト・記事・動画などを削除できるようになるのである。

大学（および職員や学生）は、ごく少数の存在に配慮し、彼らに受け入れられないと判断された意見を持つ講師を黙らせることに成功している。公の場では議論できないテーマも多いようである。「歴史上の不快な事柄を取り上げられると気分を害したり傷ついたりする。だから、そのようなテーマは決して議論すべきではない」というのが、学生たちの主張である。ＢＢＣは（何の根拠もなく）地球温暖化が科学的に解明されたと主張し、この宗教を信じている人々を動揺させるような議論をこれ以上する必要はないという理由で、このテーマについてもはや議論できないと決めてしまった（ここでは地球温暖化を取り上げたが、これはあくまで一例である）。

数年前、私はイギリスの日曜新聞のコラムニスト（高報酬な仕事だった）を辞めたことがある。イラク戦争が正当なものだったのか疑問を呈するコラムを書いたところ、編集者から掲載を拒否されたためである。私は大量破壊兵器が存在するという主張を信じていなかったし、私たちは嘘をつかれていると思っていた。本音を言ってはいけないのであれば、コラムを書く意味がない。信念に従ってコラムニストを辞めたことで、新聞社からの仕事はなくなってしまった。編集者は主義主張を持ったコラムニストを好まない。収入は大きく減ってしまった。

しかし、その新聞社自体がその後、徐々に衰退していった。その後の数年間で、発行部数が約90％減少したのだ。私が辞めたからそんなに部数が落ちたと主張することもできるし、そう言っていただいても結構だ。だが、実際のところは、そういうことではないと思う。すべての新聞で発行部数が減少していて、その新聞社も例外ではなかったのだとも主張できるし、それもまた事実である。しかし、この新聞社は、平均以上に部数を減らしてしまったのだ。

その理由はわかっている。

誠実さを失ったために、徐々に衰退していったのだ。何の主張も持たず、読者を尊重していなかったのである。そして、読者は、リスペクトの欠如を察知していたのである。

ジャーナリストと政治家は、犬と街灯の柱のような関係であるべきだと書いたのは、H・L・メンケンであっただろうか。また、セオドア・ルーズベルトの言葉を少しばかり借りると、「体制を批判してはならないと考えることは、非国民的で隷属的であるだけでなく、道徳的な反逆行為である」。ヘンリー・デイヴィッド・ソローは『市民の不服従（*Civil Disobedience*）』という本を書いたが、元々の題は『市民が反抗する義務（*On the Duty of Civil Disobedience*）』というものであった。現代の弱気な出版社は、たいてい「義務（On the Duty of）」という単語を省いてしまう。ソローが現代に生きていたら、出版社に対して軽蔑の眼差しを向けることだろう。

F17 FURLOUGH SCHEMES 一時帰休制度……国民を国家に依存させる

世界中の何百万もの人々に親しまれている一時帰休制度（仕事に行けない人に、政府から、というより納税者から給料が支払われる制度）には、何十億ポンドもの費用がかかるだろう。納税者にとっては驚異的なコストとなり、前例のない大規模な増税は避けて通れない。

しかし、一時帰休制度（イギリスではゴールドマン・サックス（261ページG9参照）の元社員である財務大臣が推進している）は、従業員を保護するためではなく、政府の管理下に置くために設計されているのではないかと私は危惧している。この制度は善意から出た寛大なものに見えるかもしれないが、実際にはそうではないのだ。家にいて何もしないでいる従業員たちに給料の大部分を支給することで、ますます多くの国民を国家に完全に依存させることが狙いなのだ。アジェンダ21の計画では、すべての人が、収入、住居、食料を政府に依存することになる。一時帰休制度は、その方向への大きな一歩に過ぎない。つまり、すべての人に国家から収入を提供するということである。

各国政府から支援を受けている大企業は、どの国でも国家機構の一部となっている。これはすべて、国連とその共犯者たちにとって好ましい、共産主義とファシズムを混ぜ合わせた奇妙な政治体制への一歩なのだ。

同様に、中小企業・自営業者への助成金や融資も、できるだけ多くの有権者に対する国家の支配力を強めるためのものだった。

一時帰休制度は、生涯にわたるユニバーサル・ベーシック・インカムに変化していくが、その支給額は低くなるだろう。支払いはすべての人に行われるが、仕事を持っている人は、非課税の個人手当を失い、高い税率の所得税を支払うことになるのだ。給付金や年金は支給されず、8人の子どもがいる人も、できる限りユニバーサル・ベーシック・インカムだけで生活をやりくりしなければならない。

2020年には、一時帰休の収入をもとに住宅ローンを組む人が急増した。この制度が終わりを告げるとき、仕事も収入も失っているであろうことなど、お構いなしのようである。意外かもしれないが、銀行はこれを喜んでいるようである。私はこれが国民の大部分を破産させる計画の一部であると感じずにはいられない。金利が上がれば、新たに住宅を購入した人たちは、住宅ローンを払えなくなる。彼らは家を失い、破産し、スマートシティの高層ビル内アパートの小さな一室に住まなければならなくなる。

アジェンダ21の目的の1つは、貧富の差を拡大することである。大金持ちはますます豊かになり、中流階級や貧困層はさらに貧しくなっていくだろう。

忘れてはならない。偶然に起こっているものなど、1つもないということを。

G1

GCHQ (GOVERNMENT COMMUNICATIONS HEADQUATERS)
GCHQ（政府通信本部）

イギリスのGCHQは、政府のプロパガンダに反対する人々を混乱させるために、攻撃的なサイバー作戦を開始した。2020年11月9日付のタイムズ紙は、「一般市民が書いたネット上のコンテンツを破壊することは法的に認められていない」と報じた（これは冗談だろう）。また、同紙は広報担当者の言葉を引用して、次のように述べている。「頭のおかしい人たちを取り締まることはできないだろう。人々はネット上でとんでもないことを言う権利があるのだから」。

G2

GENERAL MEDICAL COUNCIL
医学協議会……従わねば医師免許を剝奪

イギリスの医師は、医学協議会（General Medical Council（GMC））によって管理されている。数年前までは、GMCは医師に、医師名簿の登録更新料を要求していた（私が医師免許を取得したときは、年会費はなかった）。そしてその後、GMCはなおいっそう幅を利かせるようになった。GMCは再検証制度を導入した。この制度は、年配の医師が時折、あるいは週に数時間働くことも許さず、完全に引退させるために考案されたようだ。そのため、予備要員から、経験豊富な医師の数が激減してしまったのは必然のことだった。

また、GMCは、登録費用に加え、免許料まで徴収するようになった。10年ほど前まで、医師が登録を抹消されるのは、よく知られた罪を1つか2つ犯した場合だけであった。あまりにもひどい無能ぶり、患者と関係を持つこと、薬物の不法所持、アルコール中毒などが、医師名簿から名前を削除される主な理由だった。

現在、医師は登録だけでなく免許も必要で、免許はGMCの指示次第で簡単に取り上げることができる。世界規模の不正行為が横行している間、医師たちは、政府の公式見解にはっきりと異論を唱えれば、免許を失うと脅されていたのである。

これはイギリスだけではなく世界中で起こったことであり、明らかに医療従事者をコントロールするため、丹念に作り込まれた世界的計画の一部であった。私は、フランス、ドイツ、ベルギー、アメリカで、医師免許を失ってしまった医師や失う恐れがある医師を知っている。

G3

GENETICALLY MODIFIED ORGANISMS
遺伝子組み換え生物……安全な証拠なし

生物の遺伝子構造に手を加えることを、かつては「遺伝子工学」と呼んでいたが、この言葉の響きはあまりにも恐ろしいと即座に判断された。そこで、「遺伝子組み換え」という言葉が使われるようになり、「遺伝子組み換え生物（ＧＭＯ）」という言葉が生まれたのである。

無害なもののように聞こえるかもしれないし、遺伝子工学者は当然安全であると主張するが、彼らの主張に確固たる証拠はない。

２体の生き物から遺伝子を採取し、ウイルスにより結合させて出来上がるのがＧＭＯだ。これらの関連製品で政治家、官僚、科学者、そして企業は何十億ドルもの利益が保証されているが、長期的な影響がどのようなものかは誰にもわからない。第三者による検査も行われていない。

科学者たちは、かつて動植物を使って実験していたのと同じように、今度は人間を使って実験をしているのだ。

私は、遺伝子組み換え食品が危険ではないという証拠はないと考えている。

では、どのような危険があるのだろうか？

食物アレルギーが増えるかもしれない。人間の体を変えるかもしれない。栄養上の問題や消化器系の障害を引き起こす可能性や新しい病気を引き起こす可能性もある。肝臓に影響を与え、酵素の働きに変化を及ぼすかもしれない。また、生殖能力にも影響を与えるかもしれない。

さらに、精神的錯乱や攻撃性が高まるなどのメンタル面の症状を引き起こす危険性もある。

もしくは、知能の低下、反社会的行動、批判的思考能力の欠如などを引き起こすかもしれない。

私は30年前から遺伝子工学について警鐘を鳴らしてきた（1990年代に出版された拙著『思考力を高める食べ物（*Food for Thought*）』には遺伝子工学に関する章があり、1980年代には遺伝子工学に関するレポートも書いている）が、いまだに遺伝子組み換え食品を食べても安全だとは確信していないし、実際、遺伝子を少しでもいじった健康食品が安全だとは到底思えない。

このような不安を抱えているのは私だけではない。

米国環境医学アカデミーは医師に、遺伝子組み換え食品を避けるよう患者への助言を求めている。

しかし、それは口で言うほど簡単なことではない。

遺伝子組み換え食品の流通や販売を阻止しようとする試みは、もう何年も失敗に終わっている（ソフトウェア業界の大富豪ビル・ゲイツが莫大な株式を保有しているからだ）。モンサント社のような大企業が製品を販売し続けられるように、政府や官僚は懸命に戦ってきた。また、遺伝子組み換え作物が従来の作物と交雑しているため、遺伝子組み換え食品を避けることはほとんど不可能になっている。

従来の植物が、特許を取得したDNAを含む遺伝子組み換え食品に一度汚染されると、特許の所有者の許可なしにその伝統的な植物を栽培すること（またはその種子を保存すること）は違法となる。許可を得るためには、当然、料金を支払わなければならない。

G4 GENOCIDE ジェノサイド

さまざまな新しい制約は、膨大な数の人々（特に高齢者、虚弱者、障害者、病人）を皆殺しにするために意図的に作られたものであると結論づけるほかない。

G5 GEORGIA GUIDESTONES ジョージア・ガイドストーンズ……人類を5億人以下に

アメリカのジョージア州の丘の上に花崗岩《かこうがん》の石碑があり、そこには8つの言語で10のガイドラインが刻まれている。この石碑は「ジョージア・ガイドストーンズ」として知られている。このジョージア・ガイドストーンズは、建てられて半世紀にも満たないが、一部の人々の間ではアメリカのストーンヘンジ（訳注：英国ウィルトシャー州ソールズベリ平原にある巨石記念物）として有名だ。

この石に刻まれた最初のメッセージは、「自然と永遠に共存し、人類を5億人以下に維持せよ」というものである。これは、約70億人を淘汰《とうた》することを意味しており、英国王室やビル・

ゲイツが公然と支持している人口削減計画に合致するものと思われる。

G6 GIBSON (GUY) ギブソン (ガイ)

「鈍った関心と独りよがりの自己満足により、大英帝国は、完全には破壊されないまでも、四つん這いでよろよろとしているように見えた」。

ガイ・ギブソン空軍中佐（ビクトリア十字章・殊勲従軍勲章・殊勲飛行十字章を授与されている）は、ドイツのダムを襲撃・破壊した（ダムバスターズと呼ばれる）イギリス空軍の指揮官であり、イギリスの英雄である。

G7 GLOBAL WARMING 地球温暖化……カルトと化した疑似科学

地球温暖化論者たちは、自分たちの運動（便の排泄とでも表現したほうがよさそうだ）の名前をいまだに決めかねているようだ。

１９９０年代、その１００年前に作られた地球温暖化の神話が、政治的な利便性のために復活したとき、まるでビクトリア女王の時代からそうであったように、地球温暖化と呼ばれていた（実際、この馬鹿げた神話は19世紀よりもはるか昔からあるのだ。おそらくはアダムとイブがエデンの園を歩き回って1週間ほど経った頃、イブがアダムに向かって「なんだか暑いね」とつぶやいたのではないだろうか。アダムは、世界初のけちんぼで、身に着けているものより軽い葉っぱを買いたくなかったので「ああ、それは地球温暖化のせいだよ」と答えたのかもしれない）。

年月の経過に伴い、地球温暖化説に若干の不具合が生じた。天候に適切なスクリプトが組まれておらず、地球は温暖化しているのではなく、実際には寒冷化している兆候があったのだ。カルト信者たちはこれを受けて、自分たちが推進する詐欺の名前を「地球寒冷化」に変更した。

カルト信者たちが明らかに見落としていたのは、天候には周期があるということである。歴史上、気候は絶えず変化し続けている。地球は寒くなったり暑くなったりして、そのサイクルは何世紀も、あるいはそれ以上続くこともある。1200年代から1800年代半ばにかけて世界が非常に寒くなったため、その期間は今でも小氷期と呼ばれている。これは人間の活動により世界が寒くなったのではなく、天候の気まぐれによるものであった。

そして、再び暑い夏が来ると、教団は新しい「宗教」の名前を「気候変動」に変えた。太陽が雲で隠れたり姿をあらわしたりするたびに名前を変えたり戻したりしなければならない事態を避けようとしたのだ。

新しい記録を発表するために古い気象記録を削除するのが最近の手口である。例えば、気象学者が温度計を正しく読んでいなかったのではないかという奇妙な理由で、昔の「もっとも暑い」日の記録を削除する計画が立てられた。

地球温暖化詐欺は科学ではない。これは、私利私欲のために準備されたもので、チャールズ皇太子のような信用ならない愚か者によって推進されている。チャールズ皇太子は、イギリス国民をどこまでも裏切り、ビルダーバーグや世界経済フォーラム、億万長者の邪悪な陰謀に身を売ってしまったのだ。

何より重要な事実は、地球温暖化論者の主張は戯言であり、「地球が暑くなっている」「暑くなっている原因は人間の活動にある」という主張を裏付ける科学的証拠はないということだ。国連の怪しげで利己的な主張は証拠のうちに入らない。

実際のところ、地球温暖化論者の主張する通りに世界が温暖化していたとしても、それはまったく問題ではない。彼らが提示する最悪なシナリオの数字（この数字は間違えているが）でさえ、潮位が数インチ高くなり、気温が数度高くなるかもしれないという程度だ。その結果、作物を栽培できる期間が長くなり、より多くの食料が生産されるようになるだろう。広大な土地が水没するというのも、動物が脅威にさらされるというのも、完全に事実に反するデマなのである。

地球温暖化論者は、この神話を維持することで富と名声を得ている科学者の軍団から偽の証拠を提供され「地球上の全人間のせいで、大気中に二酸化炭素が増えすぎている」と主張している。しかし、大気中の二酸化炭素の約0・28％しか排出しない人間よりも、火山のほうがはるかに多くの二酸化炭素を排出している。また、二酸化炭素は毒ではない。木や植物は二酸化炭素を取り込んで生きているし、二酸化炭素が多ければ多いほど植物は大きく成長する（ちなみに、木を切り倒して発電所で燃やすための木材にし、その木材チップを「バイオマス」と呼び、再生可能なエネルギーだと主張するのは、何にも勝る偽善である）。

地球温暖化詐欺（作家のマイケル・リベロ氏（398ページR13参照）は「カルト」と呼んでいる）は、全人類に対する犯罪である。

地球温暖化というとち狂った説の背後に疑似科学以外の科学は存在しないということは幾度となく示されてきた。これは意図的な欺瞞であり、八百長のプロパガンダであり、ライヒスタークビルを燃やした事件（ドイツ国会議事堂放火事件）と同じくらい強力な偽旗作戦である。実際、地球温暖化は宗教同然の地位を得ているが、それは、これがまったくもって科学と呼べるものではないからである。政治家のアル・ゴアが製作した映画『不都合な真実』は、数々の嘘や歪曲が含まれていると裁判所からの判決が下ったにもかかわらず、いまだに有用な情報源として扱われている。

地球温暖化は世界中を乗っ取る口実にされ、この説を熱心に推進する人々は、カーボン・クレジットを売って大金を得る機会を享受している。

現在の地球温暖化詐欺は、もちろん真新しいものではない。多くの巧妙な詐欺のように、この詐欺も長い間、存在してきたのだ。

1817年、ロンドンの王立協会会長は「現在の我々には説明のつかない、大幅な気候の変化」があったと警告し、それが北極海の航路の変更につながると述べた。もちろん、それはただの戯言だった。

1世紀後の1922年、ワシントンポスト紙は、北極圏が温暖化し、氷山が溶け、場所によってはアザラシたちが水温の高さに異常を感じていると警告した。

1947年、*The West Australian* 紙は、摩訶不思議な気候の温暖化について警告していたスウェーデンの地球物理学者ハンズ・アールマン博士の言葉を引用した。1958年には、ロンドンのサンデー・テレグラフ紙が、気候が温暖化していると警告した。

その後、デマばかり言う彼らは、手のひらをコロッと返すように、主張を180度変えた。そして、1970年代に入ると、専門家たちは、現在の世代が生きている間に、新たな氷河期が世界を襲う可能性があると警告した。サイエンスライターのナイジェル・コールダー氏は、BBCの有名テレビ・ドキュメンタリー番組で、新氷河期の脅威は核戦争と並んで、大量の死と不幸をもたらすと警告した。コールダー氏は、北半球は1950年代から冷え込んでおり、アフリカやインドの干ばつは「小氷期」のせいだと主張した。

1975年、ニューズウィーク誌は「世界の寒冷化」という記事を掲載し、地球規模での劇的な冷え込みが始まり、食料生産量が激減する可能性があると予測した。そして、地球規模での経済的・社会的解決が必要とされていると述べた（30年以上経過した2006年、ニューズウィーク誌は訂正記事を発表した）。

肝心なのは、政治家やジャーナリスト、専門家が、これから起こる恐ろしいことを永遠に警告し続けるということだ。彼らはいつだって、自分たちが予測する恐ろしい未来から私たちを救うことができると言う。ただし、それは私たちが巨額の資金と巨大な名声を与え、ガーディアン紙に1ページを割いて、彼らの紹介文を掲載させればの話である。

BBCをはじめとする腐敗しきって（明らかに）不正直な報道機関は、地球温暖化はすでに人々の間に浸透しているため、これ以上、議論する必要はないと主張している。もちろん、これは嘘である（BBCは論争中の大部分の科学的問題について同じ奇妙な主張をしている）。

地球温暖化は、自己中心的な偽善者たちのための疑似科学的なカルトにすぎず、地球温暖化という作り話を支持し、広める人々はその従順さから豊かな報酬を得ている一方で、あえて疑問を呈する人々は厳しく罰せられている。

（私たちが強要される変化に常にアンテナを張っている）政府、巨大産業、冷酷なロビイスト、そしてもちろん国連は、嘘、偽り、疑似科学による絶え間ない砲撃によって、国民に日々恐怖を与え続けている。私の友人であるコリン・バロン博士の言葉を借りれば、「死の愛好家の恐怖《デス・ポルノ・フィアー》」が延々と続いているようなものである（それにしても、的確な表現である）。

英国政府は、地球温暖化への取り組みには、多くの新しいインセンティブ、法律、規則、禁止、税金、家電製品の規格、制度の革新が必要だとしている。英国経済が崩壊した2020年11月、政府は自転車専用レーンなどの環境に配慮した（とされる）インフラに120億ポンド相当の投資を行う新たなプロジェクトを発表した。それと同時に、「気候変動の否定」を犯罪化し、新しいカルト的教義に疑問を持つ人々を単に迫害するのではなく、起訴するようにという大きな圧力をかけてくるようになった（2015年にアメリカのアル・ゴア元副大統領が「否定者は罰せられるべきだ」と発言したことは記憶に新しいところである。ゴア氏はご承知の通り、誤解を招くような疑似科学が含まれている悪名高い映画のプレゼンターだった）。

同じことが至るところで起こっている。

米国では、ジョー・バイデン大統領が2兆ドルを投じて「米国経済の脱炭素化」を図ろうとしている。欧州連合（EU）は、8800億ドルの復興基金の30％を気候変動対策に充てている。

現在、私たちのエネルギーの85％は化石燃料で賄われていると言われるが、これらはすべて太陽光発電や風力発電へと置き換えられる計画である。EUと中国は二酸化炭素の排出量をゼロにすることを約束しているが、これには多くの不正行為やペテン、嘘を重ねる必要があるだろう。
エコノミスト誌は「世界規模の計画により、地球温暖化の混乱を回避し、人類の健康を改善できる」と主張している。10年やそこらで代替エネルギーが化石燃料に取って代わることは不可能であることや、仮にそんなことをしたら中東で10億人近くの人々が生活手段を突然失ってしまうことなどは、執筆者たちが考えもしないことなのだろう。また、人間の健康がどのように改善されるのかについても説明がないのが現状である。

前述したように、私たちは、地球を破壊した自分たち自身を責めるように仕向けられている。罪悪感は、強力で支配的な力であることを権力者たちは知っているのだ。彼らは、生活が制限され、増税され、生活水準が低下することを、私たちが悪い行いをしたことに対する当然の報いとして受け入れることを望んでいる。

アジェンダ21の支持者たちは、地球温暖化という作り話を利用して何十億もの人々を恐怖に陥れてきた。地球温暖化詐欺（昔も今も故意に行われている詐欺行為）は、アジェンダ21を推進するために冷酷に利用されてきたのである。私たちが尊敬するように教えられてきた権力者たちは、国民から給料を受け取っている。国民は、彼らが自分たちの立場を代表して、守ってくれることを期待して、彼らにお金を支払っている。それにもかかわらず、彼らはその国民への思いやりも敬意も持たず、冷酷に私たちを裏切ってきた。

地球温暖化は、最初は害のない（馬鹿げた）疑似科学的ブームだったが、今や世俗的な新宗教、すなわちカルトと化している。政治家、銀行家、実業家、テレビタレント、ポップスター、そして何百万人もの無知な信奉者たちが「人間の活動のせいで地球は高温になっており、まもなく世界は洪水に見舞われて生命を維持できる土地がなくなるか、人間が住めないほど暑くなる」という不条理な信仰を布教している。

ジナ・コーエン氏の著書『グレタの宿題（*Greta's Homework*）』には、誰もが読むべき地球温暖化に関する101の真実が書かれている。

G8

GOETHE
ゲーテ

「活動的な無知ほど恐ろしいものはない」。

G9

GOLDMAN SACHS
ゴールドマン・サックス……悪どい銀行

ゴールドマン・サックスは、汚水の上に浮かぶ多数の小虫からなる銀行で、総じて地球上でもっとも悪どい会社の1つと見なされている（かつて「人類の顔に張り付いた吸血イカ（コウモリダコ)」と表現されたことも記憶に新しい)。しかし、ゴールドマン・サックスの多くのOBが大きな権力を持つ地位に鎮座しているという事実を除けば、それも大した問題ではないだろう。

ゴールドマン・サックス銀行は、従業員としてたっぷり稼いでから、いわゆる(最近はそうとも言えないが)公務に就く銀行員を輩出することに特化しているようである。例えば、イギリスでは、財務大臣やBBCの会長がゴールドマン・サックスのOBである。

ゴールドマン・サックスは、医学的・科学的な根拠などおかまいなしに「人々はマスクを着用すべきだ」と世界保健機関(WHO)に助言した黒幕だと言われている。WHOがこの指示(同様の指示が、世界経済フォーラムの分派からも出されている)に従ったときには、誰も驚かなかった。

ゴールドマン・サックスの社員は、他とは異なる方法でお金を見ている。ゴールドマン・サックスの元CEOであるロイド・ブランクファイン氏は、10億ドルの資産を持っているが、自分は金持ちではなく不自由のない暮らしをしているだけだ、と語っているそうだ。

G10 GOLDSMITH (OLIVER) ゴールドスミス(オリバー)……イギリスの詩人

「法律は貧乏人を苦しめ、金持ちは法律を支配する」。

G11 GOLF ゴルフ

「ゴルフコースをゴルファーには閉鎖し、歩き回るだけの人たちには開放すべきだ」というルールは、２０２０年に決められたルールの中でも、もっとも不条理で正当化しようがないだろう。ゴルフ場の関係者は、なぜ政府が「クラブやボールを持たずにゴルフ場を歩き回ることは許されるが、それらを持っていたら同じ行為が許されない」と考えているのか理解できなかった。

ゴルフ場のオーナーは、散歩する人たちがグリーンやバンカーを傷つけるのではないか、また、ゴルファーからの収入がなければ、必要な修理費用に充てることができないのではないかと、当然のことながら心配していた。

もちろん、土地を必要とするスポーツ活動を破壊するのは、すべての人を都市に強制移住させ、田舎の土地を放棄させようとするアジェンダ21プログラムの重要なステップである（当然のことながら、食べ物は実験室で作られるようになり、土地で栽培されることはなくなるだろう）。

G12

GPs
開業医

2020年3月以降、イギリスのGP（開業医）の大分部が提供する医療サービスは、ひどいクオリティのものから事実上存在しないも同然のものまでさまざまである。GPは本当に政府やそのアドバイザーを信じるほど愚かなのだろうか？　もしそうだとしたら、彼らには医師として活動する資格や権利はない。GPは「意見しようものなら仕事と医師免許を失うぞ」という政府の脅しに屈してしまったのだろうか？　もしそうだとしたら、そうした医師は仕事を追われ、駐車違反の監視員として再教育されるべきではないだろうか。それとも、単に怠け者の医師が多く、責任から解放されて高給の長期休暇を楽しむチャンスを逃したくなかっただけなのだろうか。

いずれにしても、医療サービスを完全に停止した医師の中には、患者の健康を気遣う者はいなかったようだ。

開業医の衰退は、あるGPがZoom診察で女性にがんを宣告したことからも判断できる。別のGPは、ビデオ通話機能を使って死亡証明書に署名しようとした。亡くなった女性の娘が死亡証明のオンライン手続きを拒否すると、そのGPは「（遺体を含む）家の中の全員がその場にふさわしい服装をしている場合のみ、死亡証明書の発行に伺います」と言ったのである。

G13

GREEN
グリーン

政治的には「ファシスト」と同義語に近い。

G14

GREEN ENERGY
グリーンエネルギー

国連（そして科学よりも熱意や欲望、見当違いの正義感に駆られた活発な環境活動家たち）からの指示を受けて、各国政府は化石燃料の使用をやめ、風力発電やバイオマス発電、太陽光発電などへの投資を増やそうと必死になっている。

その結果、電気料金は劇的に上昇し、大規模な暴動が発生するだろう。電気自動車が大量に売れれば売れるほど電力が供給しきれなくなることは間違いない（あらゆるものが電気化された場合、誰もその電気がどこから来るのか心配していないようだ）。

現在、住宅の脱炭素化が叫ばれている（一軒あたりのコストは膨大である）が、同時に2020年の相次ぐ失策により、失業率が急上昇し、税金も大幅に上昇せざるを得なくなるだろう。まだ仕事をしているわずかな人々は、支払うことになる税金の金額を知れば、経済的な痛手に泣くことになるはずだ。

H_1 HAND WASHING 手洗い

熱心に手洗いすることは、2020年の置き土産の1つになるだろう。だが手洗いがペニシリンに次いで命を救うことは、何十年も前から知られていた。

H_2 HEALTH PASSPORTS 健康パスポート

熱狂的なワクチン推進派は、検査や接種を受けたかどうかを示す健康パスポートを全員に発行すべきだと主張している。

健康パスポートが紙媒体になるのか携帯電話に記録する形になるのか、皮膚の下に埋め込まれたチップになるのかは不明だが、一人一人が所持する健康パスポートが最新のものであり、しかるべきスタンプが押されていなければ、旅行に行けなくなるのだ。

医療関係者とテクノロジー関係者は、政府、航空会社、雇用主、小売店などを対象としたデジタル・ヘルス・パスポートの作成に向けて急速に動いている。彼らは、国際的に受け入れられるデジタル証明書の開発を目指している。これは、チップに病歴を記録するための小さな一歩である。他のグループも、競争力のあるシステムを作ろうと躍起になっている。

すべては、世界を守るための手段として推進されている。デジタルパスポートがなければ、飛行機に乗ることも、建物に入ることも、コンサートに行くことも、何もできなくなる。プライバシーなんてものは遠い昔の話になってしまうのではないだろうか。

もちろん、これらの多くは、2020年の出来事が猛威を振るい、あちこちでパニックを引き起こすずっと前から計画されていたものである。オラクル社のCEOが米国政府に、個人を特定できるすべてを集めた国家安全保障データベースの作成を提案したと言われてから20年が経つ。

間もなく、私たち全員にもれなく、自分たちの必須情報が記録されたチップが移植されるはずだ。そして、その数か月後には、チップに健康情報以上のものが搭載されるようになるだろう。チップには健康に関する情報だけでなく、私たちの個人的な情報がすべて搭載される。個人用マイクロチップには、私たちのすべての個人情報、金融情報、医療記録、学業記録、犯罪記録など、ありとあらゆる情報が搭載されることになるのだ。そして、国家公務員と一部の民間企業の職員は、この埋め込まれたチップに搭載された情報を読むことができる。やがて、自動読み取り機が、私たちが通過する際に、適切な検査を受けたかどうかをチェックするようになるだろう。

健康パスポートには、各々が服用している薬の詳細が記載されている。これはもちろん、私たち国民を守るためである。もし、ある人にアルコール依存症や薬物中毒の病歴があれば、パスポートにその情報が記載されるだろう。そして、何百万もの人々がそれを読めるのである。性感染症の治療を受けたことがあればその詳細も、あるいはこれまでにかかった精神疾患の詳細も記載される。あなたが公的な場で会うすべての人が、紙であれ埋め込まれたチップであれ、あなたの健康パスポートに記録された情報を確認できるのだ。

私たちは皆、恐ろしい、非人間的な未来に向かっている。そこでは、機密保持は単なる遠い記憶にすぎず、私たちの人生の個人的な秘密が、あなたの雇用主、制服を着ている人、すべての政府関係者、民間の警備会社や管理会社で働いている何百万もの人々によって、評価・判断されることになるだろう。また、ハッカーたちは間違いなく、あなたの個人的な健康情報や、電子メールアドレス、電話番号、インターネットのパスワードなどを盗み、悪用するだろう。

プライバシーが完全に失われることに満足しているのであれば、それはそれで構わない。それもまた、あなたの選択なのだから。

彼らの計画している健康パスポートが何百万ものイギリス人がすでに拒否しているＩＤカー

ドに変わるまでには、それほど時間はかからないだろう。

彼らが何年も前から、こうした健康パスポート導入を計画していたことを忘れてはならない。

H3 HEALTH SERVICES IN DECLINE

衰退する健康サービス……悪化する患者への対応

2020年1月、私は、現在の医療が半世紀前よりも悪化している理由と、技術がいくら進歩しても将来利用できる医療が50年前ほど良くならない理由を説明する本を書くための準備を始めた。

この本は予期せぬ出来事に埋もれてストップしてしまったが、医療が日に日に悪化していることは明らかである。何十年にもわたって医師や病院、医療行為について執筆してきた私は、今日の患者の大半が1950年代よりもひどい治療を受けていることを確信している。

もちろん、例外もある。移植手術が成功したごく少数の患者は、1950年代であれば命を落としていたと言えるだろう。また、命を救うことのできる新薬が1つか2つは開発された。

しかし、それは例外的なことである。私が言っているのは、99％の患者が99％の確率で利用する医療の質のことである。

優れた薬や抗生物質でさえ、今では以前ほど役に立たないことが多い。過剰な処方や療養所での日常的な抗生物質の使用により、かつては命を救っていた抗生物質が役に立たなくなっている。

私は今からほぼ50年前に医師免許を取得し、1年間の病院勤務後、そのまま開業医として働いていた。私は当時のさらに半世紀前の医師が行っていた方法で診療を行っていた。患者が相談したいときは、診療時間内に診療所に来ればよかった。私は朝にも晩にも診療をした。自分で注射を打ち、自分で採血をした。カテーテルの挿入や耳の洗浄も喜んで行った。患者は、ほとんど訓練を受けていないアシスタントに会うために予約を取る必要はなかった。診療所に行けないときは、電話やメッセージを送れば、往診を受けることができた。すなわち、医師が家庭を訪問したのである。診療時間外に助けが必要な場合は、連絡を入れれば医師が訪れた。医療は24時間、365日提供されていた。救急病棟は主に交通事故や喧嘩、火事などの負傷者のために広く開かれていた。家にいれば数分で医者に診てもらえるのに、どうしてわざわざ病院に行く必要があるだろうか。高齢者や体の弱い人、病気で外出できない人、体の不自由な人などは、2週間に1度くらいの頻度で往診を受けることが多かった。訪問看護師は自分で車を運転して地域を回り、傷の手当てをしたり、退院した患者の様子を見に行ったりしていた。

今となっては歴史の教科書に載っているような話だが、50年前の状況や、当時の医療が今よりも良かった理由を覚えているのは私だけではないはずだ。決して完璧ではなかったが、今よりも断然良かったのである。

今日、訪問診療を受けられるのは宝くじに当せんするくらい難しい。大都市に住んでいて、往診してくれる個人医と契約している場合は別だが、夜間や週末、国民の祝祭日に医師が自宅を訪問してくれる可能性はゼロに等しい。かかりつけ医が電話でいつでも対応してくれるというのは心強い。専門家の助けがいつでも受けられるというのはすばらしいことだった。患者が入院しなければならなくなったときも、自分に何が起こっているのかわからないときも、信頼できるかかりつけ医にいつでも相談できたり、医師が病院に来て説明してくれたりしたのである。

何十年も前から何もかもがおかしくなっていったが、最近になって下り坂に拍車がかかっている。帽子を被ることがマナーだった19世紀のほうが医療の質は高かった。帽子を被らないことが当たり前になったときに、良識は失われた。出来事が順番に起こっただけで因果関係があると誤認することを「前後即因果の誤謬《ごびゅう》」というが、一方の原因が他方を引き起こしたと言っているわけではない。だが、それでも、変化を見るには簡単な方法である。医学が人間性よりも科学性を重視するようになったとき、医療の質は著しく低下し始めた。

50年前、医師はいつも患者の命を守ろうと努力していた。しかし今日では、蘇生処置の拒否（DNR）を示した札が体温表のように患者のベッドに貼られている。DNR指示が60歳以上、もしくは45歳以上の患者のベッドに貼られているという報告もあり、事態は悪化しているようだ。こうした事態を支持する若者は覚えておくとよい。10年以内にその年齢が40歳に引き下げられ、その後間もなく30歳にまで引き下げられる可能性があるということを。30歳を迎えた者は抹消されるという映画『2300年未来への旅』を思い出してほしい。

かつて小児の治療方針の基準となっていた、英最古の小児専門病院であるグレート・オーモンド・ストリート病院の倫理委員会は、9歳の少女を「治療」というより「管理」すべきだと決め、しかも両親に相談さえしなかったとして、高等法院の判事に批判されたそうだ。しかも、病院側の弁護士はグレート・オーモンド・ストリート病院という名前を口にしないように求められたとも言われている。おそらくこれは事実だろう。

今日、病院では高齢の患者が食事も与えられず、洗濯もしてもらえず、水も飲ませてもらえずに死ぬまで放置されるということが日常茶飯事である。イギリスではそれが、政府が認めた高齢者の「治療」に関するプログラムなのである。

2020年に行われた詐欺行為により、病院はすべての診療科を閉鎖する機会を得たし、その多くは今も閉鎖されている。また、開業医は事実上、診療所を閉鎖する口実を得た。そこに論理的な理由など存在しない。開業医は、すべての検査を対面ではなく、ビデオ通話で行うほうが安全だと主張した。若い開業医は、9時から5時まで働き、1~2時間のランチタイムがあるにもかかわらず、週に1日しか働けないほど過酷な仕事をしているとまじめに指摘されたこともあった。重篤な症状を抱える患者は、医師だけでなく看護師からも対面では診察してもらえないと伝えられている。

ビデオ通話での診察はあまり役に立たないし、非常に危険である。映像だけで患者を診察することはできない。胸の音を聞くこともできないし、心拍数や血圧を調べることもできない。患部を適切に検査することも、腹部の触診も、喉や耳の中を見ることもできない。糖尿病の治療に役立つ嗅覚も使えない。

対処しようのない院内感染は今や日常的だ。もし病棟や病院の患者が感染症に罹《かか》ったり、床ずれになったり、ひどい看護によって引き起こされる兆候が見られたりすれば、50年前の病棟の看護師や看護師長は腹を立てていた。病院は、患者が何も心配しなくてもいいことが確証されるように医療福祉係を雇っていたのだ。高齢患者が緊急入院したら、医療福祉係は飼っている猫に誰かが代わりに餌をあげているか確かめていた。患者が入院中に支払額のことを心配していたら、医療福祉係は対処してくれていた。もしもあなたがそんな時代を知らないか、思い出すことができなければ、私が冗談を言っているように思えるだろう。しかし、間違いなく事実なのだ。かつての医療従事者は「思いやり」という言葉の意味を理解していた。今日の医療従事者は、そんな現実を馬鹿にするか冷笑するだろう。

些細なことにつけても、病院は退化してしまっている。

例えば、多くの病院が病棟で花を育てるのを禁じている。その理由は？　スタッフに余計な負担が生じるためだ。しかし、病棟に花を飾ることが患者を元気づけ、回復に向かわせることは、はるか昔から知られている。

同様に、私が若い頃は、毎日女性病棟には誰かが来ていて、患者のために髪を整えたり化粧を手伝ったりするのが普通だった。今やそんなことは起こりえない。

私が新人医師だった頃は、病院で治療を必要としていたすべての患者が診察を受けられた。そして医師は患者の治療歴を確認した。もし新人医師が、患者の治療歴を確認することなく診察していたら、ただごとでは済まされなかっただろう。

どうして担当患者のことを何も知らないのだろう？　1960年代であれば、医師が患者のことを「終末までの間、ベッドの上でただ生きている存在」もしくは「左から3番目にいる肝障害」と考えているなんてあり得ない話で、嘲笑されたと思う。しかし、医療現場は今やそのような状況になっている。

見渡す限り問題ばかりである。病院や診療所は医療のことを何も知らない人々によって管理されているのだ。欧州では、EUが医師に週のうち決められた労働時間以上働くことを禁じていて、病院ではしばしば週末や夜間に医師がいないという事態が起きている。

イギリスでは、NHSが無駄遣いをするマシーンと化している。NHSに費やされた額はあまりにも膨大で、もしそのお金が単純に国民に配られていたら、すべてのイギリス国民はトップレベルの民間医療を利用することができただろう。しかし、そんなことは起こり得ない。医療サービスにおいては病床数よりも行政官の数のほうが多くて、膨大な量の資金が愚かな官僚のために無駄遣いされているからだ。もっとも解雇されることがない職業は官僚である。国はただ官僚を雇って帝国を築いているのだ。

NHSは世界的に見ても、社会的医療の最高峰とされている。世界の国々の多くはこの制度を羨ましく思うだろう。しかしそれは消費者ではなく傍観者として、遠くから見ているからである。NHSはありとあらゆる意味で災害だ。NHSの関係者の多くが自分のところの病院で治療を受けたくないと思っている。2020年の過ちによって患者が治療されず放置されるようになる前から、NHSの法的請求の残高は850億ポンドに達していた。膨大な数の人々には例の感染症のデマ（今では詐欺と言ったほうがいい）によって生まれた甚大な被害を訴え、意見を主張する権利がある。

NHSの医療に対する満足度は低く、むしろ年々低下している。長い待ち時間、スタッフ不足、予算不足、そして無駄遣い。それは医師の無関心、無能、わがまま、自己中心、疲労という致命的な物語を紡いでいる。その証拠に、毎年医師による病気（医原病）の件数は増加している。

待機患者リストがあることはずっと前から認識されていた。しかし、それは医師が意図的に個人的な収入を増やすために仕組まれていたのだ。これはNHSの指導医が同時に個人でも開業できるという制度の脆弱性だ。NHSの収入が生活費だとしたら、個人的な収入は余暇を楽しむためのお金だ。指導医は意図的に待機リストの名を増やし続けている。個人的な治療を行う際の大きなセールスポイントになるとわかっているからだ。

このようなエピソードもある。かつて私が勤務医だったとき、私と入退院係の者で、指導医の年次休暇中に待機リストの患者の治療を完全に終わらせたことがあった。特に難しいことではなかった。指導医が休暇から戻ってきたとき、私たちは単純に彼が喜ぶだろうと思った。しかし彼は激怒した。「明日には医療サービスで治療を受けられるとなれば、わざわざ私の元に個人的に診療を受けに来る人などいなくなるではないか」。彼はそう主張した。彼のような医師は決して珍しくはない。

実際、現在の女性の平均寿命は短くなっている。そして待機リストの名は増え続け、病院の待ち時間は延びている。病の数は定期的に増えていて、医師によって病とされた患者（医原病）は伝染病のように増え続け――その数はがんや世界3大死因の1つである循環器系疾患にまで迫っている。さらに、患者の6人に1人は医師が原因の病気で入院している。今後の半世紀で、医療の質は急激に悪化するだろう。

また、この50年間、画期的な成果はほとんどなかった。新薬はたくさんあるが、そのほとんどが今までの延長線上にすぎない。医療は今や、大手製薬会社に雇われたロビイストたちが支配しており、嘘や神話が実にさまざまな形で私たちの生活を支配している。将来的な予防接種は、未検証の薬品を人々の身体に注射することになるのは間違いない。あれもこれも、何に対してもまずは予防接種である。食品にも薬が入れられるようになる。この危機的状況は、死に至る危険のあるｍＲＮＡ製品を導入する機会を、製薬会社に与えてしまったのである。

健康診断プログラムは、往々にして、良いことよりも害のほうが多いことで知られている。それにもかかわらず、莫大な利益を生むため、企業や医師には人気がある。医学教育は製薬会社によって牛耳られているため、医師が治療法を探すときにはまずは薬を検討する。生活習慣の改善は、彼らの計算にはほとんど含まれないのである。

長期入院用の病院が閉鎖されているせいで、長期的な治療が必要な患者は路上を彷徨《さまよ》いながら日々を過ごさなければならなくなった。有名人たちは健康的な製品や食習慣のプロモーションを行っているが、彼らはそれらが害を引き起こすということを知る由もない。新しい規則が生まれたが、そのせいで小さな病院が閉鎖されて、患者は何時間もかけてわざわざ大きな病院まで赴かなければならなくなった。

慈善団体は製薬会社と商業的につながり、ロビー活動のスキルを使って、彼らのパートナーに有利な公共政策に影響を与えている。食品会社は利益のために良い食習慣よりも悪い食習慣のプロモーションを行っている。

イギリスではX線検査や血液検査の結果が記録され、配布され、判断されるのに数週間、いや、数か月を要する可能性があるし、実際に要している。イギリスのがん生存率がヨーロッパの中で最悪なのは、この理由に他ならない。

医学の現代史は、無関心、無能、貪欲、利己主義に満ちた、死を彷彿《ほうふつ》させる物語であると言えるだろう。遠い昔、医師が同情的で思いやりがあった時代、患者は比較的すぐに回復していたものだ。実際に行う治療効果を25~50%ほど高められる人間版のプラシーボ効果だ。それが完全に失われてしまった。

政治家や公共の共謀者が巻き起こした今回の騒動に対して、政府が唯一反応したことといえば、医療サービスにさらにお金が回るよう要求することだった。医療サービスは、実際にはお金が有り余るほどあるが、そのほとんどを無駄にしている。何十億ものお金が、不必要な管理システムや、過度な消耗品の購入に浪費されているのである。

私はNHSが事務用品や洗濯用の粉末洗剤などに支払っている価格を公表し、NHSが1トン単位で購入したものは、私がスーパーで購入した場合よりも高いことを証明した。すると、

NHSは無駄をなくす努力をするのではなく「NHSの商品購入価格が記載された資料はコンピューターからしか出力できないはずだ。資料をどこで入手したのか？」と問い詰めてきた。つまるところ、彼らは無駄遣いを隠すことにしか興味がなかったのである。

複雑な財政計画やプライベート・ファイナンス・イニシアチブ（訳注：公共施設の建設・維持管理・運営などに民間の資金・経営力・技術力を活用し、低価格で良質なサービス提供を目的とした公共事業を指す）、役員へのばかげたボーナスのせいでNHSは何億ポンドもの金額を必要としている。サービスが悪化し、歯科など一部のサービスが完全に放棄される可能性があることは驚くに値しない。

おそらく未来は暗黒だろう。

今回の不正行為により、医療はこれまでよりもはるかに速いスピードで悪化しているし、患者と医療従事者のつながりはさらに崩壊していくだろう。

代替医療の分野は間違いなく花開くだろう。未来は遠隔治療や予防ケア、セルフケアが中心となるだろう。私たちは皆、自分で自分の身を守り、愛する人を守る必要がある。

医師は把握していないだろうが、今後医師はコンピューター・プログラムへと置き換わるだろう。1984年、私は友人と世界初のコンピューターのホームドクター・プログラムについて執筆したが、それ以来さらにコンピューター・プログラムは進化し続けており、そのプロググラムは今、ロボットの医師や外科医にも組み込まれている。医科大学への入学を考えている学生は他の職業を考えるようになるかもしれない。配管工事の仕事のほうが見通しは良いだろう。私はいたって真剣である。

これは偶然に起こったことではないのだ。すべては、国連の世界的な未来計画「アジェンダ21」の一環なのである。私たちは今、彼らが設計した未来に生きているのだ。彼らは、NHSのサービスを悪化させ、かつて愛され尊敬されていたのと同じように、嫌われ、軽蔑されるよう仕向けるつもりなのだ。医局を閉鎖すれば、医療サービス（今では多くの人に「ナショナル・デス・サービス」とみなされている）に対する信頼と信用が失われ、政府が医療サービスの範囲を縮小し、より多くの民間医療を導入することが容易になる。

私たちが今すぐに、声を大にして発言しない限り、未来はどんどん暗くなっていくばかりである。

医療は去年よりも悪くなっている。昨年の医療は、その前の年よりも悪いものだった。現在の医療は多くの点で50年前よりも悪化していると私は確信している。

もちろん、民間医療を消滅させることも重要であり、2020年に英国政府が民間病院のベッドをすべて買い取って空にしたのも当然のことである。

私たちは、自分自身を守るための知識を集めておく必要がある。そして、自分が持っている機器を使いこなせるようにならなければならない。

H4 HEATING 暖房

各国政府は薪ストーブを違法としている。枯れた木を伐採し、幹や枝を切り刻み、それらを燃やして暖を取ることは、まもなく違法となるだろう。また、ガスボイラーやセントラルヒーティングシステムも違法とされている。こうした政策は、人々をスマートシティの集合住宅に強制的に送り込むために行われるものだ。スマートシティの暖房には電気が使われることになるだろう。電気はバイオマスを燃やすことで得られる。言い換えると、世界のどこかで木を伐採し、細かく切り刻んで何千キロも運んで燃やすことで、電力が得られるのである。

H5 Henry (Patrick) ヘンリー（パトリック）……アメリカの弁護士

「われに自由を与えよ、しからずんば死を」。

H6

History 歴史……伝統の抹殺

過去とのつながりや、誇りに思える自分たちの伝統はすべて取り除かれている。彫像は取り壊され、出版は弾圧され、過去についての議論は封じられている。

レスター大学は先日、ジェフリー・チョーサーを教えるのをやめて、人種やセクシュアリティを授業に導入すると発表した。英文科は『カンタベリー物語』、『アーサー王の死』『ガウェイン卿と緑の騎士』、『ベオウルフ』などは教材として使用せず、中世文学を禁止するという通達を受けたのである。すなわちバイキングの神話や冒険物語、文学における教会や国家の役割など、すべてがなくなってしまうということである。西暦1500年以前に書かれたものは一切教えられない。レスター大学は、ウィリアム・シェイクスピアについての授業を残すことに同意したが『失楽園』は消滅しそうだ。シェイクスピアはまだ追放されるほどの年齢ではないようだ。

レスター大学の学長兼副学長であるニシャン・カナガラジャ教授は、授業内容の変更は、グローバルな競争力を高めるための長期的戦略の一環であると述べている。彼は、アジェンダ21には特に言及しなかった。カナガラジャ氏は、スリランカで生まれ、教育を受けた。だが、もしもイギリス人がスリランカの文化的歴史の多くを消し去ろうとしたらどうなるだろうか？古い建物は閉鎖されたり、取り壊されたりしており、優れた自然美を持つ地域も破壊されている。イギリスのナショナル・トラストは、私たちの歴史や文化を根絶やしにしようとしている数ある悪徳団体の1つにすぎない。

例えば、ナショナル・トラストは、ウィンストン・チャーチルやラドヤード・キップリング（いずれもノーベル賞受賞作家）の家など、100近くの建物を植民地主義と結びつけている。ナショナル・トラストのメンバーは、自分たちの組織がブラック・ライヴズ・マターの流行に乗り、その思想を伝えている高潔な団体だと訴えている。キップリングの家が非難されたのは、大英帝国が彼の作品の中心的なテーマだったかららしい（例えば、作品の多くがインドについて書かれているので不適切といったことなどが挙げられる）。バースの会議室が名指しで非難されたのは、18世紀にこの街が植民地経済と広範に結びついていたからであり、この会議室には何らかの責任があると考えられているのである。

H7

HITLER (ADOLF)
ヒトラー（アドルフ）

「民衆が考えないというのは、政府にとって何と幸運なことだろう」。

「（人々は）小さな嘘よりも大きな嘘の犠牲になりやすい。なぜならば、大きな嘘を捏造することなど考えもつかず、他人がこれほどまでに忌まわしくも真実を歪曲する厚かましさを持ち合わせているとは信じられないからである」。

（十分な教育を受けていない人のために補足すると、アドルフ・ヒトラーは1930年代から1940年代にかけて活躍したドイツの政治家である）。

H8 HONG KONG FLU 香港風邪

1968年に発生した香港風邪の致死率は、2020年に登場したウイルスによるアメリカ国民の致死率0・1％とほとんど変わらなかった。そのときは政治的・社会的運動の制限もなければ病院の診療科が閉鎖されることもなかった。それに、経済は今のように壊滅的ではなかった。

H9 HOPE 希望

希望はいつだってある。サイコパスのファシストたちに支配された世界で苦労して前進しながらも、ゲイツという暗雲の中にひとかけらの青空を見いださなくてはならない。たまには立ち止まって花の香りを嗅ぎ、神が与えてくれたすばらしい世界を思い出さなくてはならない。

２０２０年のある陰うつな時期に、ある村を歩いていると、営業中のカフェの前を通りかかった。カフェの外には、テーブル席が２つあった。片方の席には、女性が一人座っていた。彼女はボロボロになったペーパーバックを読んでいて、目の前にはコーヒーの入ったポットと、中身が半分ほどに減ったカップが置いてあった。私たちがそばを通ると、彼女は私たちを見上げた。

「すばらしい日だと思わない？　暖かくて、上には青空が広がっている。素敵なポットにはコーヒーが入っていて、すばらしい本もあるわ」。

H10 HOSPITAL 病院

この困難な時代にあって病院が安全な場所だと思えなくなったのは、私だけではないと思う。今や病院は危ない場所である。不必要で害をもたらす可能性のある検査が行われる危険があるのだ。隔離病棟に連れて行かれ、「蘇生処置の拒否」が適用される危険性もある。

この数か月間に起きた自傷行為から、医療が回復することはないだろう。それは意図してのことだ。

H_{11} HOUELLEBECQ (MICHEL) ウエルベック(ミシェル)……フランスの小説家

「官僚制とは、国民の人生から夢や希望を奪えるだけ奪う制度だ。官僚制の観点からすると、善良な市民とは死んだも同然の市民のことを指すのである」。

H_{12} HOUSE FLIES イエバエ

科学者というのは、非常に残忍な存在だ。ただのイエバエを、軍事兵器に使用することだってあったのだから。

日本の昆虫学者の石井四郎(訳註:第二次世界大戦期の大日本帝国陸軍に存在した研究機関の1つ「七三一部隊」の部隊長で、細菌兵器の開発や人体実験などを主導)が考案した爆弾には、2つのものが詰められていた。1つはコレラ菌を注入した、ドロッとした液体。もう1つは細菌を付着させたイエバエ。この爆弾によって41万人もの人が亡くなった。

H13 HOUSES 住宅

現在の政策では、古い家（特にビクトリア朝の家）を取り壊し、環境や建築上の条件を満たす近代的な建物への建て替えが進んでいる。

残念なことに、新しい家はビクトリア朝の家ほど頑丈には建てられていない。また、薄っぺらくて壊れやすく、設計もひどいものであるため、冬は寒く、夏は暑い。また、10年、20年経つと壊れてしまうこともある。

これは完全に意図的に行われていることだ。

すべての家が取り壊され、私たちはスマートシティの中で、デザイン性の低い粗末なアパートに住むことを余儀なくされる。そのような未来をアジェンダ21の熱狂的信者たちは望んでいる。

これこそが、私たちに待つ新しい未来だ。

H14 HUMAN RIGHTS 人権

人権は着実に蝕《むしば》まれている。9・11事件後の米国での愛国者法や、2020年3月にイギリスで導入された緊急法案では、事実上すべての人権が消し去られた。現状から回復していく可能性は低い。

H15 HUMANITY 人間性

人間性とは、優しさ、尊敬、ありのままでいること、尊厳、誠実さなどのことだ。国連やアジェンダ21に向けて動いている人たちが準備している世界には、これらの要素は一切ない。

H16 HUMOUR ユーモア

極左のアジェンダ21信者は、ユーモアのセンスがなく、そうしたものを生活の中に求めてもいない。それどころか、いずれはユーモアを禁止するだろう。ユーモアというのは、権力者にとって都合の良いものではないからだ。

H17 HYPOCRISY 偽善

地球温暖化症候群に苦しむ人々の間でもっともよく見られる症状は「偽善」である。２０２０年後半の調査によると、気候変動の専門家や気候科学者は、他のどの分野の専門家よりも多く飛行機を利用しており、年間平均フライト回数は、5回にも上るという。地球温暖化を研究テーマに扱う教授の年間フライト回数は平均9回である。繰り返しになるが、他のどの分野の教授よりもフライト回数が多いのである。そして、もちろん、レーシングドライバーのルイス・ハミルトンのことも取り上げておかねばなるまい。彼は、世界中のサーキットでグルグルと車を走らせるために世界中を飛び回っている。しかし、彼は地球温暖化について非常に懸念している。もし、地球温暖化論者の戯言を本当に信じているのであれば、彼は家でじっとしているべきだ。

２０２０年、イギリスの王位継承者であるチャールズ皇太子は、偽善的な行動に全面的にコミットしているとして、今年いちばんの偽善者に指名された。特に注目されたのは、ダボスで開催された世界経済フォーラムで地球温暖化について講演するためにプライベートジェット機

（イギリスの納税者が負担した費用は8万2689ポンド）を利用した点だ。

持続可能性を説き、一般市民には家にいて飛行機を使わないように呼びかけているチャールズは、国民が納めた血税を使って利便性を買い、世界中のどこへでも飛んでいく。

I1 ICLEI 持続可能な都市と地域を目指す自治体協議会

ＩＣＬＥＩ《イクレイ》（International Council for Local Environmental Initiatives の略称。元々は国際環境自治体協議会だったが、現在は「持続可能な都市と地域を目指す自治体協議会」）は、しょうもない組織に思えてならない。組織としての中身はあるのだが誰かが入浴中にふと思いついたような、ひねりのない名前が付けられている。もちろん、このしょうもない名前は、意図的に付けられている。この組織の名前をあなたは聞いたことがないだろう。しかし、この組織は、あなたがよく知っている他の組織よりも、あなたの人生を支配しているのだ。

ＩＣＬＥＩは1990年に設立され、世界中の地域社会にアジェンダ21を導入するために存在している。ＩＣＬＥＩはロビイスト団体である。ローザ・コイレ（313ページK4参照）が著書『グリーンのマスクの裏の国連アジェンダ21（*Behind the Green Mask*）』で触れているが、この団体は、アジェンダ21が制定・承認された1992年のリオ地球サミットの2年前に設立された。誰かが先を読んでの設立だったのかもしれない。

ＩＣＬＥＩは、価値のありそうな響きをした、ありとあらゆる種類のことを実行している。例えば、世界中の政府に研修プログラムを有料で提供したり、地域の温室効果ガス排出量を監視したりしている。だが、彼らは何よりも恐怖心を煽っている。恐怖で感情を刺激する専門家なのだ。彼らによると、地球環境のために、徹底した解決策を打ち出し、これまで以上に迅速に実行に移していく必要があるという。そしてそのような状況になったのは「乗用車を過度に使用した」「暖房を使用し続けた」「服を買った」といった私たちの消費行動のせいだというのだ。

I_2 ID CARDS ＩＤカード

戦争犯罪人であるトニー・ブレアは、アジェンダ21においてＥＵが担う役割の一環として、ＩＤカードの導入を強く推し進めた。イギリス国民はこれを拒否したが、今度は健康パスポートとして復活した。これを推進しているブレアは、私たちが飛行機や列車で旅行しても問題ないことを証明するために、ＩＤカードを持つことを望んでいる。このカードは、ホテルに宿泊したり、レストランで食事などをしたりする際にも必要となる。ブレアはおそらく、ＩＤカードを持っていない人を不要な建物に詰め込み、大量破壊兵器で破壊してしまうことを提案するのだろう。

I_3 ILLUMINATI イルミナティ

15世紀に誕生した名前で、自分が群を抜いて見識のある人間だと考えている人々に与えられることが多い。イルミナティは通常、「金」と「権力」によって動かされているが、「権力」と「金」によって動かされている場合もある。つまり、常にその2つによって動かされているのである。

I_4 IMMIGRATION 移民

移民政策は、社会を混乱させ、国家を崩壊させ、恐怖心を煽り、人種差別を生み出すことを目的とした、綿密に練られた計画として考案された。

これは偶然などではない。

イギリスはヨーロッパ諸国の中でもとりわけ人口が過密なほうだ。そのような国へ大規模な移住を促すのは非論理的で危険なことである。しかし、その非論理的で危険なことが奨励されてきたのだ。国の壁を壊し、人種差別を生み出すために、故意に下された判断である。結果、コミュニティは破壊させられてしまうだろう。

I5 IMMUNE SYSTEM 免疫系

体内の免疫系は、感染症から体を守る働きをしている。免疫系（体内の防御システム）がうまく機能していれば、ウイルスやバクテリアに襲われることはほとんどない。また、がんに対する抵抗力も高まり、感染症に対する抵抗力も強くなる。免疫系の働きには、食事、ストレス、日光、薬など、さまざまなものが影響する。何を食べるかが、免疫システムの強さと有効性に大きく影響するのだ。監禁されたり、人から隔離されたりしている人は、免疫力が低下しがちである。

I6 INDEPENDENCE 独立心

最近では、独立心があまりにも旺盛だと、キャリアが台無しになってしまうこともありうる。

相対主義に逆らって泳ぐと、数分でキャリアを失う可能性だってある。今日のニューワールドオーダーでは、独立した独自の考え方は忌み嫌われているのである。

I7 INDIA インド

インドでは世界最大の生体認証データベースが構築されていて、実に13億人の住民のデータが保有されている。インド政府は、すべての国民の目、顔、指紋をスキャンし、そのデータを生活保護や携帯電話をはじめとした多くのことに紐づけている。このデータベースには、両親の名前や銀行口座の情報も含まれている。貧しい人々は、食べ物を得るために指紋をスキャンしなければならないし、高齢者は年金をもらうために指紋をスキャンしなければならない。これは「アドハー（Aadhaar）」と呼ばれるシステムで、強制的に導入される。インド政府は、このシステムにより市民たちを完全にコントロールするつもりなのだ。この計画（自由と民主主義へのアンチテーゼ）は、アジェンダ21と国連の計画に完全に沿ったものであり、あなたの近くの国にもまもなく導入されるだろう。

I8 INFANT DEATHS 乳児死亡数

自宅軟禁期間中、乳幼児の死亡率は30％減少した。例えば、乳幼児突然死症候群の発生率が顕著に低下したようだ。

さて、何が影響したのだろうか？

みんな、パブには行かなくなった。公園のベンチに座るのは違法になった。また、多くの診療所が閉鎖されていたため、乳幼児や子どもは通常の予防接種を受けられなかった。

では、この3つのうち、乳幼児突然死症候群の発生率低下に影響を与えているのはどれだろうか？

このニュースは、全米のメディアで報道される価値があると思うかもしれない。しかし、そのようなことにはならない。

I9 INFLATION インフレ……政府が借金を踏み倒すため

政府が借金を踏み倒すためには、インフレを起こして少しずつ借金の額を削っていくしかない。2020年の間に、世界中の政府が激しいインフレを起こすだろう（もちろん、膨らんだ巨額の借金を少しずつ減らしていくためだ）。そこに疑いの余地はほとんどない。

若い人たちは、インフレがどのようなものか思い出せないと思うので、教えて差し上げよう。1974年のイギリスのインフレ率は19%、1975年には30%に達していた（また、個人投資家の所得税が最高税率で98%まで上がったことも忘れてはならないだろう）。

1840年にイギリスが切手を発明したとき、手紙を出すのには1ペニーかかった。その切手はもちろん、ペニーブラックとして知られている。私が子どもの頃は、手紙を出すのに2・5ペンス（新しいお金では約1ペニー）かかった。私がこれを書いている現在は、手紙を出すのに76ペンスまたは65ペンスかかるが、これは手紙を早急に届けてもらいたいか、届けられる前に使用されていないコーンウォールの錫鉱《すず》山に1週間保管したいかによっても変わってくる。

世界各国で、時折、激しいインフレが発生している。1946年のハンガリーでは、13時間ごとに物価が2倍になっていた。1920年のドイツでは郵便制度で5ペニヒから4マルクまでの切手が使われていたが、1922年には10万マルクの切手が発行された。そして1923年には500億マルクの切手が発行された。私はまだ子どもだった1950年代にこれを集めた。何十億マルクもの価値のある切手がページいっぱいに並んでいるのを見て興奮したものだ。

2008年8月、ジンバブエはインフレ（当時のインフレ率は220万%）に対応するため、1

000億ジンバブエドル紙幣を発行した。しかし、これでもまだ、過去100年間に発行された最高額紙幣には達していない。1920年代のドイツでは、100兆パピエルマルク紙幣が発行されていた。また、1946年にはハンガリーが額面1，000，000，000，000，000，000ペンゲー（1の後に18個の0をつけたもので、100京とも呼ばれている）の紙幣を印刷した。

当時のドイツは常軌を逸したインフレの最中にあり、国内の物価は目まぐるしく上昇し続けた。以下に、当時を象徴するエピソードをいくつか紹介しよう。

・私の知り合いのドイツ人の話だ。彼の父親は1903年に保険に加入しており、毎月保険料を支払っていたという。保険期間は20年で、満期になるとそれを現金化して代金を引き出した。しかし、その全額と引き換えに購入できたのは、パン1斤だけだったそうだ。

・フライブルク大学のとある学生が、カフェでコーヒーを1杯注文した。メニューには価格が5000マルクと書いてあった。彼は2杯飲んだ。請求書が来てみると、2杯目の値段が9000マルクに上がっていた。「節約したかったら、2杯同時に注文すればよかったのに」と言われたそうだ。

・工場の労働者の給料は毎日午前11時に支払われる。サイレンが鳴ると、全員が、5トントラックが待つ工場の敷地内の広場に集まった。トラックには紙幣が満載されている。出納係長とその助手がトラックに乗り込み、名前を呼んで札束を投げつけるのだ。人々は、紙幣の束を手にするとすぐに店に駆け寄った。

・医者や歯医者は紙幣を受け取らず、代わりにバターや卵を要求した。ドイツが1兆マルクの紙幣を導入したとき、誰も小銭を受け取ろうとはしなかった。所持する価値がなかったのだ。

・ベルリンの出版社からの報告によると、第一次世界大戦後のドイツがハイパーインフレ状態だった時期、アメリカ人の訪問者が料理人に1ドルのチップを渡したことがあったという。料理人の家族は集まり、コックを受益者とする信託基金をベルリンの銀行に設立することにした。そして、その銀行に1ドルの管理と運用を依頼した。自国の通貨価値が暴落することは、相対的に外貨の価値が急騰することを意味するのである。

これらの出来事は当時珍しいことではなく、インフレは留まるところを知らなかった。そして、1923年11月には、1ドルが1兆マルクの価値を持つまでになった。ライヒスバンクの印刷機では、貨幣の発行がインフレに追いついていなかった。年金で生活している人々は、毎月の小切手ではロールパン1つさえ買えない有様だった。保険金に頼っていた人たちは貧困に陥った。振り返れば、ドイツのハイパーインフレは明らかに、1914年にドイツが金本位制を停止したときから始まった。政府は戦争のために借金をしたのである。

インフレは通常、予期せぬアクシデントに起因するか、あるいは政府や官僚が無能なせいで起こるものだ。しかし、これから起こるインフレは意図的なものであり、準備ができていない人をもれなく貧困に陥れるだろう。

そしてもちろん、政府はそれについて嘘をつくだろう。

２００８年の夏、アメリカの公式インフレ率は２％から２・５％だったが、もしアメリカ政府が１９９２年にインフレ率の測定方法を変更していなかったら、その夏の公式インフレ率は９％近くになっていただろう。そして、実際のインフレ率はもっと高かっただろう。

インフレは目に見えない税金だ。お金を借りる人たちにとっては好都合だが（家を買うために借りた25万ポンドはインフレで目減りする）、倹約家にとっては害悪でしかない（25万ポンドの年金基金は、インフレで価値と購買力が目減りする）。年金生活者や一定の収入を得ている人は購買力が低下し続けていくため、大きく損をしている。収入がインフレ率（偽の「公式」数値ではなく、実際の数値）に見合っていない稼ぎ手も大損をしている。収入が増えて豊かになったように見えても、実際には貧しくなっているのだ。そして、税金を払っている人全員が損失を被る。所得税の課税最低限は通常、インフレ率に合わせて上昇することはない。そのため、住宅購入時の印紙税は、住宅価格が上昇しても印紙税の課税基準額が変わらなければ、ますます多くの人たちが影響を受ける。そして、納税者が高い税率を課せられる基準額は変わらない（あるいはインフレほどには上がらない）傾向にあるため、高い税率で納税する人の数は急速に増加している。政府が国民の所得から分け前を差し引く際に、通常インフレを考慮していないことを知っても皆さんは驚かないだろう。つまり、投資で6％の収入があり、税率が40％の場合、6％のうち40％を政府に支払うことになる。その結果、リターンは3・6％となる。しかし、表向きのインフレ率が5％であれば、年に1・4％の損失となる。実質的なインフレ率が10％であれば、年6・4％の損失となる。金持ちになったと思うかもしれないが、実際には貧乏になっているのだ。

来るべきインフレにどう対処するか。朽ちることなく本質的な価値を保つことができるものを買おう。金や優れたジュエリーは昔から人気だ。

インフレについては、拙著『マネーパワー（*Moneypower*）』の中でも解説させていただいている。

I10 INFLUENZA インフルエンザ

BBCニュースのサイトによると、2020年1月から8月までの間にイギリスで発生したインフルエンザによる死亡者数はわずか394人だった。

誰もそのことを、少しも不思議に思っていないようだった。インフルエンザが流行する6か月の間には、平均で10億人が罹患し、65万人が死亡する可能性があるということは、誰の脳裏にもよぎらなかったようだ。

2020年末、WHOの発表によると、世界の多くの地域でインフルエンザが確認されなくなったという。インフルエンザは、滅多にかからない病気になったらしい。

I11 INFORMED CONSENT インフォームド・コンセント

医師や政府は、患者に医療行為を勧める前に、可能な限りの情報を提供しなければならない。法律により、そう義務づけられているのだ。これを「インフォームド・コンセント」という。意思決定に必要な全情報が渡っているかを確認せず、医師や政治家が患者に対して薬物療法を受け入れさせようとするのは（国を問わず）ありえないことだ。

しかし、それはまさに今起こっていることなのだ。

治療法の真実を隠すことは、インフォームド・コンセントがなされなくなってしまうことを意味する。

I12 INSECTS 昆虫

アジェンダ21の熱狂的支持者たちは、将来的に、私たちにもっと昆虫を食べさせたいと考えている。確かに、昆虫は私たちの食事の大部分を占めるようになるだろう。2021年1月、EUの食品監視委員会は、乾燥したイエローミールワーム（日本名はチャイロコメノゴミムシダマシ。甲虫の幼虫）を、人間が食べても安全であると承認した。現在、アフリカ、アジア、ラテンアメリカには、昆虫を常食とする人たちもいる。

I13 INTELLECTUAL PROPERTY RIGHTS 知的財産権

アジェンダ21の熱狂的支持者たちによれば、知的財産権（著作権・特許権）はアジェンダ21を推進する上で邪魔な存在だという。権利を持っている人が優位に立ち主導権を握れる点が、支配層にとって不都合なのだ。つまり「知的財産権を放棄することは、発明や創造性の死を意味する」ということを、彼らは理解していない。

I14 INTEREST RATES 金利

ここ数年、貯金の金利は、お金や銀行が発明されて以来、かつてないほど低下している。さらに最近では、多くの銀行や金融機関がマイナス金利を導入しており、お金を貯めている人が預金口座を開設する場合には、銀行にお金を支払わなければならない。もちろん、従来は銀行にお金を預けると、そのお金に応じてわずかな収入が得られた。利子は倹約の報酬であり、銀行や住宅金融組合などの少額の預金口座は、多くの人にとって、年金の一部と言っても良い貴重なものだった。

出費が収入を上回らないようにやりくりし、稼いだお金の一部を住宅購入の頭金や年金の足しにしたり、いざというときのために蓄えたりしている倹約家。その彼らが煮え湯を飲まされ、預金が利息で増えないどころか、元金が減っていってしまう。マイナス金利とは、そういうものである。貯蓄に励む人々が泣きを見るのは、偶然ではない。アジェンダ21の責任者たちは、私たちから少しでも自分の富を得るチャンスを奪おうとしているのだ。（たとえ少額であっても）お金を持っている人間は、さほど国に依存せずに済むからだ。すべての預金が増えていくどころか、口座からはお金が出ていく。その瞬間が近づくにつれ、あらゆる機関が支払う金利は異例の勢いで暴落している。例えば、２０２０年9月下旬、英国政府の貯蓄機関である国民貯蓄投資機構（National Savings and Investments）は、２０２０年11月24日に同機構にて預金・投資した資金に付く金利が1・16％から0・01％に暴落すると発表した。10万ポンドを投資した人が税込みでわずか10ポンドの収入しか得られないことになるため、この空前の下落は投資というものをコケにしていると言って良いだろう。

これらはどれも偶然に起こっているわけではない。0％以下の金利水準は、人々が生きていくために、貯金を使い、家を売り、事業や生活の規模を縮小し、貧困に陥らざるを得ないように設計されているのだ。

アジェンダ21を支えているのは銀行やヘッジファンドであり、これらは中産階級を貧困に追い込み、すべての人を同じ生活水準に引き下げるという世界的な計画の一部なのだ。また、人々が自分のお金（現金、不動産、年金、投資、所有物など、形は問わない）を、自分の選んだ親戚や友人、慈善団体に残すことを妨げる計画も存在する。その目的は、個人の死後、その個人が所有していたすべての資源を確実に国のものにすることである。

低金利は、すべての貯蓄者の財産を破壊するために必要な限り維持される。株や年金は壊滅的な打撃を受け、政府の年金を受けている人だけが貧困から逃れられるようになるだろう。

その後、貯蓄者の経済状況が破綻したとき、インフレを抑えて経済を安定させるため、金利が大幅に（おそらく10％以上）引き上げられるだろう。その結果、住宅ローンを抱えている人たちのほとんどが支払い不能に陥ることが予想される。彼らは家を失い、住宅ローン金利の上昇が住宅の価値を押し下げ、売却を余儀なくされたときには、ほとんどの家がマイナス資産となってしまうことだろう。その結果、彼らは大都市でアジェンダ21に基づいて建設された小さなアパートの一室に喜んで引っ越すことになる。エネルギー効率が悪いという理由で、家々が取り壊される未来がやってくるのだ。

アジェンダ21の重要な部分であり、広く支持されている考えは、「誰も何も所有してはならない」というものだ（このルールは、億万長者、政治家、「共通の目的」に染まった共産主義者には適用されないと考えても不自然ではない）。ちなみにフランシスコ教皇は、私有財産に反対する発言をしている。

所有者の私有地を奪う作業はすでに始まっている。

多くの家を売却不可能にする法律や規制の数は、急速に増加している。例えば、家の所有者は、庭にイタドリが生えていれば、その家は売却が難しくなることを知った。さらに最近では、アパートが燃えやすい素材を使用して建てられた場合、危険な素材の除去と交換にかかる費用をアパートの所有者が負担しないと家を売ることができないことがわかった（２０１７年６月のグレンフェル・タワー火災以降そのようになった）。建物全体を修理しなければならないが、その費用は非常に高額である。そのため、多くのアパート所有者は必要な修理費用を捻出できないか、できたとしても捻出したくないと考えている。

I15 INTERNET インターネット

2020年に起きた急激なオンライン化は、偶然ではなかった。買い物や銀行取引のほとんど、あるいはすべてをオンラインで行う人の数が加速度的に増えたのは、意図的な計画の賜物だったのだ。何十億もの人々を自宅に軟禁したのは、顧客が店やオフィスを訪れることに依存していた実店舗型ビジネスを破壊するためだった。

すべてがインターネット上で完結する生活に向けた急速な動きは、今後も続いていくことは間違いない。その目的は、単にオフラインのビジネスを破壊するだけではなく、私たちをもれなくインターネットに依存させることである。この依存の結果、私たちは（電話の接続を切断されることで）簡単に孤立することになる。

インターネット上に公開されたものは、すべてプラットフォームの所有者によって永久に保存される。例えば、フェイスブックは、サイトに掲載されたすべての情報を所有し、写真やテキストの著作権も所有している。削除された情報も、同社のサーバーに残り、同社が適切と考える形で使用される。

I16 INTERNET OF THINGS モノのインターネット（ＩｏＴ）

５Ｇネットワークが拡大するにつれて、私たちはますます電磁波にさらされることになる。電磁波は、免疫系や神経系にダメージを与えることが知られている（「知られている」というのは、「証明されている」という意味である）。

I17 INTERSECTIONALITY インターセクショナリティ

アジェンダ21の脇道をさまよう奇妙な人々にとって、インターセクショナリティ（ごくまれに見るレベルで醜い言葉だが、そもそもアジェンダ21や信者絡みの造語は、多くが醜い言葉である）とは、「個人としての私たちが、人種、性別、階級などの社会的アイデンティティによって差別され、抑圧される」という理論である（もちろん、彼らは年齢には言及しない。なぜなら高齢者の存在は重要ではないからだ）。

I18 INVESTMENT 投資

2005年には、国連が「責任投資原則」を策定した。銀行、投資信託会社、年金基金は、この不条理な原則をほとんど無視していた。しかし、2020年になると、これをしきりに賞賛し、同意するようになった。この「責任投資原則」が経済・ビジネス・科学・環境のどの観点から見てもまったく意味をなさないということを、知識人たちは内心わかっていた。それにもかかわらず、この原則に同意するようになったのは、スウェーデンのあどけない少女や、90代のテレビ番組司会者、自家用ジェット機でどこにでも行く英国王室の一員が提唱した非科学的で馬鹿げた話の影響だろう。単なる集団ヒステリーと言っても差し支えないはずだ。まさに聖ヴィートのダンス（訳注：14世紀のヨーロッパで広がった「踊りのペスト」とも呼ばれる謎の現象。突然誰かが踊り出し、それが周囲にも伝染し、中には死ぬまで踊り続ける者もいた）、ハーメルンの笛吹き男、『ザ・ミュージック・マン』の現代版である。

J1 JARGON OR BUZZ WORDS 特殊用語・流行語

宣伝広報の専門家や心理学者は、「アジェンダ21」を推進するために、流行語を生み出したり、定義し直したりし続けている。これらの特殊用語には、従来の意味や一般にイメージされる意味とかけ離れた言葉も存在する。

J2 JEFFERSON (THOMAS)
ジェファーソン（トーマス）……アメリカ第3代大統領

「人々が政府を恐れるときに存在するのは暴政、政府が国民を恐れるときに存在するのは、自由である」。

J3 JOBS
職業

国連は２０２０年に全雇用の50％が消滅すると発表したが、この数字を出したのは国連なので、予測というよりは当てずっぽうな推測と言っていいだろう。

仕事を探している人は、世界でもっとも急成長している産業である地球温暖化詐欺に注目しておくべきかもしれない。

J4 JOHNSON (BORIS)
ジョンソン（ボリス）……イギリス首相

「この国と地球上の人間の最適な総数について、大人の議論をする時が来たのだ」。

J5 JOURNALISTS
ジャーナリスト

2020年末になっても、一見頭の良さそうなジャーナリストたちで、この1年間に起こったことが故意に引き起こされたことであると気づいている者は少なかった。（起こったことはどれも偶然でもなければ考えが足りなかった結果でもないのに）政治家やアドバイザーのミスを責める人もいれば、起こったことに疑問を持つ人を単なる陰謀論者だと本気で信じている人もいた。ジャーナリズムの質は、2020年に（ある意味で）新たな深みに達したと言えるだろう。

J6 JUDGEMENTS
判断

私たちは皆、お互いについて判断を下すように促されている。何かを買い物するときには、メーカーや小売店、そして商品が届けられれば、届けてくれた人に評価をするように促される。オンラインでは、常に自分の意見を述べることを求められるし、批評が奨励される。動画を見れば、（かつてローマ市民が円形劇場で奴隷の運命を決めたように）親指を立てたり、下げたりすることができる。復活を遂げたこの慣習には、残酷と言っても過言ではないケースも存在する。本や映画は、読まれることも鑑賞されることもないまま批評される。

これらはすべて、社会的信用がものを言う新しい世界で私たちが果たすべき役割に備えたトレーニングだ。

悲惨なのは、臆病者たちが、面と向かっては決して言えないようなことを、ネット上のハンドルネームに身を隠すことで、進んで文字に起こすようになるということだ。他人を傷つけることをよしとする社会的風潮は、不名誉で恥ずべきものである。若者や繊細な人たちは、このような状況に耐えることができない。ネット上での誹謗中傷もあり、自殺者はかつてないほど増加している。

意に反してコメントが消されると（無意味で無知な罵詈《ばり》雑言に疲れ果てた動画制作者により消されることもある）、このような臆病者は「コメントが検閲されている！」と叫ぶ。本当の意味で検閲されているのは、本当のことを言っている人だけなのだから、暴言なんて検閲されるほど重要なものではない。愚かな罵倒者は、壁の落書きを消すのと同じように、排除されるべきだ。

K1

KHAYYAM (OMAR)
ハイヤーム（オマル）……ペルシアの詩人

指が動いて筆が走れば、書き続けるだけだ。
祈っても知恵を振り絞っても、後戻りはできない。
涙を流しても、一度書いた言葉を洗い流すことはできない。

K2

KINDNESS
優しさ

まだ時間があるうちに、周囲に親切にしてあげよう。

K3

KISSINGER (HENRY)
キッシンジャー（ヘンリー）

「今日、アメリカ軍が秩序を回復するためにロサンゼルスに駐留するとしたら、アメリカ人は憤慨するだろうが、翌日には感謝するだろう！　ましてや『あなたたちの存在が、外敵から脅かされている。その脅威から、あなたたちを守るために来た』なんて言われたら、国民の中で、軍に対する感謝の念はことさら大きいものになるはずだ。そのときこそ、世界中の人々が、その邪悪な存在から自分たちを解放するために、世界の指導者に（一致団結と服従を）誓うのだ。誰もが恐れるのは、未知のものである。このシナリオを提示されたとき、個人の権利は、世界政府から保証される幸福と引き換えに、進んで放棄されるだろう」。

１９９２年5月21日、フランスで開催されたビルダーバーグ会議で発言するヘンリー・キッシンジャー氏。

K4 KOIRE (ROSA)
コイレ（ローザ）……アジェンダ21を暴露してきた第一人者

「アジェンダ21の目的は、独立性、文化、社会、経済、人間の生活を破壊することだ」。

L1 LAND
土地

スコットランド政府はすでに、土地を個人所有から公的所有に移す意向を表明している。補償の話は出ていない。この表明は、国連のアジェンダ21の目的に沿ったものだ。

L2 LAWS 法律

欧州連合（EU）ではルールや規制と呼んでいても、そのルールや規制に従わないと罰金を科せられたり、刑務所に送られたりするのであれば、それらのルールや規制は法律だ。

新しい法律がどんどん登場している。特定の地域・地方に適用される法律や国家的なもの、そしてまもなく国際的なものも出てくるだろう。今や私たちの行動はすべて法律に支配されており、新しい法律はしばしば民間警備会社によって施行されている。その根拠はいつも同じで「国家的危機のときには人々は法律に従わなければならないから」だ。

2020年に入ってから、どこの国の政府もかつてないほどの熱意をもって新しい法律を作るのに躍起になっている。しかし、これらの新しい法律は（法律の通常の役割である）人や財産を守ることを目的として作られたものではない。政府はもはや、殺人者、泥棒、詐欺師などの従来の法律違反者を逮捕することには興味がない。このような形で過ちを犯した者たちは無罪放免だ。イングランドとウェールズの全犯罪のうち、有罪判決はおろか、起訴されたものはわずか7％程度である。中毒性の低い違法薬物の所持や売買は事実上、犯罪扱いをされなくなっている。窃盗事件で起訴されたのはわずか5％、強姦で起訴されたケースはわずか1・4％である。

今回導入された新しい法律は、法を遵守する一般市民を統制するためのものだ。警察や検察はこの法律を非常に重視している。

L3 LEAFLETS リーフレット

主流メディアを構成する新聞、テレビ、ラジオは、巨額の広告収入により買収されている。だから、メディアを通じて真実を伝えることはできない。

また、インターネットの利用も大幅に制限されている。

そして、敵の動きは速く、主流メディア（今ではユーチューブなどのインターネットも多く含まれているはず）を支配しているため、広範囲に及ぶ影響力を有している。

したがって、私たちも迅速に動かなければならない。

そして、その範囲を広げなければならない。それを実現しない限り、物事は本当の意味での通常の状態には戻らない。

事実を詰め込んだリーフレットを配布するというのは、真実を伝えるためのすばらしい方法だ。この方法は、ナポレオン・ボナパルトがエルバ島から脱出し、フランス軍と対峙したときにも有効だった。巧みに表現されたリーフレットによって、かのナポレオンは敵を味方につけたのだ。

L_4 LEFTIES 左翼

アジェンダ21、ウィキペディアの腐敗、地球温暖化カルトの戯言の背後には、頭のおかしい左翼の奴らがいる。

L_5 LIBERAL リベラル

リベラルという「言葉」は、時と場合によって再定義され、今では左翼の過激派を指すようになっている。

L_6 LICENCES AND CERTIFICATES 免許・証明書

免許や証明書は全部が全部必要なのだろうか？　資格を必要とする制度は何年も前に計画さ

れたもので、私たちを混乱させ、恐怖に満ちた生活を強いるためのものだ。これらはお金がかかり、混乱を招くように設計されている。しかし、適切なライセンスを持っていなければ仕事ができない。そして、ライセンスを1つ取得すると、次々と別のライセンスを求められる。映画『御冗談でショ』の中で、チコ・マルクスがグルーチョ・マルクスに、ギャンブルで成功するためには、垂れ込み屋の本をさらに買い続ける必要があると説得するシーンを思い出す。

L7 LIES 嘘

数分ごとに、新たな狂気が私の一日を陰うつなものにする。

「倒れて息をしていない人を見つけたら、まず顔に布をかぶせて、感染症のリスクを減らすこと」が、慈悲深い人間としてのアドバイスだとわかった。

だが、患者が実際には息をしていないのだから、これは少しやりすぎではないだろうか。

しかし、最近は、体や力の弱い人、障害のある人、高齢者、怪我をしている人、ただの神経質な人などを殺すことが公式な方針であると理解している。

言うまでもなく、メディアは私たちを小突き、抑圧し、刺激して、政治家の脅しをまるで天から降ってきた石に刻まれていたありがたい言葉であるかのように刷り込んできた。

元政治記者のオーベロン・ウォーは「数年間、下院のあらゆる重要な討論を傍聴してきたが、誰かが一言でも真実を語ったと認識したことはなかった」と書いている。

ウォーは、政治家の嘘、ごまかし、操作に並々ならぬ憤りを覚えていた。

「ジャーナリストの役割は、政治家どもを嘲笑し、辱め、苦しめることだ。そして奴らがやろうとしていることすべてを軽蔑し、実行に移したときには笑ってやることである」と彼は書いている。

世界中のジャーナリストが、遍在する神のようなゲイツ氏に対して、媚びを売り、頭を下げている有様を、ウォー氏はどう思うだろうか。主流メディアで働く（本当の意味での）ジャーナリストは、もういないと思う。BBCには、確実に誰もいない。その最たるものが、インターネット上でデタラメを広めたり、明らかな真実を否定したりすることに明け暮れる、愚かな偽のファクトチェッカーたちだ。いわゆるファクトチェックのほとんどは、商業的な意図を持った偏見のある組織によって、あるいはその組織のために行われている。また、チェッカーのほとんどは、リサーチをすることはおろか、リサーチのスペルも知らない青二才のようだ。

L8

LIFE EXPECTATION
平均寿命

20世紀初頭、湿っぽくて狭い環境で暮らし、まともな食べ物にもほとんどありつけない人々はごまんといた。

製薬会社やその支持者である医療機関は、自社製品のおかげで当時よりも平均寿命が延びたと主張したがるが、それが嘘であることは数字が証明している。医薬品はさまざまな形で私たちの生活を変えてきたが、第二次世界大戦に間に合うように導入されたペニシリンなどの抗生物質を除いては、大きな影響を与えていないのが実際のところである。市場で販売されている製剤の多くが、良い影響よりも悪い影響を与えている。そのことを論じるのは難しいことではない。

例えば、ベンゾジアゼピン系の鎮静剤が人間の生活の質を向上させるために何かをしたと主張することは困難だ。ベンゾジアゼピン系や一部の鎮痛剤などの処方薬は、世界最大の依存症問題の原因となっている。

優れた薬である抗生物質も、今では以前ほど役に立たないことが多い。過剰な処方や供給、そして農場での日常的な抗生物質の使用により、かつては命を救っていた抗生物質が役に立たなくなってきているのだ。

もちろん、疑う人は「現在の平均寿命は昔に比べてはるかに長く、だから医療も進歩しているはずだ」と主張するだろう。

しかし、これは誤った議論だ。

数字を見れば、乳児の死亡数が大幅に減少した100年以上前に、平均寿命が延びたことは明らかだ。100年ちょっと前には、1人の女性が6人の赤ちゃんを産んでも、そのうち2人しか生き延びられないのが当たり前だった。この乳幼児の死が、平均寿命を縮めていたのだ。多くの赤ん坊が満1歳になる前に亡くなってしまうと、平均寿命は大きく縮んでしまう。

ある赤ん坊が亡くなった状態で生まれ（死産）、別の人が100歳で亡くなった場合、その人たちの平均寿命は50年になる。しかし、ほとんどの赤ちゃんが生き残れば、平均寿命も同じように、劇的に延びる。ビクトリア朝やそれ以前の時代には、乳幼児期を生き延びた人間は、70代、80代、あるいはそれ以上の年齢まで生きるのが普通だった。

比較的きれいな飲料水やきちんとした下水設備がなかったため、19世紀には重篤な感染症が大きな死因となっていた。また、コレラなどの感染症が原因で、乳幼児の死亡率が恐ろしく高かったのだ。しかし、汚染されていないきれいな水が飲めるようになったり、下水処理場が整備されたりすると、死亡率は大幅に下がった。この数字を見ると、近現代の薬や予防接種が導入される「はるか前に」死亡率は大きく低下していた。そこからも、感染症による死亡者数を減らすのに役立ったのは医学ではなく、生活環境の改善だったことがわかる。

そして、いわゆる先進国の平均寿命は、21世紀に入ってから、延びるどころか、短くなってきている。代わりに慢性疾患、精神疾患、がん、その他あらゆる病気の発症率が上昇している。乳幼児の死亡率はもはや以前と変わらない。認知症は特定の地域で見られる症状で、ADHDや自閉症などの小児疾患は当たり前になっている。糖尿病（特に成人発症型糖尿病）や喘息、アレルギーの発症率もすべて上昇している。

なぜだろうか？

明快な答えがいくつかある。

第一に、食べるものの質が劇的に低下している。そして、多くの人が食べ過ぎている。

第二に、ほとんどの人が日常的に処方薬や市販薬を服用している。処方薬の副作用は、医師がアンテナを張ってもいなければ、気にもしていないため、気づかれない。

第三に、自然環境、土壌、空気、家の中に含まれる発がん性物質の数が増えていること。

第四に、多くの人の運動量が減ったこと。機械のおかげで、人間はほとんど（あるいはまったく）運動せずにただ座っていられるようになった。

第五に、ストレスの量が急増したこと。

第六に、飲料水は、化学汚染物質や処方薬（化学療法薬を含む。危険なので、こぼしたら核廃棄物を扱うように除去しなければならない）、精神安定剤、睡眠薬、抗生物質、ホルモン剤などの危険な残留物でひどく汚染されている。

第七に、ストレス、睡眠不足、食生活の乱れ、くだらない予防接種などにより、免疫系はダメージを受けている。

L9 LIGHT BULBS 電球

ヨーロッパの人々は、LED電球や、EUがヨーロッパ中の市民に強要した特殊な新型水銀灯による人工的な光を浴びながら毎日を過ごしている。しかし、（禁止されてしまった）従来の白熱電球が発する光に比べ、LEDの光は強烈に眩《まぶ》しい。この光の元ではリラックスして過ごすことなどできないというのが世間で広く認められている意見である。

EUは「地球を救う」ため、そして環境意識の高い官僚や政治家が多いことを証明するための新たな（狂気に満ちた）試みで、従来の白熱電球の販売を禁止することを決定した。白熱電球とは、電球が切れたり、落ちたりすると、（金属の一種で、熱に強い）タングステンのフィラメント（電球内の発熱する細い線）が役に立たなくなるものだ。

消費者は、旧式の電球を新しいコンパクトな蛍光灯（略語好きの欧州官僚にはCFLと呼ばれている）に交換することを余儀なくされている。この電球は、エネルギー消費量が5分の1で済むという。

だが、必然的にいくつかの問題が生じる。

第一に、新しい電球は、オンオフの切り替えをたくさん行うと、白熱電球よりも早く寿命が来てしまうこと。そのため、部屋に人がいないときもスイッチを入れたままにしておくと、電球が長持ちする。これはエネルギーの無駄遣いだが、電球代を節約することができる。

第二に、新しい電球の照明は非常に暗く、この照明ではほとんどの人が活字を読めないということ。この新しい電球を使うべきだという提案をしたドイツの政治家、アンゲラ・メルケル氏は、彼女のアパートで使っている「省エネ」電球は明るくなるまでに時間がかかるため、カーペットに落としたものを探すときに「ちょっとした問題」が生じることが多いと認めている。その結果、転倒して手足を骨折したり、頭痛に悩まされたりする人が大幅に増えることになるだろう。それにより、結局は多くの人が単純にランプを買い足し、以前は電球を１つしか使っていなかったところを２つ、３つ使うようになるのである。

第三に、新しい電球は旧来の電球よりもはるかに重いこと。つまり、輸送にはより多くのエネルギーが必要となるのだ。

第四に、新しい電球は非常に大きいこと。そのため、すべての照明器具に適合するとは限らず、まだ十分に使える照明器具が大量に廃棄されることになる。

第五に、コストが旧来の電球の20倍にも上ること。

第六に、ＣＦＬ電球の光は白熱灯に比べはるかに眩しく、リラックスできる光ではないということ。しかも、白熱電球のような安定した光ではなく、明滅しており、１秒間に50回も点滅する。そのため、新しい電球で読書をしようとすると、頭がくらくらする可能性がある。けいれん発作の原因は、新しい電球の光なのか？　確かなことは言えないが、その可能性は否定できない。少なくとも「不快感」を与えることは確かである。ＥＵで承認された新しい電球が、偏頭痛やめまいを引き起こすことは間違いないようだ。

第七に、ちらつきが発生するので、高速で動く機械部品が静止しているように見えること。この結果、何人の手足が失われるだろうか？

第八に、通常のＣＦＬは調光スイッチや感知式の防犯灯には使用できないということ。そのため調光スイッチや感知式の防犯灯は捨てなければならず、膨大なエネルギーを浪費することになる。

第九に、ＥＵが承認した電球は、温度が低すぎたり高すぎたりすると動作しないため、オーブン電子レンジ、冷凍庫では使用できないということ。

第十に、新しい低エネルギーとされる電球は、旧来の電球に比べて製造に10倍のエネルギーを要すること。

第十一に、ＣＦＬは通常の電球よりも換気が必要なため、密閉された照明器具では使用できないこと。

第十二に、ＥＵが承認した電球には水銀蒸気を含む有毒物質が使用されていること。ＥＵでは水銀を含む製品の埋め立てを禁止しているため、これはいささか問題である。そのため、使用済みのCFLは回収して、別の方法で処分する必要がある。「使用済みのＣＦＬ電球を処分したい場合は、地域の清掃局やごみ処理施設に電話で問い合わせるように」と、専門家は勧めている。英国政府は、この電球に猛毒の水銀が含まれていることを認め、次のように警告している。「この消費電力の少ない電球（ＣＦＬ電球）が割れた場合は、少なくとも15分間部屋の外にいるようにしてください。破片の片付けに掃除機は使用せず、ほこりを吸い込まないように注意してください。壊れた電球は、ゴム手袋をしてビニール袋に密封し、自治体に持ち込んで処分してください。なお、壊れていない電球は、販売店の回収制度に加入していれば、販売店による引き取りが可能です。それ以外の場合、多くの地域の廃棄物処理場には、古い電球を安全に回収・処理するための設備が整っています。もちろん、廃棄場までは車で持って行く必要があるでしょう（燃料やエネルギー、そして時間も消費するでしょう）。電球が壊れるたびに、この作業をしなければなりません。この電球は危険なものであるため、埋めずに処分するというのは大変なことです。そのため、処分料が発生すると思っておいてください」。

第十三に、ＣＦＬが最高の性能を発揮するためには、かなりの時間点灯させ続けておく必要があるということ。つまり、ＥＵで承認された新しい電球の性能を最大限に引き出そうとするならば、電気をつけたまま眠ることに慣れなければならないのである。

第十四に、ＥＵが使用を強制している新しい電球が、さまざまな健康問題を悪化させること。自己免疫疾患である狼瘡《ろうそう》の患者は、痛みを始めとした多くの症状に悩まされるだろう。光線過敏症の患者は、さらに苦しむことになる。新しい電球は、湿疹のような皮膚反応を引き起こし、がんにつながる皮膚反応を起こす可能性がある。

第十五に、ＣＦＬの中には明るさが安定するまでに１００時間程度が必要なものがあること。つまり、新しい電球を取り付けるたびに、１００時間ほどは、頭痛やふらつきなどの深刻な健康被害を被りうる状態を我慢しなければならない可能性がある。

第十六に、ＣＦＬ電球はテレビなどのリモコンに干渉したり、ラジオやコードレス電話の雑音の原因になったりする可能性があるということ。ある専門家は、このような場合、電気を消したほうがいいとアドバイスしている。またある専門家は、昔ながらのトイレットペーパーの芯（厚紙の筒）を、テレビの電源ランプに接着剤で貼り付けることで、問題を最小限に抑えたり、取り除いたりすることができると言っている（ただし、自宅で試すのはお勧めしない。電気製品は熱を発する上、ダンボールの破片は燃えやすいからだ）。

L10

LINCOLN (ABRAHAM)
リンカーン（エイブラハム）

「人民の、人民による、人民のための政治」。

（リンカーンのゲティスバーグ演説より）。

M1

MAGNA CARTA
マグナ・カルタ（大憲章）

マグナ・カルタの元々の理念は「代表権のない者には課税しない」というものだった（独立前のアメリカで政治家パトリック・ヘンリが「代表なくして課税なし」と言ったとされているが、これはアメリカ発祥の考え方ではなかったのである）。マグナ・カルタはまた、イングランドに害を及ぼす目的でやってきた傭兵をすべて追放するという考えを取り入れ、（裁判なしに拘禁されることはないという）人身保護法の概念を導入した。マグナ・カルタは、イングランド国民には個人としての基本的権利を、そしてイングランドには国家としての権利を与えた。議会は民衆の同意を得るための手段として考案された。

M₂ MALFEASANCE 不正行為

不正行為を行うというのは、特に公務員に当てはまることだ。これは、故意に不適切な行動をとったり、意図的に間違ったアドバイスをしたりすることと定義されている。

2020年3月以降の英国政府の政策はすべて偽りだった。自宅軟禁も、病院の閉鎖も、老人を介護施設に捨てることも、決して必要なことではなかった。世界中で何百万人もの人々が、政府の間違いとも言えることが原因で命を落としている。

しかし、私はそれが本当に単なる間違いだとは思えない。それらの人々の死が、単純に、上に立つ人間たちの無能さによるものだとは思えない。

政府のアドバイスはどれも適切ではなかった。どれも擁護できるものではない。

アメリカをはじめとする世界各国の政府にも同じことが言える。

私は弁護士ではないが、政府とそのアドバイザーたちが法廷に出て、不正行為か職権濫用《らんよう》罪のいずれか適切なほうで告発されるべきケースがあるように思える。

イギリスでは、数か月のうちに、悪名高い政府の大臣たちが長期の実刑判決を受け始めることを期待し、信じている。政府の顧問たちも、ナンバープレートを作ったり、郵便配達のかばんを縫ったりして、晩年を過ごすことになるだろう。ＢＢＣは実質国営放送であり、公平でバランスのとれた情報を提供する責任があるので、ＢＢＣのスタッフも無縁ではいられないだろう。不正行為や悪質行為に対する罰則は非常に厳しく、何年も刑務所に入ることになる。編集者・ニュース編集者は、不定期刑による長期間の服役に備えるべきである。

また、下級公務員も心配しなければならない。ニュルンベルクの被告人たちは「命令に従っていた」だけでは弁明にならないことを学んだ。何千人もの鼻持ちならない官僚、残忍な警察官、ごまかしに必死な保健員たちは、刑務所でお粥の味を覚えなければならないだろう。

さらに、数百万の人々が損害賠償のために訴訟を起こす権利を持つことになるのではないかと思う。この犯罪で身内を失った人は、何百万ドルもの賠償金を請求することができるだろう。また、廃業に追い込まれた人々も、奴らを訴えることができるだろう。

M_3 肉 MEAT

私は長年にわたり「環境保護主義者であるならば肉を食べることはできない」と主張してきた。しかし、この考え方がこれほど急に流行するとは思わなかった。

M4

MEDIA メディア

近年、世界中の大手マスコミのほとんどの部門が、政府や商業団体、それらのために活動するロビイストに都合の良いメッセージを広めるために乗っ取られている。悲しいことに、それらのことを示す膨大な証拠がある。私は、人生の大半を本やコラム、記事の執筆、テレビやラジオの番組制作に費やしてきたので、このようなことを書くのは悲しいことだ。

もはや、主要なメディアのどこも、ジャーナリズムに則って誠実な報道をする日が再び来るとは思えない。本当の意味での暴露は過去のものとなった。大手の出版社でさえ、政治体制の中に組み込まれてしまっている。

そのような現状にあって、メディアがいかにコントロールされているか、国民に向けて発信される情報がいかに真実からかけ離れているか、こうしたことについて書いた本も（たいていは非常に小さな出版社から）出版されている。

２００５年に出版されたラリー・バインハートの著書『うやむやな真実（*Fog Facts*）』には、「操られた国で真実を求めて（*Searching for truth in the Land of Spin*）」という副題がついているが、彼が描く真実の探求は過酷なものである。（バインハートの小説『*Wag the Dog*』は、ロバート・デ・

ニーロとダスティン・ホフマンの主演で、同名の映画にもなった。この映画は、メディアがいかにして人を騙し、操ることができるかを見事に皮肉っている）。

「９・11以降の数年間でもっとも憂慮すべき傾向の１つは、政治的な嘘をついたところでもはや何の影響もないようになってしまったと思われる点である」とバインハートは書いている。

続いて、彼は「極秘かつ厳正な個人目的――英国関係者のみ」という言葉から始まるダウニング街メモに触れている。同メモでは、次のことが暴露されている。

・アメリカのブッシュ政権が、イラク侵攻の口実となる情報を仕組んでいた
・その話をイギリスは事前に聞かされ、知っていた
・つまり、アメリカが正当とは言えない口実でイラク戦争を始めることを良しとした

そして彼は「メディアが責任を取らないせいで、政治的な嘘、特に誤解を与えるようなやんわりとしたＰＲのような嘘は罰されることがなくなってしまったのだ」と付け加えている。

２０２０年になると、メディアは政治家の嘘を看過するだけではなく、実際に嘘に加担もし、プロパガンダの道具に成り下がっていることが明らかになったし、信頼という言葉に足るほどの信頼はできなくなっていた。

ウド・ウルフコット氏の著書『プレスティテュート（*Presstitutes*）』は、「ＣＩＡに買収され、抱え込まれ（Embedded in the Pay of the CIA）」という大胆な副題がついており、ジャーナリストが賄賂を受け取り、情報機関に重宝されている様子を説明している。つまり、自分の気に入る相手から便宜を図ってもらったり、講演料をもらったりしているのだ。これは、主流メディアの堕落について暴露している物語だ。重要なのは、ジャーナリストがメッセージに従わなければ、仕事や役得を失う可能性があるということだ。ウルフコット氏は「政治とメディアのネットワーク全体が（権力者たちにより）買収されている」という驚くべき結論を下している。（メディアの）汚職は、救いようのないところまで来ているようだ。

「実際には陰で恩恵を被っているにもかかわらず、独立していると主張する新聞は、詐欺の罪を犯している」とウルフコット氏は書いており、メディアの腐敗は実際には政治の腐敗よりもタチが悪いかもしれないと主張している。

政治家や億万長者は（社会信用制度をはじめ）アジェンダ21の一環である恐ろしい計画を強引に進めようとしている。「メディアの腐敗こそがもっとも強力な武器だ」と彼らが論じ始めてもおかしくはないだろう。

腐敗した出版社や放送局が作ったものの購入・使用をやめればいい、というのがウルフコット氏の提示する解決策である（イギリスでいうなら、ＢＢＣ受信料を合法的に拒否する方法を検討することを意味している）。

「私たち、十分な数の国民が、それらのメディアの提供する商品を買わなくなったとき、インターネットの記事をクリックしなくなったとき、テレビやラジオの番組のスイッチを切ったとき、これらメディアに属するジャーナリストたちは、同胞である市民のために何か価値のあるものを作り始めなければならなくなるだろう。さもなければ、彼らは仕事を失うことになるだろう」とウルフコット氏は書いている。

M5 MEDICAL ETHICS 医療倫理

近年、医療倫理や医療機密というものは存在しない。私が医師免許を取得した１９７０年頃は「ヒポクラテスの誓い（医師が仕事を始める際に宣誓する倫理綱領）」を宣誓したければしてもよいと言われたが、それは任意だった。現代の医学生の多くが、この「誓い」の内容を理解しているかどうかは疑問だ。中央医師評議会（慈善団体・政府機関・民間企業になりすましている特殊法人）はずっと以前に「ヒポクラテスの誓いは時代遅れであり、捨て去られてしまった。『医師がまだヒポクラテスの誓いを立てている（＝「有害とわかっている治療法は決して選ばない」といったことを誓っている）』と信じている患者は、医師が昔とは違うと知っておいたほうがいい」という見解を示した。そして、医師はもはや、患者への守秘義務も課せられていないのである。

M6 MENCKEN (H.L.) メンケン（H.L.）……アメリカの批評家

「人類を救おうとする衝動は、いつだって、人類を支配しようとする衝動を隠すために演出される、建前上の態度にすぎない」。

「現実的な政治の目的は、（すべてが架空である）際限なく湧いて出て来る脅威を口実に民衆を警戒させ（それゆえに安全な場所に連れていってもらうことを切望させ）続けることである」。

M7 MENTAL ILLNESS 精神疾患

ここ数年、西欧社会における精神疾患の発症率に対する関心が高まっている。イギリスでは、特にウィリアム王子やハリー王子が、精神的な健康やストレスなどについてやたらと語っているが、彼らや他の王室メンバーは、正式なトレーニングを受けていないにもかかわらず、精神疾患を持つ人々に援助の手を差し伸べる資格があると考えているようだ。彼らの妙な行動を真似して、数えきれないほどの人々がオンラインプログラムで独自のバージョンの「ヘルプ」を提供しており、そのうちのいくつかは間違いなく小金を稼いでいるだろう。

個々人が「自分は精神的に病んでいる」と思い込み、必要不可欠な薬理学的な治療を求めるよう促されているのだ。その結果、精神を麻痺させる精神安定剤や抗うつ剤に依存する国民が近年急増している。1960年代後半から1970年代前半にかけて、ベンゾジアゼピン系の精神安定剤が処方者と患者の間で人気を博し、流行した。この過程が、国民の大部分を製薬会社に依存させ、感覚を麻痺させて従順にさせるという全体的な計画の一部であったことは明らかなようである。

M8 MICROCHIPS マイクロチップ

ペットの飼い主は、自分のペットにチップを埋め込むことに慣れている。世界には、マイクロチップを埋め込んでいない犬を飼うことが違法とされている地域もある。そして、人間にも同じことが起こっている。スウェーデン、日本、ロシア、そしてアメリカの一部の人々は、チップを皮膚の下に埋め込んでいる。チップは通常、手の皮膚の下に埋め込まれており、スキャナーで簡単に身分証明ができる。また、クレジットカードを使わずに買い物ができるようにするという目的もある。しかし、額の髪の生え際（前頭葉の近く）にチップを埋め込む場合もある。

体内でもっとも顕著に体温が変化する場所であるため、チップを効率よく充電できるのである。実験では、脳をコントロールしたり、改良したりするためのチップが埋め込まれている。

アメリカでは、1986年の「移民改革統制法」により、大統領に、あらゆる種類のＩＤ（マイクロチップなど）を導入する権限が付与された。

M9

MIDDLE CLASSES
中間層

アジェンダ21によってもっとも被害を受けるのは、中流階級の人々だ。金持ちは島や大きな船に移って高い税金を避けるだろう。非常に貧しい人々（特にアフリカの人々）は、気づかれることも追悼されることもなく死んでいくだろう。

M10

MILL (JOHN STUART)
ミル（ジョン・スチュアート）……イギリスの政治哲学者

「自分自身に対して、自分の体と精神に対して、個人は主権を持っている」。

M11 MIND CONTROL マインドコントロール

アメリカの億万長者イーロン・マスク氏が、頭に受信機を埋め込んだ動物を小さなリモコンで操作する方法を紹介したとき、物事をすぐに真に受ける無知な人々の間では大きな話題となった。

驚いたのは、このことを誰も憂慮しなかったことだ。

1950年代、エール大学の精神科医ホセ・デルガード博士は、「MKウルトラ計画」の一環として、マインドコントロールの方法を調べていた。脳にコードを接続して微弱な電気を流すと、脳の部位によって反応が異なることは、1世紀半前から知られていた。

実験後、デルガード博士はこう結論づけた。「多くの脳の機能を物理的にコントロールできるというのは実証された事実である。意図を作り、それに従わせることさえ可能である。脳のある部分を電気で刺激することにより、遠隔で動きを操ることもできる」。

それは、イーロン・マスクが発表した「画期的な」実験を行う4分の3世紀近く前のことだ。

実際、1977年に出版された私の著書『ペーパー・ドクターズ（*Paper Doctors*）』でも、デルガードの実験のことに触れている。マスク氏や彼の実験について書いたジャーナリストが少しでも調べれば、私の著書に書かれた情報にたどり着けるはずだ。

以下、同書の中で私が執筆した文章である。

「1950年代、エール大学医学部のデルガード博士は、普段は非常に友好的な2匹の猫が、脳に埋め込んだ電極に刺激を与えると、激しい喧嘩をするようになることを示した。喧嘩に負け続けても、小さいほうの猫は刺激を受けると攻撃的になり続けたのだ。デルガード博士は、雄牛に電極を付けた後、マントと小型送信機を持って闘牛場の真ん中に立ってみた。雄牛は突進してきたが、デルガード博士が送信機のボタンを押すと、博士まであと数センチのところで悲鳴を上げて止まった。デルガード博士は次のように報告している。「脳に電極を埋め込んだ動物は、あたかも人間の制御下にある電子玩具のように、さまざまな反応をこちらの意図に沿ってかなり正確に、想定した通りに示すようになった」。

同様の実験は人間でも行われている。被験者に選ばれたのは、コントロールできない怒りを抱えている危険性の高い人たちであることがわかっていた。電子的な刺激を与えると、すべての患者（の怒り）が制御された。これらの実験については、ホセ・デルガードの『思考の物理的コントロール（*Physical Control of the Mind*）』に、さらに詳しく書かれている。

現在では、脳の制御に必要な受容体を外科手術などで移植する必要はない。現代人の受容体は非常に小さいので、例えば注射など、より手軽な方法で体内に入れることができる。

M12

MINDSPACE
マインドスペース

英国政府の内閣府と政府研究所は、マインドスペース（Mindspace）というプログラムに資金を提供している。このプログラムでは、インセンティブを設け、市民の習慣とエゴを利用する行動理論を使い、公共政策に影響を与える方法が提唱されている。もちろん、このプログラムは、ターゲットとなる人々、つまり納税者や有権者から資金提供を受けている。

マインドスペースのプログラムには、環境に配慮した行動や「良い社会」を促進する方法が含まれている。これは、簡単に言えば洗脳である。マインドスペース計画は、コピーライターが使うような手口が盛りだくさんだ。だが、この計画は、コピーライターたちの手法よりもはるかに支配的なやり方で推し進められている。

マインドスペース政策は、英国政府が国民の行動をコントロールする新しい方法を必死に探していたときに登場したものだ。何百万もの人々が、良いことよりもはるかに害のある行動パターンを取ることを余儀なくされたのは、マインドスペースの仕業なのだ。

M13 MINK ミンク

デンマーク政府は、ウイルスによる突然変異の恐れがあるとして、1500万匹のミンクの殺処分を命じた。

デンマークだけでも世界にこれほど多くのミンクがいるとは知らなかった。そんなにたくさんのミンクを何のために飼育していたのだろう。ミンクのコートにそんなに需要があるのだろうか？ やや時代遅れなミンクのコートを愛する人たちは、古着のコートや以前愛用したコート、今なお着続けているコートで十分に間に合っているのではないかと思っていた。

殺処分はすべて、家畜もペットも関係なく、人間とともに暮らすあらゆる動物を排除する計画の一環だ。

M14 MODERN MONETARY THEORY 現代貨幣理論（ＭＭＴ）

「中央銀行はいつでも好きなだけお金を刷ることができ、インフレが進んでいると疑われる場合、税金を使って事態を沈静化させることができる。だから、負債は問題ではない」というのが、現代の貨幣理論信者たちの主張だ。

この理論の問題点は、インフレがいつも急速にやってくるということだ。経済学者、銀行家、政治家が問題を発見したときには、何をするにも手遅れなのである。そして、インフレは制御不能な状態に陥る。

現代貨幣理論は、混沌、ハイパーインフレ、経済の破壊をもたらす。この理論は、グレート・リセットやアジェンダ21を推進する人々が有する手札の1枚なのだ。

M15

MOTOR CARS
自動車……個人所有をなくす計画

個人の自動車所有を完全になくすという計画が進められている。自家用車がエネルギーを消費し尽くしてしまうから、というのが口実だ。自動車は環境を破壊すると非難され、地球温暖化の大きな原因になっていると言われている。車の購入、運転、燃料補給には莫大な税金がかかる。駐車場の確保はますます難しくなっている。都市部に車を持ち込むことはこれまで以上に難しくなり、費用もかさむ。おまけに有料道路が導入され、自動車使用のコストがこれまでにも増して高くなっている。

ロンドンでは、サディク・カーン市長が、道路を閉鎖して自転車専用レーンを増やし、イギリスの首都を完全に自動車のない街にしようとしていた。タクシー運転手たちは、この禁止令に対して激しく抵抗した。裁判官は、この提案が「自転車、徒歩、公共交通機関の利用が期待できないと考えるのが妥当な」高齢者や障害者のニーズを考慮していないと判断した。

また、ロンドン市長は、歩行者がより多くのスペースを確保できるよう、歩道を広げたいと考えている。

ロンドン以外の地域においては、緑の革命の一環として「交通量の少ない地区」と呼ばれる地区が地方議会によって設置されており、長期的に人々を分離することを目的としている。すでに顕在化している変化の多くは、自動車運転者の生活を徹底して困難にするとまではいかなくても、不快にさせるように設計されている。例えば、市街地・中心部の路上には奇妙な設備が存在し、交通渋滞を引き起こし（皮肉なことに、のろのろと運転していると燃料の使用量と廃棄ガスの発生量が大幅に増加するため、より多くの公害を発生させることになる）、さらなる交通渋滞を引き起こすために制限速度が引き下げられ（繰り返しになるが、この場合も自動車はより多くのエネルギーを無駄に消費することになる）、道路税が大幅に引き上げられる（ただし、電気自動車は対象外だ。電気自動車だって道路を使用するし、動かすには従来のエンジン車と同程度のエネルギーが必要であることが証明されているのに）といった、さまざまな変更が行われているのだ。

イギリスでは、政府が道路交通法規集の大規模な変更を計画している。これには、道路利用者の階層化が含まれ、もっとも害を及ぼすと考えられる者が、他者の安全に対して最大の責任を負うことになる。例えば、車のドライバーであれば、道路を横断しようとする歩行者がどこに立っていようと、道を譲らなければならない。また、自転車や馬に乗る人を追い越す自動車には、新しい安全速度制限と距離が課せられる。このようなことになれば、あらゆる物事のスピードが低下し、生産性が下がり、結果としてビジネスの衰退に拍車がかかってしまうだろう。まさにアジェンダ21の熱狂的な支持者たちが支持・応援していることだ。

２０２０年末、英国政府は、２０３０年からディーゼル自動車やガソリン自動車の販売を違法とすることを発表した。これまでは２０４０年までという期限を任意で定めていたが、これを10年前倒しするとなると、自動車の製造・販売・整備・修理などに携わる人々は壊滅的な損害を被ることになる。

しかし、大きな問題を忘れてはならない。政府が、その電気をどこから持ってくるつもりなのかということだ。ガソリン車やディーゼル車に代わって生産されるすべての電気自動車を動かすには、膨大な量の電力が必要になる。

実際には、当然のことながら、供給が追い付かない。イギリスはすでに電力不足の危機に瀕しており、そこからさらに電気自動車は膨大な量の電力を消費する。

この問題に対処するため、政府は自家用車の所持可能台数を大幅に制限し、電気自動車には巨額の道路税を設けるだろう。そして予測不可能なタイミングで電気自動車への電力供給を停止すれば、ますます多くのドライバーが自動車の使用をやめざるを得なくなる。既存のガソリン車やディーゼル車には多くの税金が課せられ、維持し続けることは実質不可能となる。自家用車を走らせることができなくなれば、人々は地方から出て行かざるを得なくなるだろう。

人々を町や都市に強制的に移住させること。これが自家用車の所有・使用を抑える目的だ（仕事や買い物にも行く必要がなくなっていくだろう）。

2021年2月、イギリスでは自動車を手放すと3000ポンドが支給されることが発表された。この3000ポンドは、公共交通機関の運賃、自転車・電動スクーターの購入費や維持費などに充ててくださいということだろう。公共交通機関を利用できない高齢者や体の弱い人、自転車やスクーターの運転がおぼつかない人は、家にいるか、都市部のアパートに引っ越すかというシンプルな二択を迫られる。

M16 MULTICULTURALISM 多文化主義

多文化主義は、ナショナリズムを破壊するための初期の試みとして導入された。ロンドンで開催された異様で不評な千年祭は、イギリスのナショナリズムを根絶するために考案されたアジェンダ21の初期バージョンだったのだ。

多文化主義に反対する人は皆、人種差別主義者として非難される。

M17 MURAKAMI (HARUKI) 村上（春樹）

「誰もが心の奥底で、世界の終わりを待っている」。

N1 NAMED PERSON 指名された人

スコットランド政府は「すべての子どもに保障を（Getting it right for every child）」という政策を掲げている（必然的にGIRFECという頭文字を取ることになる）。これは、スコットランドで生まれたすべての人に、国が指名して保護者を割り当てるという制度だ。アジェンダ21の崇拝者にとっては残念なことに、このナンセンスは最高裁によって阻止された。最高裁が一瞬だけ、良識を見せたのだ。しかし、このナンセンスは間違いなく復活し、導入に向けた動きが再び活性化するだろう。

この理念は、子どもや若者が支援を必要としているとき、助けに応じる役割を負う人を国が指名するというものだ。子どもたちが成長するにつれ、担当者は保健師から校長先生へと代わっていく。大規模な学校では、1000人以上の児童・生徒の担当者が校長になることもある。このような新たな責任を、教頭は喜んで担うだろう。私はそう確信している。

N2

NANNY STATE
過保護国家

過保護国家は何十年も前からエスカレートしてきた。政府は私たちを①国家に依存させ、②国や政府の言いなりにさせ、③「政府がもっとも物事に精通している」、「政府は、国民が最大の利益を享受できるように尽くしてくれている」と信じ込ませようとしている。

イギリスでは現在、国民の4分の1以上が国からお金・機会など何でも提供されており、その割合は急速に増加している。国の補償が唯一の資金源となっている家庭で育った人が何百万人もいるのだ。

余談だが、スコットランド政府は新たに「ヘイトクライム・公共秩序法案」を導入しようとしている。この法案は、事実上すべての論評、批判、ユーモアを違法とするものだ。

N3
NATIONALISM
ナショナリズム

ニューワールドオーダーにナショナリズムが生き残れる余地はない。世界政府を計画している私たちの新しい支配者は、ナショナリズムの兆候をすべて、些末で危険なものとして根絶するだろう。アジェンダ21は、ナショナリズムと対極の立場にある。

例えば、スコットランドの独立とEUへの再加盟に投票する運動家は、まったく正反対の2つのことに投票していることになる。スコットランドの有権者のうち、何人がこのことを理解しているだろうか？　スコットランド国民党（SNP）はアジェンダ21を推進し、EUを支持し、同時にスコットランド独立を推進しているようだが、どうやらSNPの誰も、この矛盾を理解していないようだ。しかし、スコットランドがEUに再加盟すれば、スコットランドはEUの中の一地域に過ぎなくなる。何が起ころうと、アジェンダ21が成功すれば、スコットランドの独立はあり得ないのだ。

個々の国は、大国だろうが小国だろうが、すぐになくなってしまう。どんなに愛国心の強い国民であっても、破滅の一途を辿る母国を救うことはできないだろう。

非常に短い時間で、国旗、国家、国歌といった存在は1つたりとも残らずなくなってしまうだろう。そして１つの世界、１つの旗、１つの国歌、１つの軍隊、１つの政府、１人の指導者が存在することになるのである。

N4 NEW NORMAL ニューノーマル

人々は、言われた通りにすれば物事が正常に戻ると信じ込まされてきた。しかし、新しい常識を押し通そうとしている人たちを打倒しない限り、物事は決して元には戻らないのだ。彼らが計画しているニューノーマルというのは、２０２０年を延々と繰り返すようなことだ。

N5 NIEMÖLLER (MARTIN) ニーメラー（マルティン）……ドイツの牧師、反ナチ運動家

「最初に社会主義者が攻撃されたとき、私は声を上げなかった。私は社会主義者ではなかったからだ。その後、労働組合員が攻撃されたとき、私は声を上げなかった。私は労働組合員ではなかったからだ。そして、ユダヤ人が迫害されたときにも、私は声を上げなかった。私はユダヤ人ではなかったからだ。その後、彼らは私（＝教会）を攻撃してきたが、私のために声を上げてくれる人は誰も残っていなかった」。

N₆ NIL BY MOUTH 飲食禁止（NBM）

NBMとは「Nil by Mouth」の略で、いまや高齢の患者の病床で非常によく見かける文字だ。これは、政府が承認した合法的なリバプール・ケア・パスウェイ（1990年に開発された、看取りのケアのクリニカルパス）の一環であり、患者が公式に餓死させられていることを意味する。なかでも、もっとも不快感を与える死は脱水症状であろう。

患者のカルテやベッドの端にNBMという文字が書かれている場合、それは通常、医師や（おそらく半端にしか訓練されていない）看護師が、その患者が餓死や水分不足で死ぬときが来たと判断したことを意味する。この種の決定は、かつては経験豊富なベテラン医師のチームが行っていた。今日では、これらの決定は若手の医師や看護師によってなされている。

英国統計局によると、2020年前半には、病院や介護施設で345人の患者が喉の渇きで死亡したという。

N7

NON-GOVERNMENTAL ORGANISATION (NGO)
非政府組織（NGO）

信じてもらえないかもしれないが、非政府組織とは、政府の管理下から独立した非営利法人のことだ。NGOは、政府と民間企業の間の気楽な立ち位置にいる。NGOにはほとんど規制がなく、利益を上げることは想定されていないが、スタッフの暮らしは非常に豊かである。結構なことだ。莫大な給料、莫大な年金、莫大な経費の計上により、ほとんどのNGO職員はすこぶる良い生活を送っている。従業員は、税金をあまり払わないこともある（彼らは世界を気遣い、表向きは世界をより良い場所にしようとしているはずなのだが）。覚えておいてほしいのだが、国連職員も税金を払うことの正当性を信じていない。

O1

OFFENCE
無礼

私たちは、ほんの些細なことでも怒らなければならないと教えられている。だが、自分の意見を述べる勇気のある人はほとんどおらず、私たちは周りに不快感を与えて重大なトラブルに巻き込まれないよう常に気を遣っている。

O_2

OIL
石油

温暖化の狂信者は、石油（およびその他の化石燃料）の使用をやめさせようとしている。

石油を使わせないようにしたい理由はいくつかある。私たちが旅行するのをやめさせ、新しいスマートシティに閉じ込めておきたいのだ。化石燃料が地球温暖化の原因になっているように見せかけることで「地球を救うために、石油・石炭・ガスには手を出してはいけない」と説得することができるのだ。石油の使用をやめれば、他にも多くの利点がある。例えば、物価が上昇し、その結果、不動産を所有している人や貯蓄を持っている人を困窮させることができるといったことだ。年金基金や投資口座がダメージを受けることで、中産階級は困窮する。だが、電気に頼らざるを得なくなることで、かえって地球の破壊をエスカレートさせるだろう。風力発電や太陽光発電だけで必要な電気量を得るのは簡単なことではなく、発電の効率も悪いからだ。石油の使用が禁止されると、私たちはバイオ燃料（食物から作られる燃料）の使用量を増やさざるを得ない。食料を燃料として使用すると、飢餓を招いて世界人口の減少に拍車がかかることだろう。

地球温暖化カルト信者（その多くは自分の行動がどのような結果を引き起こすか理解していない）と

彼らに協力しているロビイスト集団は、大手石油会社に化石燃料の取り扱いを放棄させ、浮いたお金でソーラーパネルなどの無意味なものを設置させようと必死になっている。世界最大の石油会社であるシェルとBPは、石油を販売していることを恥ずかしく思っているようだ。両社とも（おそらく高価で実りのないものになるであろう）「環境にやさしい」エネルギー源に多くの資金を費やし、石油探査事業から手を引いている。

もしロビイストたちが石油会社に採掘をやめさせることに成功すれば、結果として、陸、海、空の交通手段がなくなり、飢えや寒さで何十億もの人々が死ぬという大惨事になるだろう。「『新しい』世界では化石燃料など使われない。したがって、地中に埋まっている石油、ガス、石炭は『座礁資産』になる（＝価値を損なう）」と、地球温暖化の神話学者はあらゆる機会を利用し、投資家に警告している。しかし、化石燃料が「座礁資産」となるのは、何十億もの人々が飢え死にや凍死を覚悟したときだけだ。

第2次産業革命から現在に至るまで、私たちの生活のあらゆる面で石油がいかに重要な役割を果たしてきたか。地球温暖化論者たちは、そこのところをよくわかっていないのではないかと思う。

現代の文明は石油で成り立っている。石油のおかげで、私たちはエネルギーを安価で享受することができた。安価なエネルギーがあってこそ、私たちはこの世界で富を築き、進歩を重ね、複雑な文明を作り上げることができた。近代的な農業を可能にした立役者も石油だ。石油が使えなくなると、私たちの富は失われていってしまう。

しかし、馬が畑を耕し、地域社会が独自の判断を下していた19世紀の生活に戻るのではなく、私たちは社会の完全なる崩壊という具現化した悪夢の中に生きることになるだろう。文明が崩壊すると、世の中に暴力が横行する。歴史上何度も繰り返されてきたサイクルだが、私たちにも同じことが起こるだろう。私たちの子孫は、繰り返される過去の歴史の中で生きることになる。

だが、アジェンダ21を支持する人たちにとって、これは災害ではない。成功なのだ。

O_3 OPERATION LOCKSTEP 密集行進作戦……ロックフェラー財団の企み

2010年、（多くの組織と同様に、すばらしい慈善団体だと自称している）ロックフェラー財団は、あらかじめ計画していたシナリオの演習を実施した。これは秘密裏に行われたわけではないが、別に公開されていたわけでもなかった。

密集行進シナリオは、ロックフェラー財団が提示した4つのシナリオのうちの1つで、世界中で何百万もの人々の命を奪う、人獣共通感染症のウイルスパンデミックを利用したものだ。

このシナリオには「政府のトップダウンによる統制が強化され、権威主義的なリーダーシップが発揮され、イノベーションが制限され、市民の反発が強まる世界」が描かれていた。

事実上の戦争ゲームのような状況下で、新種のウイルスは人口の20%を殺し、産業、観光、経済、サプライチェーンに壊滅的ダメージを与えた。小売店は何か月もの間、閉鎖され、やがて閉店した。この新型のウイルスに対する、各国の対応はさまざまだった。中国は強制的に検疫を行い、国境を封鎖した。こうした政策により、多くの命が救われた。一方で西洋諸国の対応はあまりにも手ぬるく、結果として多くの死者を出してしまった。世界中の政治家は、駅や店などの公共の場で体温を測るよう国民に命じた。パンデミックの終わりには、それまでに導入された抑制措置が維持され、今後の流行を防ぐために強化された。世界中の市民は（より安全な状態を確保し、失われた安定を取り戻したい一心で）プライバシーを放棄し、強制的な生体認証ID導入を受け入れた。国家はよりいっそう支配を強め、政治指導者は、適切だと感じた新しい法律を自由に導入できるようになった。何百万もの人々が自宅に監禁され、人間ドックを強制されることが当たり前になった。

ロックフェラー財団が夢想したシナリオと、2020年の詐欺の結果として起こったことに、大きな違いを見いだすことは難しい。

財団のシナリオは、自由や地位、チャンスを失った人々が新しい法律に異議を唱えることで、轢《あつ》轢《れき》が散発的に発生することさえも予見する内容だった。また、心的外傷によるストレスも増加していた。多くの国で医療戒厳令が導入され、「症候群サーベイランス（感染症拡大防止を目的に行われる、発生状況の把握）」と呼ばれるものが増えていった。

ここで述べられているシナリオは、2019年に世界経済フォーラム、ビル＆メリンダ・ゲイツ財団、ジョンズ・ホプキンス大学マイケル・ブルームバーグ公衆衛生大学院の健康安全保障センターがコーディネートした企画イベント「イベント201」と異常なまでに似ている。

イベント201では、6500万人が死亡すると言われているパンデミックがメインテーマに据えられた。そして「このウイルスから人類を守るには大企業からの多くの『支援』が必要だ」と暗に言うかのような見解が語られた。

どちらのシナリオも、行動面、医療面、デジタル面の監視とコントロールが行われている世界が描かれていた。民主主義と自由が失われ、すべての権限は当然、国が持ち、個人には何の力もない封建的な世界で、強制的な治療が導入されるというものだった。

もちろん、これらのシナリオはよく考えられた予測にすぎないと言い張ることもできる。しかし、もしそうだとしたら、当時の主催者はそれを宣伝し、自分たちの先見性を誇りに思っていたのではないだろうか？

O4 ORWELL (GEORGE) オーウェル（ジョージ）……イギリスの作家、『1984年』など

「普遍的な欺瞞の時代には、真実を語ることが革命的な行為となる」。「他の現代人と同様に、イギリス人も番号を振られ、ラベルを付けられ、徴兵され、『調整』される過程にある。しかし、国民は別の方向へと引っ張られていき、人々に課せられる統制は結果的に変更されるだろう」。

O5 OTHER DEATHS その他の死因

イギリスでは、2020年の3月から9月の間に、さまざまな病気の発生率が急上昇した。そして、それらの深刻な病気による死亡者数も劇的に増加し、乳がんによる死亡者数は47%、前立腺がんによる死亡者数は53%増加した。これらの死亡者数の増加は、病院や診療科が閉鎖されたことや、政府やメディアが恐怖心を煽ったことで、人々が病院での診療を怖がるようになったことなどが一因となっている。

O6 OUTCOME BASED EDUCATION 成果主義教育

「成果主義教育」の目的は、事実上、コミュニティだけが重要視される地球規模の集団生活を受け入れるよう、子どもたちに教え込むことだ。子どもたちは、従順であり続け、集団で行動し、自分や親を地球にとって脅威であるとみなし、対立を避け、考えることを避け、想像力をコントロールするよう叩き込まれる。若者たちは（２０２０年に導入された一時帰休制度など）政府による給付制度に依存することを覚え、仕事、財産、所有物、野心において、親たちとはまったく異なるスタンスをとるようになる。

学生たちは、テストで正解を答えるように教えられ、自分でものを考えたり、創造性を発揮したりすることはない。若者は、共同体主義的な考え方を受け入れ、個人の権利を放棄するように教え込まれている。

O7 OVERPOPULATION 過剰な人口……何十年も続く神話

世界は人口過剰であるという神話が何十年も前から広まっている。だが実際、世界には70億人以上の人口に十分な食料を供給できるキャパシティがある。今日《こんにち》の問題は、食料が不足していることではなく、往々にして食料が誤った場所に存在していることだ。その結果、一部の国では食料がたびたび無駄になり、他の地域では何百万もの人々が飢えているのである。より優れた、より簡単な農法を導入することで、食料生産量は増やすこともできる。実際、世界は人口過多どころか人口不足であると主張するほうが簡単だ。

アジェンダ21の信奉者たちは、世界に必要な人口は現在よりもはるかに少ないと考えており、世界人口の90%を排除したいと考えている。

しかし、個々の国が人口を減らし始めたとき、個々のリーダーはどのようにお互いを信頼するのだろうか？

例えば、すべての国のリーダーが「まず、自国の人口を50%だけ減らす」という約束をしたとして、他のリーダーがその約束通りに行動することをどうやって知ることができるだろうか。結局のところ政治家は正直者ではないし、手放しで信頼できるかというとそうでもない。そして、軍縮がスムーズに進んだためしはない。

もし、ロシアのプーチン大統領のような人が、他国のリーダーが人口を減らしている間、自国に関しては人口を減らすふりをするだけだと決めたらどうだろう？　そうすれば、彼の国は他国に対して大きなアドバンテージを得ることができる。そうなると、やがてロシアは人口世界一の国となり、世界征服を達成することだろう。

ちなみに、人口過剰を主張する人たちは、自分たちの警告をあまり真剣に受け止めていないようだ。フィリップ殿下、ウィリアム王子、ビル・ゲイツ、ボリス・ジョンソン、スタンレー・ジョンソンには、かなりの数の子どもがいる（ボリスのおかげで、これらの男たちの血を引く子どもが合わせて何人いるかはわからないが。ボリス・ジョンソンは正確な数はわからないが、数多くの女性との間に多数の子どもをもうけていると言われている）。

（英国王室のメンバーを筆頭にした「世界は人口過剰だ」と信じている多くの人々と同様に）ジョンソンは偽善者である。「淘汰《とうた》されるべきは、自分たち以外の人々である」と彼が考えているのは明らかだ。

P1 PAINE (THOMAS) ペイン（トマス）……アメリカの革命思想家

「争いが困難であればあるほど、勝利もまた輝かしいものとなる。あまりにも安く手に入れたものは、あまりにも軽んじられる。すべてのものに価値を与えるのは、親愛の情だけである」。

P2 PARETSKY (SARA)
パレツキー（サラ）……アメリカの推理作家

「真の悪事は、裏切り、拷問、精神の蹂躙《じゅうりん》にある」。

P3 PASSWORD STORAGE
パスワードの保存

ネット上のつながりが増えれば増えるほど、覚えなければならないパスワードの数はＴｏｐｓｙなどのＳＮＳ分析サービスがカバーできる範囲をはるかに超えて増えていく。もちろん、すべてのアカウントに異なるパスワードを使用することが推奨されているが、パスワードを書き留めないことも推奨されているため、これでは混乱してしまうに決まっている。

しかし、すべてのパスワードをクラウド上の便利なオンライン・ストレージに保存できるオンラインアプリがある。

世界にはいつだって、一定数の愚か者が必要なのである。これらのサービスを利用する（愚かな）若者たちには、これからも利用を継続してほしいものだ。

これで詐欺師たちが忙しくなり、金持ちになって、私たち市民のことを放っておいてくれるようになればありがたいのだが。

P_4 PENSIONS 年金について

老人は不要な余りもので、世界経済の足を引っ張る迷惑な存在であると考えられている。イギリスの公的年金制度は先進国の中でもっとも手厚さに欠け、国内の若き運動家たちは、この年金がさらに不十分なものになるように努力している。冬の寒さが厳しくなると、何千人もの高齢者が十分な食料を買うか、家を暖かく保つか、いずれかを犠牲にする選択を迫られる。十分な年金も支払われず、イギリスでは毎年冬になると約６万人の高齢者が寒さのせいで亡くなっている。

２０２０年末には、この年の出来事（具体的には非常に多くの高齢者が亡くなったこと）によって、英国政府は６億ポンド、企業は６００億ポンドの年金支払いが浮いたと言われている。

P_5 PETS ペット

「ニューノーマル」において、ペットの居場所は絶対にない。スマートシティでは、ペットは邪魔であり、「所有権」の表れであるため、許可されないだろう。さらに、ペットは病気を蔓延させる可能性があると考えられている。

一方、犬にマイクロチップを入れることを飼い主に義務付ける法律がある。純粋な人であれば、自分の犬が迷子になっても見つけやすくするためだと思っている可能性はゼロではない。しかし「政府は私たちの飼い犬が迷子になっても大丈夫であるよう気にかけてくれている」なんて信じる人が本当にいるのか、甚《はなは》だ疑問である。マイクロチップのおかげで、権力者たちは犬だけでなく飼い主の居場所も監視することができる。そして、公式に義務づけられたマイクロチップはもちろん、誰がその動物を本当に「所有」し、管理しているかを表している。

P6 PHILANTHROPY 慈善活動

現代の億万長者は、実際にお金を寄付するという痛みを伴わずに、慈善家として見られたがる。例えば、2012年、テスラのイーロン・マスクは「生涯のうちに自分の財産の半分を寄付することを誓う」と言った。2018年には、数年ごとにテスラの株を1億ドル程度売却して慈善活動に役立てることを約束した。しかし、彼の大規模な支払いが始まるのは20年後なのである。

ビル・ゲイツは慈善家として広く知られている。しかし、彼の寄付は、世界の健康問題に対する彼の支配力を強固なものにしている。

P7 PLAN 計画……国家主権を根絶やしに

人を殺すことで世界の人口を減らすことは別として、2020年に故意に仕組まれたヒステリーや、入念に練られた計画のもと引き起こされたパニックには、何の意味があったのだろうか。

もちろん、答えはいたってシンプルである。

その計画とは、私たちの生活を破壊し、アジェンダ21を推進する狂人たちに合わせて世界を再設計し、いまだに欲が尽きず、いわばトリリオネア（純資産1兆通貨単位以上）になりたいと思っている億万長者たちを喜ばせることだった。

さらにその計画は、世界中すべての国の社会構造を変え、億万長者や特権階級者のリスト（英国王室のメンバーやトニー・ブレアは明らかにこのリストに載っていた）に載っていない人々の経済状況を不安定にし、私有財産の制度を廃止し、医療を破壊し、プライバシーを排除し、世界を恐怖に陥れてニューワールドオーダーを受け入れさせるというものだった。

大金持ちはもちろん、このルールを免除される。その初期の例として、2020年末に英国政府は、ヘッジファンド・マネージャーや都市のディールメーカーを隔離規定から除外することを発表した。

アジェンダ21のカルト信者たちは、教育を改革したいと考えている。彼らは、学習をやめさせて、ただ延々とテストを繰り返すだけの教育に変えていきたいのだ。今のところ、学校は刑務所に変えられようとしている。新しい学校や大学には、なぜあんなに高い門や壁があるのか、不思議に思ったことはないだろうか？ それは生徒を閉じ込めるためであり、侵入者を防ぐためではない。将来、教育はインターネットで管理されるようになるだろう。休校も、計画の一環なのだ。休校に賛成した教師たちは、まさに億万長者の思惑通りに行動していたのだ。

彼らは私たちの動きをコントロールし、旅行を止めようとしている。じきに、どこにも行けなくなるだろう。航空会社はあとどれくらいもつだろうか？（エリートがいつでもどこでも好きなところに行けるようになるので、自家用飛行機がブームになるだろう）。

彼らは自家用車をなくそうとしている。そして、ごく少数の人には電気自動車の運転を許可するかもしれないが、すでに「自家用車の動力源として電気を使っている人には、電気の供給を停止する」という脅しをかけている。電車やバスに未来はないだろう。

彼らは、私たちを大都市の高層ビルに作られた小さなアパートに閉じ込めたいのだ。私たちを田舎から閉め出し、農村部に人がいないようにしたいのだ。

私たちの食べ物は、農場で栽培されるのではなく、研究所で作られるようになるだろう。彼らは、昔ながらの方法で育てられた食べ物を食べさせないようにしたいのだ。私は30年以上、肉を食べていない。何十年もの間、食肉用に動物が飼育されるのを阻止するために運動を起こしてきたが、それでも、従来と食料の生産方法がまったく変わるとなると、私たちの食生活に変化がもたらされることに強い懸念を抱かずにはいられない。新しい食品はどれほど安全なのだろうか？　遺伝子組み換え食品が安全なのかということには大きな疑問があるが、自分たちで食料を栽培・飼育しない限り、（安全であろうがなかろうが）それを食べざるを得ないのだ。

彼らは私たちの働き方を変えようとしている。何百万もの仕事がロボットに譲り渡されていくのだ。医者、弁護士、教師などの実習を受けている人たちは、せいぜい10年程度しか仕事をできないだろう。それらはすべて、コンピューターやインターネットに取って代わられるだろう。

彼らは、私たち全員が国に依存し、生活に必要なだけの、定額の週給を受け取ることを望んでいる。

彼らは、私たちをコントロールし、病気にかかりやすく、貧弱にして、製薬会社の利益を確実に上げるために、定期的に予防接種を受けることを望んでいる。

彼らは、私たちから野心や希望を根こそぎ奪ってしまいたいと思っている。だからうまくいかないことはすべて自分のせいにすることを覚えさせようとしている。恥ずかしさを感じている人のほうがコントロールしやすいからである。

そして何よりも、世界の人口を90%ほど減らしたいと考えているのだろう。病院では、65歳以上、場所によっては45歳以上の患者に「蘇生処置の拒否」という通知を出している。高齢者や病人は淘汰されようとしている。数十億人が死ぬことになるが、世界中の遺体安置所に並ぶ政治家や億万長者の数はそれほど多くないのではないかと思う。アフリカでの規制により、数百万人という途方もない人数が死ぬことになるのは都合がいいことなのではないだろうか？

これで、過疎化計画が好スタートを切れることだろう。

世界規模で、中国ですでに導入されているような「社会信用システム」が導入されようとしている。その結果、私たちが悪さをすれば罰せられ、言われたとおりにすれば報われるようになっていくのだ。何を食べたか、どれだけお金を使ったか、誰と付き合ったかによって罰せられることだってあるだろう。私たちの行動はすべて監視され、評価されるのである。

彼らは自分たちに仇《あだ》なす存在を一切の例外なく潰し、破壊しようとしている。デモは禁止され、政党は厳しく管理され、メディア（インターネットを含む）は「認められた」コンテンツのみが配信を許可されることになるだろう。

彼らは国家主権を根絶やしにしようとしている（ヨーロッパでは、何年も前からEUを利用してそれを行っている）。そして、子育てにおける国の役割を増やしたいと思っている。

彼らは何十年も前からこのような計画を立てていたのだ。

P8 POLICE 警察……いったい誰の味方なのか

民主主義や市民的自由の喪失に抗議する人々。2020年の出来事に対する大げさな政治的対応。それらに対して、世界中の警察の態度が変わってきている。それゆえ、これが計画されたものだと信じないわけにはいかない。

警察は今、自由を奪われることに反対する平和的考えのデモ参加者たちに乱暴を働いている（しかし、注目すべきは、黒人の命や地球温暖化という神話について抗議している人々には敬意が払われているということだ。ブラック・ライヴズ・マターのデモ参加者が暴力的で破壊的な行為をしても、警察は身を引いて、彼らを擁護する証に膝をついたりする。地球温暖化論者が何時間も交通を止めているとき、警察は彼らに話しかけ、一緒に踊り、写真撮影のポーズをとるなど、デモ参加者たちの信念に賛同していることは明らかであった）。

もし老婦人が自由を奪われたと抗議しても、彼女は手荒く扱われて警察のバンの後部座席に放り込まれるだろう。いったん逮捕されると、何時間も拘束されることになる。彼女が何の法律にも違反しておらず、何の罪にも問われないことが明確であっても、このような理不尽な目に遭うのだ。

奇妙なことに、警察が自由を奪われることに抗議する市民を逮捕するのに大忙しだったとき、彼らはソーシャルディスタンスを無視し、自分たちの健康や、手荒な扱いを受ける人々の健康を気にかけていないように見えた。

警察は市民を守るために雇われているのに、その信頼を裏切るように勧められ、命令されている。政権につかせてくれた国民を叩きのめすことを決断した全体主義の政府に対して反対の姿勢を示しただけで、何の法律も犯していないし、何の悪いこともしていない70歳の女性を逮捕するためだけに（男女問わず）いったいどれだけの勇敢な警察官が雇用されたのだろうか？武装しておらず脅威ではない市民を1人逮捕するのに、30人近くの警察官が関わっているとなると、警察は少しばかり混乱しているのではないかと思う。

さらに、私は警察が個人的にも職業的にも大きな過ちを犯したのではないかと心配している。彼らは悪の勢力の歩兵となってしまったのだ。

警察官たちは、自ら進んで（あるいは脅されて）悪の勢力に加担してしまっている。その代償を、彼らは家族とともに払わなければならない。そのような代償があることなど、きっと誰も説明を受けていないのではないだろうか。

もし警察が自分たちの立場や舞台裏の思惑について何かしら知っているとしたら、巨大な政治的権力闘争が行われているとわかるだろうし、起こっていることの全体像が見えたら、彼らだって黙っていないだろう。

勇敢な老婦人を何人か殴っておけば、グローバル・リセットが行われたときに自分たちが権力の座につくことができると考えているのであれば、それは深刻な思い違いである。彼らは、自分たちが理解していない戦争における、間に合わせの駒に過ぎないのだ。

彼らの行動はそのまま、彼ら自身の首を絞めることになる。警察官は、自分たちの行動のせいで、地域で孤立した存在となるだろう。彼らは命令されたことを実行するが、彼らが作るのを手助けしている新しい世界に、自分や家族が利用できる医療は存在しない。彼らの子どもたちは、生き残ったとしても、教育を受けられずに育ち、奴隷として働かされる。お金だって、ほとんど、あるいは全く持てない。そして、仕事もない。

警察は気づいていない。彼らにはまったく未来がないのだ。彼らは、歴史上最大の陰謀を助け、国民が恐怖にうろたえ服従する風土を作り出すために利用されているにすぎない。目的を果たしたら解雇されることを（全員とは言わないまでも）、ほとんどの警察官が、まだ理解していないのではないだろうか。ロスチャイルド家、ルーズベルト家、ロックフェラー家、ゲイツ家、マスク家、英国王室などが自分たちのことを気にかけてくれていると思っている警察官がいるとしたら、それは悲しいかな、大きな勘違いである。

グレート・リセットが行われた後、警察の居場所はなくなる。密告者やスパイ、ロボットやドローン、そして力が必要な場合には軍隊に、一斉に取って代わられるだろう。

もちろん、これらはすでに起こっていることだ。警察は愚かにも政府に協力し、密告者が隣人を告発するのを奨励している。私たちが間もなく住むことになる恐ろしい社会のモデル、すなわち私たちのニューノーマルとされるグレート・リセットのモデルとなっている中国当局は、すでにロボット警察官を使っている。そして、ドローンが至るところで活躍している。

そして、もし抗議行動が市民の不服従につながれば、そのとき警察は脇に追いやられ、軍隊に取って代わられることになるのは明白である（それこそが、政治家たちが本当に望んでいることなのだが）。ゴム弾であれ鉛の実弾であれ、銃弾が使われることになり、一般の警察官は家に帰され、すべてをテレビで見ることになるだろう。

弱い者いじめをする警察官たちは、アジェンダ21の計画通りに事が進めば、1年か2年のうちに全員が余剰人員となることを知らされているのだろうか？

そして、ビル・ゲイツや英国王室が支持する人口減少計画がいよいよ実行に移され、地球上に残る5億人の中に自分たちが選ばれなかったとき、警察官たちはどうするのだろうか？「2年後には仕事がなくなる」、「実際、警察にはいかなる未来も存在しない」と警告されているかどうかは疑問である。

もし警察が何らかの未来を望むのであれば、地球温暖化論者（彼らは皆アジェンダ21の専制政治のために戦っているが、多くはそれに気づかず、自分たちがどのように操られているかを理解するにはおつむが足りない）を逮捕し、この独裁政治からの自由を求めて戦う人々を助け、励ますべきである。

P9

POLITICAL CORRECTNESS
ポリティカル・コレクトネス……政治的に妥当な表現の行き過ぎ

「ポリティカル・コレクトネス」が私たちの自由を破壊している。私たちは新たな清教徒となり、公式見解に疑問を呈する勇気のある人を悪者にしている。ウド・ウルフコットが言うように「私たちは、小さな老婦人をいじめて悪者にし、火あぶりにするという悪い習慣を持っていたピューリタンの後継者なのだ」。

ディズニーは『ダンボ』『おしゃれキャット』『スイスファミリーロビンソン』などの映画を子どもたちに見せないようにしている。

『おしゃれキャット』は、シャム猫が登場することから「アジア人をステレオタイプに描いているのではないか」と視聴者からクレームがついたため、子どもにはふさわしくないとされている。『ダンボ』は、サーカスで働く登場人物の中に黒人労働者が出てくるため、子どもたちへの上映が禁止されている。『スイスファミリーロビンソン』は「人や文化に対する否定的な描写や不当な扱い」が含まれている可能性があるため、上映が禁止されている。

P10 POLITICIANS 政治家

誠実な政治家は、今や鶏の歯や雌馬の巣のように珍しい存在だ。あまりにも多くの政治家が操り人形として踊っているので、下院議員だけでもたくさんの劇団を作ることができそうだ。世界中を見渡しても、政治家ほど不誠実な職業はない。刑務所に入っている政治家の割合は、弁護士、医者、ジャーナリスト、不動産業者よりも多い。

P11 POPE FRANCIS フランシスコ教皇

フランシスコ教皇は、２０２０年10月に「経済政策が社会的な利益を生み出せなかったことは、今年の危機によって証明された」と述べた。もちろん、これには何の証拠もない。また、共産主義が社会的利益を生み出したことや、共産主義が世界を改善した証拠もない。

この他にも、フランシスコ教皇は「私有財産は絶対的な権利とは言えない」と述べている。たくさんの使用人と私設軍隊に世話をされている男が言うのだから、これは極めて偽善的だ。彼は国さえも所有しているというのに。

この馬鹿げた話は「アジェンダ21」にぴったりと当てはまる。ちなみに、フランシスコ教皇が国連のアジェンダ21の推進に熱心であることを疑う人は、教皇が「世界システムの脆弱性」という理由で資本主義を非難していることに注目すべきである。また彼は、国連が私有財産権を悪とみなし、準共産主義的な政治運営に熱中していることから、財産権を「二次的な自然権」と表現している。

P12 POPULATION 人口

世界の人口増加率は1970年代以降低下していると言われるが、その理由は男性の不妊症が増えているからだと考えられている。科学者たちはその状況に戸惑っているようだが、私は2つの原因があると思う。

まず、飲料水には大量のエストロゲンが含まれているという証拠がある。このエストロゲンは、避妊用ピルを服用した女性の尿が原因になっているのだ。下水処理業者は「処理済み」の水を飲料水の元となる川に流しているが、水からエストロゲンを取り除き、淡水に戻すということは不可能だ。

権力者たちは人口増加を抑制するために、薬物、特に注射薬を好んで使ってきた。

P13 POSITIVE DISCRIMINATION 積極的差別

イギリス国内でも、特にあからさまで重大な人種差別が積極的差別だ。性差別についても同じことが言える。

芸術、演劇、テレビ、出版などの分野では、女性や非白人の参加者が圧倒的に優遇されている。これを積極的差別という。BBCは多様性を重視しているが、彼らにとっての多様性とは白人、男性、高齢者ではない人を優遇することである。

2020年10月に気づいたのだが、『ニューヨーカー』誌では、黒人のことは頭文字に大文字を使って「黒人の男性（a Black man）」などと書き表すのに、白人のことは「白人の17歳（a white seventeen-year-old）」としている。このあからさまで哀れな形容詞的人種差別こそが差別を助長している。これは人種差別を構築する以外の何物でもないのだ。そして、それが逆に人々を怒らせている。

雑誌の編集者が気づいているかどうかは不明だが、一部の単語の頭文字に大文字を使うのは、新聞社や有名人に手紙を書くときに精神異常者が好む特徴である（『水曜日にみんなを撃って殺すつもりです（I am going to Shoot and Kill Everyone on Wednesday』といった予告などがまさにそうだ）。

P14 POSTAL DELIVERIES 郵便物の配達

権力者たちはすべての人をスマートタウンに住まわせる計画を立てている。田舎での郵便配達がなくなるのも時間の問題だろう。田舎に住んでいる人は、郵便物を受け取るために近くの町まで車で行き、郵便局の前に並ぶことになる。その上、公共交通機関がなく、車も厳しく管理されてしまうと、高齢者や体の弱い人、貧しい人にとっては極めて酷な状況になる。

P15 POWER CUTS 停電

電力供給が停止されるのはいつだろうか？　遠くない未来、大規模な停電になることは間違いない。問題は「いつ」起こるかということだ。

やがて送電網は機能しなくなるだろう。

もちろん政治家たちはロシア、北朝鮮、イラン、中国を非難するはずだ。あるいは想像力を働かせれば、火星や天王星の奥深くに隠れている刺激的なハッカーたちのせいにするかもしれない。

しかし、それは真実ではない。

停電になると、世界規模で電力がシャットダウンする。それも計画的に。

では、停電はいつ起きるのか？

北半球では12月から3月にかけて起きれば被害がもっとも大きくなるだろう。

また、クリスマスを廃止するというアイデアは、私たちの生活から喜びをむしり取りたいと考える闇の担い手に人気があると言える。キリスト教を根絶するための小さな一歩となるからだ。電力供給がなければ、世界中の何億人もの高齢者たちが寒さで死ぬことになる。権力者たちは天候をコントロールしており、彼らにとっては嵐や寒気を生み出すことはさほど難しくない。

自分の家を見渡して考えてみてほしい。

私たちは完全に電気に依存している。

電気がないと、照明は使えず、ほとんどの暖房器具は使えない。冷蔵庫の中の食べ物は腐ってしまう。発電機があっても、燃料ポンプに電気が必要なため、燃料が切れてしまい、スーパーやお店は閉店せざるを得なくなる。当然のことだが、テレビやパソコンも使えない。インターネットや携帯電話も使えず、iＰａｄを充電することもできない。ＡＴＭも使えず、銀行も閉まってしまうので、お金にアクセスすることもできなくなる。

道路は混沌とし、ショッピングセンターでは食料を求める暴徒たちによって略奪行為が繰り広げられるだろう。街灯がなければ、街は暗くなる。信号機がなければ、事故が多発する。ガソリン車やディーゼル車は、タンクに燃料が残っていれば走れるが、電気自動車は電気が止まってしまえば動かなくなる。そして市民による不服従運動が広まり、政府は戒厳令を導入するだろう。

復旧に数週間を要する大規模な停電が発生した場合、どのように対処するのかを今のうちに考えておこう。１か月間、電気がなくても大丈夫か？　電気なしでどうやって生活するか？　どうやって暖をとるか？　食料のストックはあるか？

あなたは何も起こらないと思っていないだろうか？

少し前までは、私もそう思っていた。

しかし、よく考えてみてほしい。病院の診療科やお店、会社、学校などが正当な理由もなく閉鎖させられると予期できただろうか？

私たち全員が自宅に軟禁されると思っていただろうか？

世界最大の詐欺事件を引き起こし、管理してきた人々は、自分たちが望むもの、つまり人口減少、世界政府、完全支配を実現するためには手段を選ばない。

今こそ、よりシンプルな生活を送るために頭を使い、計画を立てるべきときだと思う。缶詰や懐中電灯、電池付きのラジオなどを買い込んでおくのもいいかもしれない。昔ながらのダイヤル式の固定電話もまだ使えるはずだ。あなたやあなたの大切な人たちがそれを持っていればコミュニケーションを取るのに役立つだろう（伝書鳩は、人間が捕まえて食べてしまうので役に立たない）。

停電への備えは決して無駄にならない。準備をしていなければ、すべてを失う可能性だってある。

P16 PREDICTIVE PROGRAMMING 予言番組

近年、未来を予言する番組が頻繁に作られるようになった。『ビッグ・ブラザー』というテレビ番組を見ている視聴者は、常にカメラで監視され、たとえ奇妙な命令であっても人々が従うようになる状況に慣れるよう洗脳されている。また、『アイム・ア・セレブリティ…ゲット・ミー・アウト・オブ・ヒア！』という番組は、人々が昆虫を食べることに慣れ、快適でなくても最低限の日常生活を送れるように企んでいるようだ。

P17 PREVENTIVE MEDICINE 予防医学

アジェンダ21を支持する人々は、将来的に医療行為は予防医学プログラムを中心に構成されるべきであると考えている。だが、このプログラムは皆さんが想像するような、食生活の管理やアルコール摂取量の削減、禁煙、検診、定期的な運動についてのアドバイスを含む健康教育プログラムではない。

これからの医療は、一連の治療プログラムに基づいて行われるようになる。現在、子どもたちは思春期を迎える前に数十回の予防接種を受けることになっている（その回数は国によって異なる）。将来的に、このプログラムの対象者の範囲は成人にも拡大し、私たちは毎年何度も注射を受けることが求められるだろう。もしもそれを拒否したり、診療所に行かなかったりすると、「社会的信用」につながるポイントを失ってしまう。私たちは「社会的信用」に応じて罰せられることになるのだ。

P18

PRINCE PHILIP (DUKE OF EDINBURGH AND FATHER OF FOUR)
フィリップ殿下（エディンバラ公、４人の父）

「もし生まれ変わるなら、死のウイルスとして戻ってきて、人口過剰を解決する何かに貢献したいですね」。

P19

PRINCIPLES FOR RESPONSIBLE INVESTMENT
責任投資原則

国連は、投資会社が投資家に対する責任を無視して、投資判断を行う際に「環境・社会・ガバナンス要因」を考慮するように求めている。これはまさに国連の美徳のひけらかしである。実際、投資会社は国連のアジェンダ21の目的に従っていると主張することで、本来の責任を無視することができるのだ。

この「原則」に署名している企業の中には、ひどいパフォーマンスと法外な料金を誇る最悪の企業もある。国連のくだらない原則に署名している以上、誰も彼らの公正さ、能力、良識を評価しようとはしないのだ。

P20 PRIVACY プライバシー

プライバシーという概念がどんどん消えていく。やがては完全に消えてしまうだろう。ウェブカメラ、CCTV、ソーシャルメディアはプライバシーを払いのけた。私たちは常にトラッキングされ、追跡され、検査されている。まるで言われるがまま、拡大したり縮小したりするようにお互いの家を覗き見しているのだ。インターネットでのチャットは常に監視されている。どんなに隠そうとしたところで、あなたの電子メールは簡単に閲覧できる。今やあなたのすべては知られており、あなたの人生は、もはやあなたのものではない。

電子装置による盗聴、電話の盗聴、財務記録の監視などにより、プライバシーはすでに過去のものとなってしまった。イギリスでは一部の小学生に対し、両親が政府の公式見解に疑問を持っているかどうかを報告するよう求めている。また、両親がどのようなテレビ番組やウェブサイトを見ているかなども学校で質問される。その目的は明らかに、異論を唱える人物を特定して対処することにある。これは、第二次世界大戦後のナチス・ドイツや東ドイツの状況と同じだ。

人付き合いを絶って自分の身を守るようにと言われても、それができない人もいる。そうした人々の個人情報は、残念だがそのまま警察に流されてしまうようだ。

P21 PROFITEERING 不当利益行為

制約と恐怖の中で、うまくやっている組織も数多くある。イギリスの『デイリー・テレグラフ』のような全国紙は、重要な情報を有料の壁で隠している。また個人でも、ウェブサイトを使って非常に高い収益を上げている者もいる（ちなみに、私のユーチューブのチャンネルは一度も収益化されておらず、動画やサイトにスポンサーや広告を付けたこともない。２０２０年秋以降に出版された最新の2冊の本『Memories 1』、『Endgame: The Hidden Agenda 21』（英語版）は、ＰＤＦで無料公開されている）。

P22 PROGRESS 進歩……あなたもこの犯罪に加担しますか？

進歩は常に良いことであり、変化は必ず良い方向に向かうという一般的な誤解がある。しかし、２０２０年に起きたことは、それが必ずしも真実ではないことを証明した。私たちの周りに起こった変化は、進歩的でも一時的でもなく退行的である。変化に対抗する決意と強さを持たない限り、この状況は永久に続くのだ。

私たちは皆、人生の浮き沈みに慣れているが、予期せぬ不運に見舞われると、２トンの重りを頭に落とされたような気分になったり、P・G・ウッドハウス（訳注：英国の小説家。ユーモア小説の大家として知られる）が言うように、うなぎ革の詰め物で首の後ろを叩かれたような気分になったりするものだ。

不都合なときにかぎって電球が切れてしまうように（電気をつけようとした瞬間に電球が切れてしまえば、不都合に決まっている）、私たちの人生を中断させる悲劇は、いつも何かに追われているときにやってくる。

今はまた状況が変わってきている。

２０２０年を台無しにした波乱は、偶然でもなく、神が与えたものでもない。歴史上もっとも邪悪な人々によって意図的に作り上げられたのである。

私たちは、邪悪で卑劣な人々に、虐げられ、嘘をつかれ、操られ、脅かされてきた。２０２０年の偽りの疫病の立役者は、こうした邪悪な存在であり、その詐欺を支持してきた人々もまた、大きな罪を犯している。彼らの冷酷な目的は、人間の生命の質、価値、意味、神聖さを意図的に低下させることにあるのだ。彼らは、私たちの生活のあらゆる側面をコントロールし、自由、民主主義、言論の自由を奪おうとしている。これこそが、チャールズ皇太子などが熱心に語っているグレート・リセットであり、ニューノーマルであり、新世界秩序なのだ。

協力者、つまり、擁護しようのないことを支持し、根拠のないことに従った一般市民の男性や女性もまた、責任の一端を負わなければならない。医師、看護師、警察官、行政官、ジャーナリストなどが、世界的な大虐殺の一端を担ったとして裁判にかけられたときに「命令に従っただけだ」と弁明しても無駄だ。ニュルンベルク裁判でも、そんな言い訳は通用しなかったことを思い出してほしい。

P23 PSYCHOLOGICAL WARFARE/PSY-OPS 心理戦……意図的に作られた混乱

マインドコントロールの専門家や戦争の専門家のアドバイスのもと、政府は国民を攻撃し、さまざまなテクニックを使ってコントロールしようとしている。その伝統的な軍事技術には、私たちが知っておくべきものが数多くある。

まず初めにお伝えしたいのは、政治家が真実を抑圧しようとしていることだ。もちろん、真実を抑圧したり歪めたりすることは今に始まったことではない。彼らは何十年も前からそれを得意としてきたのだ。

彼らは矛盾した指示を出して人々を混乱させ、社会の崩壊を招いている。決して偶然に起こったことではない。これまで起こったことはすべて、意図的に作られてきたのだ。

政府は市民をコントロールするために膨大な数の心理的トリックを使ってきた。戦争術の訓練を受けた軍事心理学者が一般市民の中に放たれ、悲惨な結果を招いた。混乱と恐怖を引き起こすために、通常の活動がすべて（明らかに予測不可能な形で）停止してしまった。私たちは死の危険に晒され、他人が私たちにとって危険な存在である一方で、私たちも彼らにとって危険な存在であると言われた。

また、私たちの行動をコントロールするために、手洗いの強要や、NHSに拍手を送るといったさまざまな儀式が繰り返し行われてきた。私たちは押し出され、追い詰められ、許されたことしかすることができない。自分の命を守るためには、自由を犠牲にしなければならないのだ。私たちは方向感覚を失い、自分のアイデンティティをコミュニティの中に沈めることを強いられている。彼らは私たちを再プログラミングするために、家族や友人から引き剝がし、完全に隔離させ、孤立させた。議論は禁止され、公式見解を支持するために事実は歪められてきた。従順であることがすべてであり、多くの人が言われた通りにすればいつの日か正常に近い状態に戻るという希望を持って、彼らの協力者となった。

心理操作の技術は、時にさらに踏み込んだものとなる。ディーン・ヘンダーソンとジル・ヘンダーソンは、著書『イルミナティ・アジェンダ21（*Illuminati Agenda 21*）』の中で、「マイケル・アキノ中佐は、ベトナム戦争における陸軍の心理操作の専門家であり、彼の部隊は薬物による誘発、洗脳、ウイルス注入、脳インプラント、催眠、電磁波や超低周波電波の使用を専門としていた」と報告している。

「チップ」として体内に埋め込まれるインプラントは、努力せずに優れた知的能力を獲得できる方法として大いに宣伝されるだろう。このチップは肉体的、精神的なスキルを向上させ、肉体的・精神的なあらゆる痛みを取り除く方法として販売され、何の努力もせずに6つの外国語を話せるようになりたいと考える何百万もの人々から熱狂的に支持されると私は確信している。

P24 PUBLIC PRIVATE PARTNERSHIPS パブリック・プライベート・パートナーシップ

世界中で広く導入されているパブリック・プライベート・パートナーシップ（PPPまたは3Pと呼ばれる）は、国連の「持続可能な開発」政策によって生まれたアイデアだ。これは納税者のお金と企業の資金を投入することで、経済発展を促すために作られた大規模で高価で壮大なプロジェクトを実現し維持するというものである。

これらのプロジェクトは、一般市民や納税者以外の人々にとって極めて有益なものであることが多い。

P25 PUBS パブ

イギリスでは2022年までの間、パブやレストランが持ち帰り用の食品や酒類を販売することができる。そのため、少なくともそれまでの間は強制的な閉鎖状態が続くだろうし、最終的にパブは永久に閉店を余儀なくされるだろう。残念ながら、レストラン、カフェ、ホテル（特に地方のもの）にもほとんど未来がない。アジェンダ21のカルト集団が描く世界に、そのような場所は存在しないのだ。

Q1 QUARANTINE 検疫

2020年になると、検疫規制は日ごとに、また国ごとに変化した。これは検疫規制が科学者ではなく、政治家によって指示されていることを証明しており、そこに疑いの余地はない。イギリスでは、政府がヘッジファンド・マネージャーなど金融界の重要人物を検疫規制の対象外とすることを発表した。

2020年末、いくつかの国で隔離用の収容所が準備されているという噂が流れた。この収容所は、政府の公式見解に疑問を持つ反体制派を収容するために使われるのではないかと言われていた。

この「収容所」が、実際には絶滅収容所であることは広く知られており、亡くなった人はどんな死因であっても、今話題の病気に感染していたと公的に分類されるのだ。

Q2 QUEUES 行列

どこもかしこも、行列は今まで以上に長くなるだろう。

お店は（コスト削減のために）スタッフの数を減らしている。そのせいで、買い物客の中には、靴下を買うためだけに寒空や雨の中、外で待ち続けなければいけない人が出てくるだろう。ようやく店内に入れても、今度は支払いのために行列に並ばなくてはならない。

銀行や郵便局などの職員の勤務時間は短縮され、結果的に営業時間中に長蛇の列ができるようになっているが、その理由をいったい誰が理解しているだろうか？

R1 RACISM 人種差別

イギリスの人種差別問題が叫ばれているが、大学進学率がもっとも低い民族が白人であることには、誰も気づいていないようだ。イギリスに人種差別があるとすれば、犠牲になるのはいつも白人である。

ブラック・ライヴズ・マターの抗議活動やキャンペーンは、まさにこうした人種差別を助長するものだった。それらは、数々の制限のせいで、何百万ものアフリカ人が餓死している現状から大衆の目を背けさせようと、ビリオネアや政治家、警察が支援したものであると考える人も少なくはない。

アジェンダ21の計画では、65億人の人々が死ぬことになっている。最初の数百万の犠牲者は、2020年に導入された政策が招く飢餓により、アフリカの人々となるだろう。

R₂ REAGAN RONALD
ロナルド・レーガン……アメリカ第40代大統領

「もっとも恐ろしい9つの英単語は『I'm from the Government and I'm here to help.（私は政府の人間です。あなたを助けるためにここにいます）』である」。

「自由と絶滅は、世紀をまたぐほど遠い存在である」。

R3 RECYCLING リサイクル……実際は海外に捨てているだけ

リサイクルは、もっとも偉大でもっとも成功した信頼性の高いトリックの1つとして、歴史に名を刻むに違いない。これは市民が国家の言いなりとなり、従順であることを強制するための訓練プログラムとして設計されてきた。

リサイクルプログラムは、常に人々を訓練するためのプログラムで、個人にコンプライアンスを強制するためのものだった。例えばイギリスでは、丁寧に分別されたリサイクル品のほとんどが海外に運ばれ、埋め立てられたり、燃やされたり、ただ捨てられたりしている。

2017年、中国が「もう世界のゴミ捨て場にはならない」と発表し、イギリスの廃棄物は代わりにマレーシア、ベトナム、タイに送られるようになった。他にもイギリスの廃棄物は東欧のゴミ捨て場で見つかっている（廃プラスチックを回収しようとするとコストがかかり、膨大な量の水とエネルギーを消費するのだ）。

R4 REDUCING CARBON DIOXIDE LEVELS 二酸化炭素量の削減

アジェンダ21に則り、各国政府は二酸化炭素の排出量を1990年比で25%程度あるいは40%削減することを約束しており、さらには完全に削減することさえ目指している。これらの無茶苦茶な要求は、地方自治体にも伝えられ、地方自治体はそれを受け入れるしかない。問題は、1990年の二酸化炭素濃度を誰も知らないということだ。1989年や1979年はどうだったのか？　当時は誰も濃度など測定していなかった。

あなたの村や街の二酸化炭素濃度が1990年と比べて2倍の数値になっていたとしても、気にすることはない。

アジェンダ21の要求に必死になって付いていこうとすると、あなたの街や市、村では、交通機関の利用を減らし、産業を停滞させ、農業を変え、生活のすべてを変えなければならなくなる。二酸化炭素の量を減らし続けるため、建築許可にも影響が出るだろう。不動産会社は、しっかりとした作りの壁やキッチンや、きれいな庭が付いた小さな家を建てられなくなる。その代わりに、薄い段ボールで作られたようなタワー型のアパートを建てる必要があり、誰も庭を持つことが許されなくなるだろう。

いわゆる「ニューノーマル」の世界では、どこもかしこも同じ景色に見える。ホテルはすべて同じアジェンダ21のルールに基づいて建設され、配置されるため、同じような外観になる。風変わりな建築物は、歴史的、建築的価値があるかどうかにかかわらず取り壊され、小型車2

台がやっとすれ違える幅の道路であっても、自転車専用レーン設置のために道路を狭めなければならない。田舎のパブやホテルでは丸太を割って暖をとることもなくなった。

R5 REGIONALISATION 地域化

2002年、私は『イングランド・アワー・イングランド（*England Our England*）』という本を書いた。この本では、EUがイギリス全体、特にイングランドを破壊していること、そしてその方法について紹介し、EUの活動がナショナリズムと主権を破壊する計画の一環であることを指摘した。

EUの政治プログラムでは、イギリスをいくつかの地域に分割することが不可欠であり、地域議会を発展させる計画が立てられた。スコットランドはすでに地域に指定されており、独自の小さな議会が与えられていたが、ウェールズと北アイルランドでも同じことが行われた。

皮肉なことに、スコットランドやウェールズの民族主義者たちは、新しい議会が独立への重要なステップであると考えていた。だが、彼らは新議会が独立とは正反対のものであるということ、そして、これがイギリス全体をブリュッセルにあるEU本部に属する一連の地域に変えてしまう計画の一部であることには気づいていなかった。イングランドには9つの地域が設けられているが、イングランド南東部はフランスの一部と同じ地域になることが決まっていた。

労働党政権は、イングランド国民に地域議会のアイデアを「売ろう」とし、イングランド北東部に議会を開設することでそのプロセスを開始しようとした。しかし、（地域議会の計画がイングランドの解体計画の一部であることを知らされていなかった）有権者は、このアイデアは不必要な官僚主義の一段階にすぎないと拒否した。イングランドで地域化に成功したのはロンドンだけだったが、現在はロンドンにも独自の議会がある。

これらの地域で行われたことは、グローバル化と世界政府への第一歩だった。

R6 リメンバランス・デー REMEMBRANCE DAY

2020年11月、英国政府は新たな規制を導入した。これは伝統的に行われてきた「リメンバランス・デー」を記念した行進や集会ができなくなるタイミングで実施された。単なる偶然だったのだろうか？　私はそうは思わない。イギリスの歴史の一部をまた1つ取り除き、国民の自尊心と文化的アイデンティティの一部を奪うことが計画されていたという可能性のほうがはるかに高いと思う。

R7 RENEWABLES 再生可能エネルギー

地球温暖化論者が「再生可能エネルギーがエネルギー源の多くを占めるようになった」と主張するとき、もっとも多く作られている「再生可能」なエネルギー源はバイオマス、つまり「木」であることを忘れてはならない。

イギリスで燃やされるバイオマスのほとんどは北米の木から作られた木質ペレットである。伐採された木は、ペレットに加工された後、イギリスに運ばれて燃やされる。

バイオマスは、地球上でもっとも効率が悪く、もっとも汚染されやすいエネルギー源の1つである。しかし、何も知らず、何も理解していない地球温暖化カルトの寵児《ちょうじ》となっている。

R8 RESET リセット

クラウス・シュワブとチャールズ皇太子は、「グレート・リセット」の計画についていつも語っている。その計画とはつまり、私たちが大切にしているものをすべて壊して、自分たちに都合のいいように世界を再構築し、自らに大きな力を与え、より裕福になろうというものである。

この首謀者は誰なのか？　挙げればキリがないが、チャールズ皇太子、トニー・ブレア、ジョージ・ソロス、クラウス・シュワブ、ビル・ゲイツをはじめ、そこにロスチャイルド家やロックフェラー家などの人々を混ぜ合わせても、的外れではないだろう。

例のビルダーバーグ熱狂者も加えて、かき混ぜてから味わってみるとよい。

R9 RESHAPING 再構築

2020年9月16日のガーディアン紙に掲載された、ある記事を引用しよう。筆者はモハメド・エルエリアンという人物である。

「我々は、社会と経済を再構築するために……危機を利用しなければならない。今こそ、社会や経済を長期的な視点から再構築するためのトレンドや条件を定めることに目を向けるべきである」。

さて、どのような「危機」のトレンドや状況を定めるというのだろうか？

そして、いずれかのトレンドや危機が、私たちの社会や経済をより良い方向に導いてくれると思うだろうか？

ちなみにガーディアン紙は、ビル&メリンダ・ゲイツ財団と財政的なつながりがある。

R10 RETROJECTING レトロジェクト

レトロジェクト(retroject)という醜い言葉は、21世紀のあり方を過去に投影することを意味している。不朽の名声を得た人間が「罪のない人生を送った」という理由で非難され、銅像が撤去されてしまうとしたら、まさにこの言葉が示すとおりのことが起きている。もしあなたが、1874年に道路の黄色の二重線上にタクシーを駐車させたならば、あなたの銅像は破壊者によって引きずり倒されているだろうし、近くにいる警察は跪《ひざまず》いたり声援を送ったりして、非暴力的な身体的スキルを余すことなく駆使しながらその行為を見守っているだろう。

R11 RIGHT WING 右翼

極左のアジェンダ21ブランドの全体主義やファシズムに反対する人は、「極右」としてマークされる。もしあなたがコミュニタリアニズム(現代版共産主義)の原則に疑問を持つなら、あなたは極右ということになる(そして右翼の人はもれなく極右とされる)。

R12

RISK/BENEFIT
リスク／ベネフィット

「リスク／ベネフィット」とは理論上、特定の活動のリスクを評価したうえで、メリット、デメリット、危険性について判断することを意味する。

最近では、権力者たちが「リスク／ベネフィット」の考えを覆している。例えば政府は、落ちている枝や切り倒された木々を燃やす家庭用ストーブの使用を禁止しようとしている。そして石油やガス、石炭を燃料とする発電所を廃止し、他国で栽培・伐採され、何千マイルもの距離を船や貨物自動車で運ばれてきた木々を燃料とする発電所に変えようとしているのだ。不可解ではあるが、環境に良いからだそうだ。

政府は国民に対して、死亡率の低い病気から身を守るために、効果があるかどうか非常に疑わしく、かつ非常に危険であることがわかっている実験的な医療を受けなければならないと主張している。「リスク／ベネフィット」の原則は、ますます劇的な形で覆されているのだ。

R13

RIVERO MICHAEL
リベロ（マイケル）

「政治家は、自然に発生したものを変形させて危機として宣伝し、増税や生活への権限強化と引き換えに住民に解決策を売り込むことで、富と権力と権威を得ようとする」。

R14

ROBOTS
ロボット

ロボットに生活を脅かされているのは、ブルーカラーの労働者だけだというのは、知識階級が熱心に取り組み、支持し、推進してきた神話である。工場労働者の多くがロボットに取って代わられ（これは何十年も前から起こっていることだ）、行政官や官僚の多くがコンピューターに取って代わられるのは明らかに事実だが、仕事を失う危険性がもっとも高いのは専門職の人々である。10年後に医師や弁護士が必要とされているかどうかはわからない。コンピューターは優れた診断者となり、ロボットは複雑な手術を人間の外科医よりも効果的かつ迅速に（そして死人を出さずに）行うことができる。医師や看護師が思いやりを放棄し、とても冷たい臨床的なアプローチを取っている今、思いやり、思慮深さ、配慮、気遣いができるように訓練されたロボット（もはや単なるモノとは言い難い）に人間が取って代わられることは確実である。

では弁護士は？　控えめなサイズのコンピューターでも、頭でっかちな人よりも多くの法律の知識があるだろうし、弁護士、法廷弁護士、裁判官に代わってロボットが活躍する日もそう遠くはないだろう。

将来、教師という職業もなくなるだろう。教育はオンラインで行われる。世界で必要とされるのは、地理の先生が1人、歴史の先生が1人、数学の先生が1人、といった具合だ。残りの教師は再教育されるか、単に余剰人員となるだろう。

一方で、ロボットが取って代わることが難しい職業もある。洗面台の下やトイレの裏で奮闘している配管工や、屋根裏で身をくねらせて作業できる電気工は、しばらく需要があるだろう。その他の建築やリフォームの専門職も、人間の手に委ねられるのではないかと思う。

R15
ROCKEFELLERS
ロックフェラー家

「私たちがアメリカの利益に反する秘密結社の一員であると信じている人もいる。私と私の家族を国際主義者とみなし、より統合された世界的な政治・経済構造、言うなれば1つの世界を構築するために、世界中の人々と共謀していると考えているのだ。もしそれが告発であるならば、私は有罪であり、それを誇りに思う」。デイヴィッド・ロックフェラーは、2002年の自叙伝『ロックフェラー回顧録（*Memoirs*）』の中でこのように述べた。

R16 ROUSSEAU JEAN-JACQUES ルソー（ジャン＝ジャック）

ルソーは『社会契約論』の中で、人間は基本的に善良であり、政府や法律が人間を悪者にしていると主張した。もし彼が正しければ、政府が増えるほど、そして法律が作られるほど、人間は邪悪になるというのが道理である。何十万もの法律を生み出したEUは、何百万もの人々を激怒させた。私は、現存する多くの法律のせいで、私たち皆がありとあらゆる法律違反者になってしまうのではないかと思っている。

R17 ROYAL FAMILY 王室

私はかつて王政主義者だったが、今はもう違う。常識ある人々は、王室のメンバーを見かけたらブーイングをしたり非難の声を上げたりすべきだ。もしくは手やハンカチを振るのではなく、豆鉄砲を打ったり裏返しのピースサインをしたりする（訳注：手の甲を相手の側に向けたVサインは、イギリスでは相手を侮辱する意味になる）べきだと思う。現代の王室は、貪欲さ、自尊心、傲慢さ、偽善の象徴であり、ロックスターのようなライフスタイルを維持するためのお金を払ってくれている人々に対する責任感、忠誠心、尊敬心はまったくない。

英国王室は、イギリス国民にアジェンダ21を受け入れさせる計画に熱心に参加している。チャールズ皇太子は、長年にわたって地球温暖化という神話を熱烈に支持していて、地球温暖化会議に出席するために世界中を忙しく飛び回っている。チャールズ皇太子の2人の息子、ウィリアムとハリーもまた、同じ神話を熱心に支持している。現職の国王であるエリザベス2世は、2020年のデマがクライマックスに向かって動き始めた数か月間、会議の欠席が目立っていた。

チャールズの驚くべき点は、その傲慢さにある。世間一般の悩みを一切知らない、傲慢で過剰な特権意識を持ったファミリーの一員であるにもかかわらず、地球温暖化のカルトを理解し、世界がどう管理されるべきかをもっともよく知る人物であるかのように振る舞っているのだ。

彼は、他の家族と同様に、イギリス人とイギリス連邦の人々を裏切った。

彼の息子であるケンブリッジ公爵もまた、傲慢さに満ちており、世界クラスの偽善者のようだ。彼は「世界の人口は多すぎる」と発言しているにもかかわらず、3人の子どもがいる。また、移動には常に飛行機を利用しているが、「地球温暖化は論破しようがない事実だ」とも主張している。しかし、なぜ、どのようにしてそのような事実を知ったのかについては教えてくれなかった。「私の行い通りでなく、私の言葉通りに行動せよ」というのが王室である。

地球温暖化の神話がアジェンダ21の口実として考案されたことを理解しているなら、王室の人々は国民に対する裏切り者である。もし理解していないのであれば、ただの騙されやすい愚か者だ。

既存の王室は完全に排除されるべきだ。彼らの財産を没収する代わりに、高層マンションの賃貸住宅を提供すればいいのだ。

しかし、それでは新たな大統領が誕生してしまう危険性がある。そんな悲惨な事態を避けるために、王族は交代制にすればいい。そのためには、毎週抽選を行うべきだ。抽選に参加する人には、賞品の1つとして、1週間の王と女王の座を獲得するチャンスがある。

王室の一時的な役職者は、例のとおり手を振ったり、戸棚や封筒を開けたり、認可された建物を出入りしたのち、週の終わりには元の生活に戻っていく。没収された王室財産は、この単純な作業のために使われるので、納税者に負担をかけることはない。

この役の候補者は、愚かで、虚栄心が強く、うぬぼれ屋で、不快な権利意識を兼ね備えた人物である必要がある。リアリティー番組で成功している「スター」であれば、このような役柄に相応しいだろう。

R18 RUPERT BEAR ルパート・ベア……イギリスの新聞の漫画キャラクターの熊

「トロール（訳注：北欧の妖精。troll という言葉は、インターネットで荒らし行為をする人を差す言葉でもある）は誰にもいいことをしない」『ルパート・アニュアル（1969年）』。

R19 RURAL LIVING 田舎暮らし

アジェンダ21の世界に、田舎で暮らす人々の居場所はない。車や公共交通機関の使用を禁止し、田舎への電気の供給量や通信設備を削減することで、人々を田舎からスマートシティへと追いやろうとしているのだ。イギリスでは、多くの公約があったにもかかわらず、いまだに携帯電話の電波が届かない地域も広がっているし、断続的に電波が受信できなくなる地域もたくさんある。農村部でのブロードバンドの普及率は悲惨なもので、今後もその状況は続くと見られる。

他にも、農村部の道路補修を中止したり、新鮮な水が供給されていない地域を長期間放置したりするなどの愚行が見られる。湧き水や井戸から水を汲みたいという要望は却下され、浄化槽を設置したいという家主には多くの困難が待ち受けている。しかも郊外では庭にも税金がかかるのだ。その結果、地方の不動産価格は下落し、田舎に住んでいる人は指定された都市の新しい高層マンションに引っ越さなければならなくなるだろう。

英国政府は、国の30％を「自然化」することを発表した。この目標を達成するためには、多くの農地、優れた自然美を誇る地域、そして多くの個人の庭を没収しなければならない。驚くべきことに、個人の庭はイギリスの土地の4・8％を占めており、工業用地や商業用地は0・4％にすぎないのだ。

S1 SAFETY 安全性

安心と安全を求める人間の本能的な欲求は、絶え間ない脅威や恐怖によって強化されてきた。その結果、私たちは、自分の身を守り、あらゆるリスクを回避できるとされる法律を大人しく受け入れるようになっている。

しかし恐怖政治は、「自分が重篤な病気にかかっているのではないか？」と怯える不安症の患者を世界中に生み出した。

S2 SCANNERS スキャナー

ＡＩスキャナーは、権力者たちにデータを提供するために使用される。また、顔認識カメラと併用することで、自分と他人との間に十分な距離を空けない個人を特定し、「無謀で非常に身勝手な行いによって人類を危険にさらしている人物」を逮捕することを可能にしている。

S3 SCHOOLS 学校……「知らなかった」では済まされない

２０２０年2月以降、私はこの逆さまの世界で何ができるのか見失ってしまった。一見正気で良識のある人々が、作られた恐怖や操作された誤った情報に圧倒されて現実を見失ってしまうなんて信じられない。なぜ多くの人々が、毎分毎秒、何をすべきか正確に指示されることでしか安心感を得られないのだろうか？　いつからこれほど多くの人々が、人間性や良識を失ってしまったのだろうか？

実際、小学生が顔を覆う布を身に着けたり、お互いに離れたりしなければならない医学的な理由はどこにもない。

もし私に子どもがいて、CIAの拷問技術を押し付けようとする学校に通っていたら、私は弁護士にこのように依頼するだろう。「教師の無知が原因で肉体的・精神的な被害を被った場合には、法的責任を負わされることを教師に警告してもらいたい」と。

中国では、新しいルールに従った結果、すでに子どもたちが亡くなっている。

このような不条理でまったく無意味なことを支持するすべての教師は、児童虐待の罪を犯していると言える。もちろん、政府や組合に従っていると言い訳をしても許されない。ニュルンベルク裁判でのナチスがそうだったように、今日の教師も「知らなかった」では済まされないのだ。過剰に出回っているウイルスによって子どもたちが深刻な危険にさらされていると考える教師はあまりにも愚かだし、指で絵を描くことは無論、さらに高度なことなど絶対に教えられないだろう。

なぜこのような事態になっているのか?

私が思いつく唯一の説明は、アジェンダ21の計画によって、すべての学校を閉鎖し、すべての専門的な教育をオンラインで提供することが目論まれているということだ。試験はオンラインで行われ、採点される。わざわざ授業に出席しない人は、ただ無知なままでいることになる。今の教育の目的は、生徒たちを試験に合格させ、簡単な仕事のやり方を学ばせることのようだ。

アジェンダ21の計画は、教師という職業をなくすことであり、教師は自分の職業を破壊する行為に驚くほど熱心に加担している。教職に就こうと考えている若い人たちは考え直して、他の方法で生計を立てるべきだ。

S4

SCHWAB KLAUS
シュワブ（クラウス）

世界経済フォーラムの創設者であり、会長であるクラウス・シュワブは、ナイトの爵位を授与されている。彼は映画『博士の異常な愛情』に出てくるストレンジラブ博士と似通ったところがある。

エリザベス女王が魔女で、ほうきの柄を使ってどこへでも出かけられると言われても、今の私は信じてしまうだろう。エリザベス女王は、EUに対して声を上げないことで国民を裏切り、彼女の家族は、グレート・リセットとイギリス国民の奴隷化を支援することで、裏切り行為を続けている。

シュワブは『第四次産業革命の未来を形作る（*Shaping the Future of the Fourth Industrial Revolution*）』という本を書き、「より良い世界を築くガイドライン（*A guide to building a better world*）」という副題をつけた。しかし、本来であれば「あなたの街の悪夢」とでも呼ぶべきだった。この本は、不可解で、傲慢で、無知で、文章もひどいもので（分割不定詞がたくさん使われている）、今まで読んだ本の中でもひときわ恐ろしい本だと思えたし、私はその内容に恐怖を覚え、激しい苦痛を感じた。

ここで、この本の内容を端的に表している文章をいくつか紹介しよう。

まずは「人間の改造」というセクションから。

「テクノロジーと人間の境界線は曖昧になってきている。新しいテクノロジーはまるで本当に生命を宿しているようなロボットや合成物を作り出せるだけでなく、文字通り、私たちの一部になろうともしているのだ。テクノロジーはすでに、私たちが自分自身をどのように理解し、お互いをどのように捉え、現実をどのように決定するのかというプロセスに影響を与えている。テクノロジーが自分の一部により深くアクセスできるようになれば、私たちはデジタルテクノロジーを身体に統合するようになるかもしれない」。

次の引用は農業に関するセクションからだ。

「今後50年間、世界の人々に食料を供給するためには、過去1万年間に生産された量と同じだけの食料を生産する必要がある」。

（それがどうしたというのだ。人口は増えたし、農業技術も向上した）

「……食の安全は、遺伝子操作が正確で効率的かつ安全な作

クラウス・シュワブ

物の改良方法を提供しているという現実を反映し、遺伝子組み換え食品に対する規定が適用されるようになることで初めて達成されるだろう」。

（その戯言はどこから来たのか？　遺伝子操作が正確で、効率的で、安全だと誰が言っているのか？）。

最後に、「ニューロテクノロジー」のセクションより引用する。

「ニューロテクノロジーは、意識や思考に優れた影響を与え、脳の多くの活動を理解する手助けとなる。これには、新しい化学物質を使って思考を細かいレベルで解読したり、脳のエラーを修正したり機能を強化したりする介入も含まれる」。

（これが怖くないというのなら、あなたは怖いものなしである）。

S5

SCOTT WALTER
スコット（ウォルター）……スコットランドの詩人

「魂が死んだその男は深く息をして、
自分自身にさえ言ったことがない言葉を口にした。
『これが私自身の、私の生まれ育った故郷だ』」。

S6

SCOTTISH NATIONAL PARTY (SNP)
スコットランド国民党（ＳＮＰ）

スコットランド国民党（ＳＮＰ）は、アジェンダ21のすべての原則に忠実に従っている。例えば、ＳＮＰは聖書や新聞（すべてではないにしても）のような扇動的な出版物を犯罪にすることを計画しているのだ。

S7

SELF-PROGRAMMING COMPUTERS
セルフ・プログラミング・コンピューター

ビリオネアであるイーロン・マスクは、セルフ・プログラミング・コンピューターに対抗するためには、人間自体が人工知能システムと融合しなければならないと主張しているそうだ。もちろん、コンピューターの開発を遅らせ、道具としての使用だけに徹するという方法もある。

しかし、そうなる可能性は高くないだろう。

その一方で、希望もある。コンピューターがこの本を書くだろうか？　もちろん、そんなことはあり得ない。

S8

SELF-PUBLISHING
自費出版……検閲を回避するために

真実を伝えれば「危険」とみなされてしまうことから、多くの著者が自分の作品を自費出版するようになった。そのため今後、伝統的な出版社が不都合な真実を伝えようとする作家の著書を出版し、体制を揺るがすリスクを冒すことはないだろう。真実の閉鎖は、信じられないほど綿密に計画され、効率的に管理されているのだ。

当然ながら、サクラやチンピラ、ウェブサイトの荒らしは「自費出版」という言葉を罵倒語として使う。彼らは、著者が自費出版をするのは、作品が商業出版に値しないからだと考えており、自費出版が（現在権力者たちが積極的に行っている）検閲を回避する唯一の方法だと気づいていないのだ。

そのため、私に関するウィキペディアのページが、ファシスト国家に仕える愚か者たちによって乗っ取られたとき、私は突然「自費出版者」や「ブロガー」と呼ばれるようになってしまった。ちなみに、私はウィキペディアが誕生するずっと前から自分のサイトに記事を書いてきたが、だからといって、「ブロガー」と呼ばれる筋合いはない。

悲しいことに、現在では自費出版すら難しくなってきている。

これまで100冊以上の私の本（そのほとんどが主要な出版社から出版されていた）を販売してきた、ある大手の書籍販売プラットフォームは、現在、感染症を扱った私の本の出版を拒否している。しかし、奇妙なことに、そのプラットフォームは、他の著者が書いた同じテーマの本を出版しているのだ。実際、ある泥棒は私のサイトから動画のスクリプトを盗み、自分の名前でそれを出版した。本の表紙には私の写真を載せているが、印税はすべて自分のものにしている。プラットフォームがそれを許可したのだ。

ちなみに、私の本はイギリスの数十におよぶ主要な出版社や、50か国の出版社（25言語）で出版されており、その多くが世界中でベストセラーとなっている。しかし、ウィキペディアを見る限りでは、私はただの自費出版のブロガーである。

ウィキペディアの無知な編集者たちは、世界的に有名で成功している多くの作家たちも自費出版をしているという事実を明らかに知らないようだ。

S9 SEWAGE 下水

アメリカでは下水を分析するために、全国的な「スマート下水道網」とかいうものを新たに整備している。これにより、ウイルスの発生を早期に発見することができるそうだ。他にも何かを測定しようとしているのか？　そして、その理由は？

S10 SHAKESPEARE WILLIAM シェイクスピア（ウィリアム）

「今これが舞台で上演されたら、あり得ないフィクションだと非難するだろう」。

「地獄には誰もいない。すべての悪魔は現世にいるのだから」。

S11 SHAW GEORGE BERNARD ショー（ジョージ・バーナード）……アイルランドの脚本家

「すべての進歩は、理不尽な人間の行動次第だ」。

S12 SMACKING 子どもを叩くということ

スコットランドでは、子どもを叩くことが違法になった。これは、オルダス・ハクスリーが予測していたように、国家がすべての子どもの「所有権」を握るための小さな一歩にすぎない（スコットランドは、家庭内で叩くことを禁止した世界で58番目の国であり、子どもにも大人と同じ権利を与えている)。

伝統的に、子どもに敬意や正しい行動を教えるのは親の責任だと考えられてきたが、スコットランド政府は一挙に親を方程式から外し、自らをすべての子どもの保護者に任命した(スコットランド政府は、数年前にすべての子どもたちに国が後見人になるという考えを押し付け、形だけはそのようになっている)。

親から責任を奪い、国に責任を負わせることは、数あるアジェンダ21の教義の1つである。医師や心理学者、行動学の専門家の大半は、適度にコントロールされた体罰は、子どもを育てるうえで必要不可欠なものであり、親を子どもから引き離し、(場合によっては)長期間にわたって愛情を奪うという、はるかにダメージの大きい心理的な罰よりもずっと望ましいと考えている。

おそらくもっとも有名な小児科医であり、もっとも影響力のあるベンジャミン・スポック博士は、最初は体罰に反対していたが、後年になって考えを改め、アドバイスも変えて、控えめで管理された体罰(手を叩くなど)は、他の方法よりもはるかに望ましいということに同意した。

S13 SMALL BUSINESSES 中小企業

アジェンダ21の計画では、多くの新しい法律の導入により、多数の中小企業が潰されることになっているようだ。大企業には複雑な問題に対応できる専門部署があるので、こういった新しい法律にも簡単に対処できるが、中小企業ではそうはいかない。アジェンダ21の世界では、何をするにもライセンスや許可を取得する必要があるが、中小企業にとってライセンスの取得は費用もかかるし難しいだろう。これに異論を唱える人は、ＥＵが中小企業を根絶やしにするためにありとあらゆる手を使ったことを思い出してほしい。

S14 SMART スマート

メーターやシティといった言葉の上につける「スマート」という言葉は、個人の権利やプライバシーを奪い、奪った権利をアジェンダ21の崇拝者に与える、という意味でよく使われている。

S15 SMART CITIES (SMART GROWTH ZONES) スマートシティ（スマートグロースゾーン）

アジェンダ21の計画の一環に、全国民を都市部（メガシティ）に移住させるというものがあり、中国ではすでに導入されている。農村部や郊外に住む人々は、高層住宅へと追いやられている。これは、かつてスコットランドで行われた、農民を半ば強制的に立ち退かせてより収益性の高い牧羊地に変えるという「ハイランド・クリアランス」を彷彿させる。

プラスとマイナスの誘因を複雑に組み合わせ、農村部の住民はスマートシティに押し込められることになるだろう。都市部への移住を促すために、補助金や税金の控除、住宅手当が支給され、一方で農村部の土地や建物は公共用に没収、差し押さえられ、やがて取り壊されることになる。こういった没収や取り壊しは、都市開発のために道路や鉄道、下水処理施設を建設するという名目で行われるだろう。

また、巨大なダム建設と同様に、再自然化計画も住民を農村部から追い出す口実に使われる。中国では、長江の三峡ダム建設によって何百万もの人々が農村部からスマートシティへと強制移住させられた。

さらに農村部では、消防隊や救急車、郵便などのサービスがほとんど、あるいはまったく利用できなくなるだろう。

また、インターネットの接続環境が悪い過疎地での生活は、私たちが生活の大部分をインターネットに依存するようになるにつれ、ますます困難になる。道路は整備されずに放置され、そういった地域へ通じるバスや電車などの公共サービスもさらに削減されるだろう。自然栽培の食品が工場で作られる人工的な食品に取って代わられてしまえば、農地は必要とされなくなる。また、ビル・ゲイツによる太陽光ブロック計画は、農業にダメージを与えるだろう。

イギリスでは、スマートシティの実現に向けて、すでに計画が進んでいる。

政府は2020年のでっちあげ危機のどさくさに紛れて新たな都市計画法を導入した。今後、イングランド地域の都市開発はミッドランド地方と北部地方の中から選んだ20都市の遊休地に集中することになるだろう。バーミンガム、ブラッドフォード、リーズ、ストークといった都市でのみ建設が許可され、そこが新たなスマートシティとなる予定だ。いったん「保護の対象外」であると宣言された土地は、建築許可が下りたようなもので、その地域の民主主義の終焉を意味する。

2021年1月には、イギリスの大都市のうち7つの都市で不動産ブームが起きていると報じられた。

イギリスの組織のあり方が劇的に変化したことに気づいた評論家たちは、かなり憤慨しているが、私の知る限りでは、これがアジェンダ21のスマートシティ計画と関連していることに気づいた人はいない。実際、こういった評論家たちは、アジェンダ21に懸念を示す人を「陰謀論者」とみなし、「信用できない過激派」と切り捨てるのである。

アジェンダ21の支持者たちは、スマートシティが私たちに健康的な生活を提供してくれると主張する。徒歩や自転車でどこへでも移動できるようになるし、自分たちの住む都市の外には行くところがなく、また他の都市も同じような造りになるので、旅行する必要もなくなる。他の都市に行く意味がないからだ。誰も自動車を持たないので、(私たちが従順であるかどうかを確認するために都市間を移動する必要のある官僚を除いて)環境汚染は減るだろう。高層住宅の部屋は狭く(そして貧弱に)作られているので、賃料は安くなるし、暖房用のエネルギーはほとんど必要ない。誰も庭を持たないので、草花や野菜を育てるのに使う水も必要がなく節水できる。また、天候はコントロールされるので、大雪や凍結の心配もなくなるし、夜には雨が降ってくれる。また、ドローンやロボットが私たち全員を監視し、法を犯している人を見つけたら報告するようになっている。

S16 SMART METERS スマートメーター

スマートメーターは、国民が電気代を節約できるようにという名目で各家庭に設置されている。

しかし、スマートメーターはちょっとした節約になるどころか、人の命を奪うかもしれない。人体への影響は深刻で、フランスでは、スマートメーターのせいで体調を崩した人がいたため、裁判所が数種類のスマートメーターの撤去を命じたほどである。しかも、近い将来には、新しいタイプのスマートメーターを設置しなければならなくなるようだ。そうなると、既存のスマートメーターは取り外され、おそらく廃棄されることになるだろう。

イギリスでは、電力会社に警告や補償なしに電力供給を停止できる権限を与える計画を政府が検討している。対象となるのは、家庭で大量の電力を使用するユーザーで、特に電気自動車の充電スタンドやセントラルヒーティングシステムが対象となる可能性が高い。スマートメーターを使えば、電力会社は各家庭への電力供給を簡単に止めることができるようになるのだから、逆を言えば反体制派の人たちは、電気が使えなくなってしまう日が来るのだろう。

S17

SNEAKS AND SNITCHES
密告者と裏切り者

この数十年、人々は人間らしい基本的な行動を放棄し、隣人や親戚、友人を税務署や行政の社会福祉課、警察にこっそりと密告するように訓練されてきた。密告者には報酬として現金が支払われる。

現在、警察は、何らかの形で法律に違反した隣人や家族を通報するよう奨励するだけでなく、政府の見解とは異なる意見を表明して「過激化」した疑いのある家族、友人、隣人、職場の同僚などを通報するように呼びかける広告を出している。

これは明らかに、政府が個人の社会的信用度を評価する、ソーシャルクレジットを将来的に導入するための事前準備である。

最近では、どの会社でも密告や盗み聞きが組織的かつ専門的に行われている。新しいテレビを買うと、販売した小売業者はあなたの情報をテレビのライセンスを管理するゲシュタポに伝えるだろう。庭で放し飼いにして新鮮な卵を産ませるためにニワトリを数羽買ったとしたら、ニワトリを売った人は「当局」に伝えるように「奨励」される。すると、ニワトリのライセンスを管理するゲシュタポの誰かがあなたの家に来る。そして、何らかの理由であなたがニワトリを飼うことが不適切だとゲシュタポが判断した場合、買ったニワトリが殺される羽目になるだろう。

S18 SOCIAL CREDIT ソーシャルクレジット……すべてが監視される社会

数年前、私は『進行中のゲーム（*The Game's Afoot!*）』という本の中で、中国政府が国民の行動に応じて信用を評価し、点数化していると書いた。ソーシャルクレジット（国民がその行動に応じて格付けされ、信用度を評価されること）が本格的に始まったのは10年以上前のことだ。

「政府は、国民がどのようなサービスを受けられるかを決めるために、個人の行動を測定するだろう」と私は驚きをもって書いた。交通違反や料金逃れ、信号無視などを行って悪い評価がついた人は、あらゆる公共サービスや権利を受けることができなくなる。さらに、インターネット上での素行も評価の対象となり、素行が悪い人（あるいは検索内容が疑わしいと思われる人）は、「減点」をされることになる。国際通貨基金（ＩＭＦ）の研究者は、インターネットの検索履歴を信用評価に紐づけることを求めており、『「責任のある」仕事に就いている個人は、より厳しい審査を受けることになるだろう』と述べている。

私は当時、欧米諸国の政府もすぐにこれに追随するだろうと書いたが、彼らは案の定、非常に熱心に普及活動を行っている。皆さんの街にはまだ行き届いていないかもしれないが、そのうち導入されるだろう。

中国が先陣を切ってこれを進められたのは、中国の社会システムが欧米のどの国よりも効率的だからである。中国政府はすべてをコントロールしており、中国国民はほとんど何も自分でコントロールできない。

運用方法はとても簡単だ。

最初は誰でもポイントをたくさん持っている。

そして、各々の携帯電話に搭載されたスマートアプリが行動を測定し、当局が善良な国民であるかどうかを判断する。

もちろん、そこら中にビデオカメラが設置されていて、信号無視や、公共の場でタバコを吸ったり、ゴミを捨てたり、反社会的で不適切な行為をしていないかということも監視している。もし、反体制的な人と話をしたら、信用度は下がる。例えば、私と立ち話をすれば、減点されるだろう。

中国には国民2人につき1台の監視カメラがあり、顔認証技術がカメラに搭載されているので、サッカー観戦をする観衆の中から瞬時に個人を識別することができる。「そんなことできるわけがない！」と叫ぶのにかかる時間よりも短時間で特定の個人を見つけ出すことができるのだ。

スーパーマーケットのコンピューターは、お酒、タバコ、お菓子、脂肪分の多い食べ物にいくらお金を使っているかを監視している。体に良くない食べ物にお金を使いすぎると、ポイントが減らされるだろう。

自治体では、家庭のリサイクルの量を測定し、ゴミ箱に設置されたカメラでどれだけの食品を捨てたか、どれだけの過剰包装を廃棄したかをコンピューターに伝える。肉を食べたり、政府が容認しない食品を摂取したりすると、公共のゴミ箱に大量のゴミを捨てたと同様に大幅な減点対象になる。ゴミ箱に設置された顔認証カメラが個人を識別して罰を与え、食に対する信用評価を下げるのだ。

ソーシャルクレジットの評価はある意味、欧米ではすでに導入されているが、これまではゆっくりと密かに進められてきた。

例えばイギリスでは、高価な自動車を運転する人が道路で自転車を使用するためには、大幅に課された税金を別途支払う必要がある。これは、自動車に「お金をかけすぎた」ことに対するあからさまな罰と言える。

一方、電気自動車を運転する人は、道路の建設、維持、補修に対し、何も支払う必要はない。彼らは「善良な」国民であるがゆえに、税金の支払いを免除されているからだ。電気自動車も、ガソリン車やディーゼル車と同じように道路を使用しているが、どういうわけか免除されている。

ガソリン車やディーゼル車のドライバーは、「悪い」国民として罰せられるかのごとく、道路建設のために上がり続ける年税を支払わなければならない。このシステムは、電気自動車がガソリン車やディーゼル車よりも環境に良くないことが証明されているという事実を無視している。また、都市中心部に車を乗り入れるときには特別な通行料を罰金のごとく支払わなければならない。

では、どう対処すればいいのだろうか？

必要以上に大きな家に住んでいると、社会的に好ましくないと減点され、税金が増やされるし、住まいの中に空き部屋があれば、罰せられる。人の役に立つ仕事をしたり、慈善事業にお金を寄付したりすると、追加ポイントがもらえるが、政府を批判すれば減点される。

家を留守にしているときも、当然ながら当局はその人の居場所を常に把握している。素行が悪ければ、家から遠く離れた場所に行くことは許可されないし、健康に関する規則をすべて守らなかった場合は、公共交通機関や飛行機での移動、海外への渡航は許可されないだろう。

ソーシャルクレジットの評価で社会的信用度が下がると、お金を借りることも、家を買うことも、ホテルでまともな部屋を予約することもできなくなる。さらに、評価が極端に下がると病院に入院できなくなり、事故に遭って病院に運ばれても、問答無用で首に「蘇生処置の拒否」の札がかけられ、「この札は何?」と聞くこともままならない。

壁が薄くてプライバシーのかけらもない、小さくてモダンで粗雑な造りのアパートに住んでいるとボーナスポイントがもらえるが、ペットを飼ったり、何かに文句を言ったりするとポイントが減る。

洋服や靴にお金をかけすぎると評価が下がり、お金を節約しすぎると何らかの罪を犯したとみなされ、車を借りることも、会社で昇進することも、ジムを利用することも、子どもに質の良い教育を受けさせることもできなくなるのだ。

問題行動が多い人は、インターネットの速度をのろのろ運転のごとく遅くさせられ、自営業の人が議会関係者に口答えすると、事業計画に問題が発生しても助けてもらえなかったり、政府との正式な契約を獲得できなくなったりする。

公共の場で適切な服装をしなかったり、信号無視をして道路を横断したところを見られたりすると、写真を撮られ、その写真が掲示される。近所の人と喧嘩をすれば、自宅近くの掲示板に写真が貼られ、恥をかかされるだろう。税金を滞納すれば、定期的な監査で減点され、週に一度は自分の事業が検査され、ネット上の掲示板に顔写真がさらされることになる。また、必要な免許や許可、融資を受けることも不可能になるだろう。

レストランでは、その人のマナーや食べ方、お皿に残す量などをカメラで調査する。これらもすべて、ソーシャルクレジットの評価を下げる可能性が高い行為だ。

密告者、盗撮者、警察官、コンプライアンスの順守に厳しい政府職員は、故意か過失にかかわらずどんな罪でも減点する。

皆さんは、これが私の作り話だと思っているかもしれないし、私もそうであってほしいと願っているが、残念ながら嘘はついていない。私は遠い未来の話をしているのではなく、とても近い将来の話をしているのだ。実際、中国ではすでに起こっていることである。

献血をするとポイントが加算され、評価点数の低い人と付き合うと減点され、無駄遣いをしたり、ソーシャルメディアで政府を批判したりすると罰せられる。

決められた以上の数の子どもを産んだり、太っていたり、自分の土地を持っていたりすると、ソーシャルクレジットの評価が下がってしまう（イギリスでは、国家統計局が子どものいない女性は老後の面倒を見る人がいないので、国家の重荷になるとすでに述べていることに留意してほしい）。

自宅にスマートメーターを設置しないことは、不服従行為とみなされ、減点の対象となる。慢性疾患、精神疾患、高齢者、障害者は、逮捕歴のある人と同等にポイントを失う（有罪かどうかは関係ない）。

二酸化炭素の排出量が多すぎること、中流階級や白人であること、質問が多すぎる人などは、家族を大切にしすぎる人と同様に減点の対象となる。

誰かに対し「なりすまし行為」をしたり、その人が何者なのか、どこの出身なのか、どんな容姿をしているのかについて、相手を不快にさせるような発言をしたり、相手の気分を良くする発言をしなかったりすると、ソーシャルクレジットの評価が下がることになる。

少しでも攻撃性を表したり、「白人の特権」を示したりすれば非難されるし、憎しみを煽ったとされる場合は、罰せられる。脅迫的、虐待的、侮辱的な振る舞いをしたと通報された場合は、他人に対し脅迫的、虐待的、侮辱的なコミュニケーションを行った場合と同様に問題視される。

そこに意図があるかないかは関係ない。有罪判決を受ける必要もない。告発した人は、自分が傷ついたと言えばいいのだ。作家や俳優、映画や舞台の監督は、もし誰かが自分の制作した作品を不快に感じれば、起訴される可能性がある。シェイクスピア劇は今後あまり公演されなくなるだろう。

私が冗談を言っていると皆さんは思うだろうが、冗談ではない。

今のイギリスの警察は、犯罪や事件を（加害者の意図ではなく）被害者の感じ方を基に憎悪に満ちたものと決めつけている。

当然、警察や政治家は、法を犯した者を密告するよう市民に呼びかけているので、大音量で音楽を流したり、庭に木を植えたりすると非常に面倒なことになる（不思議なことに、木は二酸化炭素を吸収するという働きがあるにもかかわらず、通信に支障をきたす可能性があるという理由で邪魔だとされている）。新しい世界秩序の中には、美的感覚を養ったり自然を楽しんだりするための場所はないのだ。

他には何が挙げられるだろう？

公共交通機関で物を食べたり、医療機関の予約をすっぽかしたり、間違った場所に駐車したり、仕事の面接への欠席や信号無視などはすべて減点の対象となるので、生活に支障をきたすだろう。

もし私の頭がおかしいと思うのなら、サイバーセキュリティの専門家が公開した事実を知ってほしい。彼らは、21カ国の25歳から34歳までの成人の32％（計1万人）が、ソーシャルメディア上での素行の悪さが原因で、すでに住宅ローンや融資を受けることが難しくなっていると明らかにしたのだ。また、これまでに世界中で約45億人がインターネットを利用しており、ほとんどの人がソーシャルメディアのアカウントを持っている。

さらに、かなり恐ろしい調査結果がある。3分の2の人が、買い物で割引を受けるために自分や他人の情報を共有することをいとわず、半数の人が空港で行列に並ぶのを避けるために個人情報を提供しているそうだ。2人に1人は、国民の安全を守るためなら、政府が全国民のソーシャルメディア上での素行を監視してもよいと答えている。

もちろん、自分のソーシャルクレジットの点数を知ることも、スコアがどう集計されているかを正確に知ることも、誤りを訂正することもできないだろう。また、点数はリアルタイムで変更されているので、レンタカーを借りたり電車に乗ったりする権利があると思って列に並んでも、順番が回ってきたときには評価が変わっていて、どちらも利用できなくなってしまうことだってあるのだ。

政府や大企業、地方自治体は、顔認証カメラや空港での生体認証調査、ドローン、偵察機、ソーシャルメディアなどから、すでに皆さんの情報を収集している。これは、高度な科学技術の専門知識をもつ官僚が国全体を囲い込み、支配しているようなものだ。ソーシャルメディアでふざけた名前を使っても、安全が確保されるわけではない。彼らはハンドルネーム「stinkyfeet（クサい足）」の正体が誰かを正確に知っているし、「bumfluff（薄いひげ）」の名前、住所、内股の長さまで知っている。

プライバシーや自由、権利などは忘れてしまったほうがいい。

私たちはもうすぐ中国のような国に住むことになる。

家族の中で一人でも法律を破れば、家族全員が罰せられる。

宗教儀式に積極的に参加すると、罰せられることになるだろう。例えば、囚人が政治的プロパガンダを学ぶような教育訓練センターに、あなたも送られることになるかもしれない。

そしてオンラインで自分の情報を提供するたびに、自分自身のこと、自分の意見や性格などの情報が蓄積されていく。

ソーシャルクレジットの評価を落とす行動は他にももっとたくさんある。

例えば公共の場でゴミを落とすと辱めを受け、減点される。タイでは、国立公園内でゴミを落とした観光客は、自分の名前と住所を伝えなければならない。もし、ゴミを残したままにすると面倒なことになる。

これらはすべて、ソーシャル・エンジニアリングとして知られており、政治家が何年も前からやろうとしていることだ。うまくいけば全国民を完全にコントロールすることができるので、政治家は反対意見や批判を気にする必要はもはやなくなる。

中国では、国家や地元のために「良い」ことをした国民は、褒美として地元の掲示板に自分の写真と名前を載せてもらえる。これは、私が１９７０年代に東ドイツで目にしたものを彷彿させる。当時、人々は国家を喜ばせるために互いに競い合い、勝てば掲示板の座を獲得できたからだ。

繰り返しになるが、あなたやあなたの子どもたちがどんな社会に住むことになるかを知りたいのであれば、人々の行動や発言、思考が監視されている現在の中国（そして50年前の東ドイツ）を見るといい。

しかし、私たちの未来は、現在の中国のように自由で気楽なものではないだろう。

私たちは、悲惨なデジタル独裁国家へと急速に移行しつつある。良い振る舞いは報われ、悪い振る舞いは罰せられる。しかし、何が良くて何が悪いのかは誰が定義づけするのだろうか？

ユーザーの位置情報を追跡する「ジオトラッキング」は今やニューノーマルになっている。

皆さんの財務記録は、犯罪歴、学業成績、医療記録、買い物のパターンと組み合わされる。彼らは、あなたがどんな友達と付き合っているか、どんな動画を見ているか、どんな人とデートしたり結婚したり、会っているかを監視している。

これはまるで物語に出てくる独裁的な監視社会を地で行くようなものだ。

新しい世界では、評価点数が低い人は一歩も動けなくなる。

政治家の汚職や腐敗について発言したり、プロパガンダに異議を唱えたりする人は罰せられる。罰金を科せられれば、悪人とみなされて罰金額が高くなる。

そして、こういったことがすでに起こっているのだ。

コンピューターゲームは、来るべき将来のために私たちを訓練している。

私が中国から追放されたのは、中国の新聞に書いたコラムが中国政府に受け入れられなかったからだ。中国語で書かれた私の本は即座に販売停止になった。

ある事実を皆さんにお伝えしよう。

中国の公衆トイレでは、最初に顔認証で本人確認をしないと入れないところがある。確認が取れて初めて、機械が許容範囲の少量のトイレットペーパーを出してくれるのだ。

信用度の評価が低い人は、いったい何枚のペーパーを出してもらえるのだろうか？　2枚？　1枚？　それとも全くもらえない？

これを知ったあなたは今、笑っているかもしれないが、12か月後にも笑顔でいられるだろうか……。

一方、世界中の政府も、恐怖や嘲笑、洗脳や啓発のテクニックを駆使して、ソーシャル・エンジニアリングを国民に受け入れさせようとしている。

S19 SPECIAL BRANCH 特殊部隊

イギリスの「Covert Human Intelligence Sources (Criminal Conduct) Bill」（秘匿人的情報源法案：犯罪行為に対する潜入捜査や情報提供者に関する法案）の下では、いかなる諜報機関も、気まぐれで合法的に犯罪を行うことができる。報復や懲罰を恐れることなく、英国市民を殺害することが許可されるようになるのだ。では誰を殺そうというのか？ デービッド・ケリー博士？（訳注：英国防省顧問の微生物学者で国連査察の経験もあるデービッド・ケリー博士は、英政府がイラクの大量破壊兵器の脅威を誇張したという疑惑でBBCの情報源とされていた人物。2003年に不審な死を遂げている）。いや、彼はすでに殺されている。ではダイアナ妃か？

皆さんがお行儀よく振る舞わなければ、政府は皆さんを殺すことだってできるのだ。私が政府を批判するような本や記事を書いたり動画を作成したりすれば（万が一そんなことがあればの話だが）、私を殺すことができる。

ちなみに、この法案についてBBCのウェブサイトでは何も触れられていなかったが、これは1215年に制定されたマグナ・カルタ（大憲章）以来、もっとも重要な法案であることは間違いない。

S20 SPIES IN THE HOME 家庭に潜むスパイ

最近のテレビには、テレビを見ている人の会話や行動を撮影・録画できるものがある。テレビの電源を切っても撮影や録画は継続され、「当局」に情報を送信することができるのだ。アマゾン社の音声サービス、Alexa（とても便利で、あらゆる場所で耳にするあの声）は、質問やコメント、会話を記録できると言われているが、おそらく真実だろう。

さらにひどい話だが、２０２１年初頭には、子どもたちが親に対するスパイとして国家機関に利用される可能性があることが明らかになった。秘匿人的情報源（ＣＨＩＳ）法案は、10代の若者が親を監視することを可能にし、スパイ行為のために罪を犯すことを許可するものである。英国内の20以上の国家機関が、子どもを覆面捜査官として利用できるようになるのだ。子ども捜査官は、公衆衛生や国家安全保障を守るため、あるいは税金の徴収を助けるために必要な情報を収集できるようになる。また、青少年（16歳、17歳）は、親が犯罪やテロに関与していると疑われる場合、その親を監視するためにスパイとして採用される可能性もある。

S21

SPORT

スポーツ

ニューノーマルな生活ではスポーツができる場所はない。プロのスポーツもアマチュアのスポーツも、不要で不適切なものであり、資源の無駄遣いとして非合法化される。公園、競技場、ゴルフ場は荒れ野になる。唯一許可が下りるスポーツはEスポーツだけになるだろう（ただし、無観客で行われる）。

S22

STARVATION

飢餓

選挙で選ばれたわけではない新世界のリーダーたちは、世界中の人口が増えすぎていると考えている。彼らは、生まれてくる赤ん坊の数を減らし、死者数を増やすことで対処したいと考えている。1932年から33年にかけてウクライナで起きた大飢饉（ホロドモール）では、約1200万人が餓死したと言われている。

億万長者の陰謀によって余剰とみなされた数十億の人々は、食料や水の不足を理由に排除されるとみて間違いなさそうだ。

S23 STATUES 銅像

ブラック・ライヴズ・マターのデモ参加者からの苦情により、世界中で銅像が撤去されている。

例えば、イギリスの南西部にある地方都市、エクセターでは、戦争の英雄の銅像を撤去する運動が行われている（皆さんがこれを読む頃には撤去されているかもしれない）。

ビクトリア十字勲章を受章したレッドヴァーズ・ブラー将軍の銅像を撤去しようとする運動家たちは、ブラー将軍が家父長制を象徴しており（彼が男性であるというのもその理由だ）、「自分を二元的な性別用語で定義しない人に悪影響を与える」と主張している。もちろん、この銅像を撤去する運動は、ブラー将軍とは何の関係もない。これは、私たち全員を新しい世界秩序の奴隷にさせるために歴史を破壊しようとする、より広範な運動の一部なのである。

S24 STOCKHOLM SYNDROME ストックホルム症候群

ストックホルム症候群とは、人質が犯人に心理的な愛着を抱く状態のことである。これは1

973年、スウェーデンのストックホルムで起きた銀行強盗事件がきっかけで生まれた言葉で、人質にされた4人は犯人に不利な証言をすることを拒むどころか、むしろ犯人を擁護した。

２０２０年、私はなぜ多くの一般市民が臆病者のように振る舞い、従順に行動し、あからさまなナンセンスを受け入れているのか理解できなかった。だが結局は、皆が恐怖心につけこまれて、政府の権威ある人物の指示を受け入れていたのだという結論に達した。これは、集団ヒステリーの一種で、新型のストックホルム症候群である。

S25 SUICIDE 自殺

アメリカのCDC（米国疾病予防管理センター）が成人５４１２人を対象に行った調査によると、41％の人が少なくとも１つ以上の精神的・行動的な健康問題を抱えていると報告されており、17～24歳ではその割合が75％に上昇した。不安や抑うつ、自殺願望などは当たり前だった。成人の10％以上が、この調査を受ける前の30日間に自殺を考えたことがあると回答したのだ。

２０２０年10月下旬、ロンドン救急サービスは、毎日37人の自殺者または自殺未遂者に対応していることを明らかにした。２０１９年、その数は22人だったという。自殺未遂や自殺者の数が増えたのは、２０２０年に起きた騒動の直接的な結果と考えるのが妥当だろう。

S26 SUPPRESSION
抑止力

２０２０年の騒動が、あらかじめ計画されていた出来事であることに疑いを抱く人は、２つのことを振り返ってみるといいかもしれない。

１つ目は、この騒動が全世界で起きたということ。いわゆる「間違い」が多くの国で起きていた。２つ目は、２０２０年の騒動に関する議論や討論、ニュースの発表が制限されていたことだ。

S27 SUSTAINABLE
サステイナブル……「持続可能」という大嘘

この言葉は、世界でもっとも危険で破滅的だ。皆さんも、この言葉をどこでも目にすることになるだろう。「持続可能性（サステナビリティ）」は細心の注意を払って取り組むべきものである。というのも、トラブルや貧困、飢餓の到来を招くからだ。「持続可能な開発」とは、抑圧や弾圧、そして自由や民主主義の完全な欠如を意味する。

S27 SWINBURNE ALGERNON CHARLES スウィンバーン(アルジャーノン・チャールズ)……イギリスの詩人

「男には死よりも酷いことが待っている」。

T1 TALKING TO PLANTS 植物との対話

チャールズ皇太子は、植物に話しかけると植物が育つと信じている。しかし彼は、話しかけるときに二酸化炭素を植物に吹きかけていることに気づいていないようだ。

植物は二酸化炭素を吸って生きている。彼は世界の人口が少なくなることを望んでいるが、人口が減れば、その分だけ二酸化炭素が減ることを理解しているのだろうか? 二酸化炭素が減れば植物の数も減るし、成長もしなくなる。その結果、食料に利用できる植物も減り、さらなる飢餓が発生する。チャールズは一見すると愚かに見えるが、実際にその通りなのかもしれない。また、非常に危険な存在でもある。

T2 TAXES 税金

２０２０年に巨額の負債が発生したため、税金は大幅に増額されることになるだろう。新たな税金が多く導入されるが、その税金で得た収入だけでは政府の借金を返済するのには足りないので、財産の没収プログラムが導入されるだろう。税金が急騰すると、多くの人は困窮することになる。個人の財産（家、土地、車など）を没収することは、国家がすべてを所有し、個人は何も所有できないというアジェンダ21の計画にうまく合致している。もちろん億万長者やロイヤルファミリーは、こういった税金や没収プログラムの影響を受けないだろう。

T3 TEACHERS 教師

ある学校の教師は「生徒たちは何かがおかしいと感じている」と言い、生徒が科学的に正当化できないさまざまな規則に従うことを強いられていると指摘した。

２０２０年、教師たちは生徒を裏切った。閉鎖する必要がないのに学校を閉鎖し、生徒に顔の半分を隠すことや、生徒同士の距離を保つことを要求した（この対策が全く役に立たず、その後の長期にわたり精神的な悪影響を及ぼすことを知っていたはずなのに)。そして、学校の閉鎖を主張し(閉鎖など必要なく、何百万もの生徒の教育を台無しにしただけだった)、教室内に無線LANを設置することを許可した。だが、教師たちは無線LANや携帯電話が健康を害するという証拠を知っていたはずである。

T_4 TECHNOCRACY テクノクラシー

「科学者が世界を支配する」という考えを推進する、現在主流の政治哲学。

T_5 TELEPHONES 電話機

電気に頼らない、昔ながらのダイヤル式電話機を探して購入してみてほしい。これがあれば、大規模な停電が発生しても、同様の旧式の電話機を持っている人とならコミュニケーションをとることができる。

T6 TELEVISION テレビ

『我々の仕事は、人々が望む情報ではなく、人々が知るべきだと我々が判断した情報を提供することです』。リチャード・サラント氏（アメリカの大手メディア企業・CBSニュース社の元社長）の言葉。

T7 TEMPORARY テンポラリー（一時的なもの）

一時的な措置（政府が導入している）は決して一時的なものではなく、必ず永続的なものになる。いわゆる「一時的な措置」は、私たちが危険にさらされていること、それゆえ常に怯え続けなければならないことを忘れぬよう維持されるだろう。マスクで口と鼻を覆う行為は、低酸素症を引き起こし、国民をこれまでになく愚かで従順にするのはもちろんのこと、将来的に起きる専制政治を国民が受け入れるように仕向けている。

T8

TERRA CARTA PLEDGE
テラカルタ（地球憲章）

チャールズ皇太子は、地球を第一に考えるテラカルタに署名するよう企業に呼びかけている。この愚行は、アジェンダ21の「持続可能な」未来のための計画の一環である。注目すべきは、持続可能な未来のために、チャールズ皇太子自身がプライベートジェット機で世界中を飛び回ることをやめて、少しでも地球に貢献しようとするかどうかである。

T9

TERROR
恐怖心

強い恐怖心は、人々を怯えさせ、権力を得たり、法律を押し通したり、人権を奪ったりするために常に使われてきた。アジェンダ21の提唱者たちは、自分たちの邪悪なアジェンダを推進するために、人々の恐怖心を煽って利用し、キャンペーンを行ったのだ。

T10

TERRORISM
テロリズム

2020年7月2日、私はテロリズムを「政治目的で人を威嚇《いかく》したり暴力を用いたりすること」と定義づけた。

どの国の政府も、自分たちが流行させているウイルスに怯えるよう、国民の強迫観念を利用して圧力をかけてきたことは間違いないし、また政府が暴力を使って国民を抑圧していることにも疑いの余地はない。

要するに、私たちの政府はテロリストであり、政府に対抗し、彼らを倒して確実に処罰することが私たちの義務であるということになる。もし私たちが自分たちのために立ち上がらなければ、私がかつて「知的テロリズム」と表現した方法で、政府は国民を抑圧し続けるだろう。

T11 TEST AND TRACE APPS 検査と追跡のためのアプリ

驚くほど悪質な設計の政府主導のアプリがあり、何百万人もの騙されやすい国民から個人情報や私的な情報を収集している。集めた情報は、警察や、おそらく税務署と共有されるのだろう。

カフェ、パブ、レストラン、教会、その他の建物などに入る際に個人情報を求められた場合、多くの人が偽の名前や情報を伝えていたと報じられている。10月下旬、ウェールズ地域の秋の規制強化期間中、2つのパブが閉鎖に追い込まれた。この理由は、利用者が偽の名前や詳細情報を提供したためで、このうち1つのパブには自称M・ハンコックという人が1週間に479人も通っていたことから、当局は疑念を抱いたのだ。また、全員がウェールズの首都カーディフにある今は使われていない公衆電話の番号を連絡先にしていたことが判明し、疑惑がさらに深まった。一方、ジョーンズと名乗っていた1543人は、本当にジョーンズという名前だった。

聞くところによると、見知らぬ人に個人情報を教えたくないという思いから、偽の訪問カードを印刷している人がいるそうだ。そういったカードはそれほど高価なものではなく、身分証明書として使っても十分に公式なものに見えるそうだ。

体をいじられる処置を伴う検査は、身体的リスクを考慮して、事前に検査の日時、実施場所、検査を行う人の名前を書き留めておくべきである。また、検査する者の資格や、誰の権限で検査を行っているかについても記録しておくといい。

危険とされる例の病気にかかっていないかどうか、定期的に検査を受けなければならない状況を奇妙に感じる人はほとんどいないようだ。だが、致命的な病気にかかっているのであれば、検査などしなくとも自分で症状に気づくと考えるほうが妥当ではないだろうか。また、この病気の感染症状は、季節性インフルエンザとほぼ同じ（咳やくしゃみ）なので、患者が自らその症状に気づく可能性も高そうだ（余談だが、感染が広がる方法として認識されている、くしゃみや咳の症状が出ていない状態で、どうやったら感染を広めることができるのだろうか？　少なくとも、ある主要な研究によると、無症状者による感染伝達は起こらないとされている）。

T12 THE TRILATERAL COMMISSION 三極委員会

1973年にデイヴィッド・ロックフェラーとズビグニュー・ブレジンスキーによって設立された「三極委員会」は、新たな国際経済秩序のために作られたもので、グローバル化の前身とも言える。その短期的な目標は国家・民族・個人の主権を廃止し、世界貿易を改革し、大量の監視システムを導入し、ＩｏＴ（モノのインターネット）化を推進し、大規模な携帯電話ネットワークを展開することだ。なかでも、おそらくもっとも重要なことは、すべての反対意見を検閲し、批判者を悪者にして、これらの問題に関するすべての議論を封印することである。

そして究極の目的は、テクノクラートの世界に導くことだ。

現在、理想にもっとも近い国とされているのは中国で、共産主義が「新世界秩序」（コミュニタリアニズム）への足掛かりとなっている。また社会主義や極左の自由主義を唱えるその他の国々では、アジェンダ21の遂行に必要な政治的枠組みを提供している。

T13 THERMAL SCANNER サーマルスキャナー

サーマルスキャナーは、宇宙飛行士が着るようなコスチュームにビニールのエプロンを着けた人が持つ、まったく役に立たない装置のことだ。この装置は被験者の額から数センチから30センチほど離れた位置から温度を測定するために使用される。サーマルスキャナーは特定の病気を「診断」するために広く使われているが、実際にはドーナツを近づけても同じような情報が得られるだろう。

T14 TRUTH 真実

「真実は詩に似ている。そして、ほとんどの人は詩なんてものが嫌いだ」（映画『マネー・ショート　華麗なる大逆転』より）。

T15 TWAIN MARK トウェイン（マーク）

「騙されていることを教えるよりも、騙すほうが簡単だ」。

T16　TWO TIER SOCIETY
二層構造の社会

二層構造の社会がすぐにやって来る。上の層は注射を打たれた人で構成され、下の層は注射を打たれていない人で構成される。家族や友人は従来の区分よりもはるかに細かく分断され、その分断は永久に続くことになるだろう。これこそが階級制度であり、下層階級の人々は、より明確な下層階級となり、やがて無法者となってしまう。

U1　UN AND CARBON EMISSIONS
国連と二酸化炭素排出量

国連は、各国に二酸化炭素の排出量を25％削減するよう要請した。その要求に応じた国々は選挙で選ばれていない非公式の世界政府に国家主権を譲り渡したことになる。

地球温暖化説を裏付ける科学的な証拠は一切存在しないにもかかわらず、温暖化は人類にとって大きな脅威であると言われ続けてきた。そのせいで経済の発展は制限され、生活水準が低下し、化石燃料発電所は閉鎖された。これらはすべてアジェンダ21の目的を達成するためである。

U2 UNITED NATIONS 国連……全体主義への布石

国連は世界の飢餓をなくし、地球の平和を実現するため1945年に設立された。しかし、1959年以降、米国のジョン・バーチ・ソサエティは国連の真の目的は世界政府を樹立することだと主張し、米国を国連から離脱させようと（成功はしなかったが）戦った。国連は独自の軍隊を創設し、世界税の導入を推進している。

今日、国連は多くの弊害をもたらす腐敗した組織であると認識されている（例えば贈収賄や偏向的であることを示す記録、イラクの食用油スキャンダルなどがある）。

国連の目的は世界の人々から独立、自由、民主主義、プライバシー、尊厳を奪い、全体主義的な統治を行うことである。彼らの計画は人々の恐怖心を煽り立てて世界の人口をコントロールすることであり――そこに自由はないとしても――政治的正しさや偽の健康・安全規制を利用して人々を怖がらせ、リスクのない世界を約束することだった。地球温暖化というカルトは国連の目的を促進するために利用されてきたのだ。

国連の計画には教育の改革が含まれている。教育を再設計し、教育を疎かにし、愚かな市民を作り出すことになっているのだ。またアジェンダ21では、従来の医療に代わって延々と続く予防接種プログラムが計画されている。

その目的を達成するために国連は主権、ナショナリズム、個人主義、そして人間の野心や動機をすべて排除する必要があった。体制側がＥＵ離脱に反対したのは、ナショナリズムや主権が、彼らの目的にそぐわなかったからだ（ＥＵを支持した人の多くはＥＵの目的を誤解していた。ブレグジットが進むとイタリアの靴やフランスのワインが気軽に買えなくなることを心配して、イギリスのＥＵ残留を望んだ人も少なからず存在した）。

国連は本来手にしてはいけない権利や権力を手にしてしまった。そして、世界の気候、環境、健康、安全、教育に関する権限を手に入れ、各国の主権者である政府に対して、どのような計画を立て、どのような時間枠で従わなければならないかを指示した。国連は17の具体的な目標と１６９の補助的な目標を掲げている。これらの目標は健全なものに見えるが、どのような意図があるのか、口先だけの平凡な言葉の本当の意味は何かを掘り下げてみたいと思う。

国連は私たちの多くが共産主義と見なすアジェンダ（ただし、邪悪な含みを持った共産主義である）に従っており、富と技術を再分配し、私有財産を公共のものにすることを望んでいる。彼らの目的は集団主義であり、個人の人権よりも世界国家や世界政府（国連によって運営される）を優先させることを考えている。奇妙なことに国連は世界の苦境を家父長制のせいにしている。

彼らはこの主張について詳しく説明しようとしたことも、それを裏付ける証拠を提示したこともない。国連は証拠や科学を信じておらず、そうしたものに惑わされずに自分たちで判断を下したいと考えているのだ。

地球温暖化という神話は、私たちの生活を乗っ取るための枠組みとして使われ、教育を統制し、大規模な財産没収プログラムを実施し、あらゆるものを1カ所に集めたメガ・スマートシティに人々を移住させ、大規模な過疎化プログラムを実施する口実となっている。そして国連は（現実のものであれ人為的なものであれ）悲劇を利用することに非常に長けており、政府の介入を強化するための新たな口実として悲劇を大いに利用しているのだ。

1992年、リオデジャネイロで開催されたサミットでは「持続可能な開発」が叫ばれ、地方議会や地域の活動家たちが環境政策を始動させることを要求した。これらの政策は世界レベルで操作されたものだった。

そして、積極的なリサイクル政策が導入され、議会や個人に罰金が科せられている（EUでは欧州連合を通じて行われている）。このリサイクルプログラムは決して実用的なものではなく、慎重に選別された素材の多くは埋められたり燃やされたりするために輸出されている。実際、リサイクルプログラムはいつだって、リサイクルのために実施されるのではなく、人々をコントロールするために実施されるのだ。

さて、地球温暖化への取り組みは世界中で展開されている。

アメリカのカリフォルニア州では、雑木林に棲むネズミが危険にさらされるという理由で、家主は家の周りの雑木林を伐採しようものなら刑務所行きになると脅された。その結果、何百万ドルもの価値がある家が森林火災で焼失している。そして皮肉なことに、火事から逃れるためにネズミは別の場所に移動してしまった。

イギリスでは立派なビクトリア調の家が取り壊され、粗末な近代的な家（現代の劣悪な基準で建てられた家）に建て替えられた。これは人々をスマートシティに移住させるプログラムの一環だった。

２０２０年に頂点に達したローカルビジネスの崩壊や、ナンセンスな地球温暖化という概念の上に成り立つ不条理な環境ルールも、個人をスマートシティに追い込むためのものだった。

あるレポートによると、国連（民主主義的な機関ではないし、選挙で選ばれた役員もいない）の従業員は約３０００人だそうだ。だが、事務局だけで４万１０００人の従業員がいるし、関連機関の職員の数はそれよりもはるかに多いので、この数字は明らかに少ないと言える。調整担当の最高経営責任者が発表した２０１２年の数字では、事務局３万７２３人＋関連機関５万２５９６人で、ここには世界保健機関（ＷＨＯ）や各国の兵士で構成されている平和維持軍などの子会社は含まれていない。

国連職員には多くの特典がある。例えば、国連職員が勤務している国で給与や報酬に税金を支払う必要がある場合、総会は職員が税金の支払いを免れるように払い戻しを行っている。これは共産主義的な考え方を世界に押し付けようとし、「より良い」「より持続可能な」社会を推進している組織としては、かなり奇妙なことに思える。

イラク戦争中、国連はイラクに対して多くの輸入を禁止した。その中には薬や血液、浄水器などの必需品も含まれており、その結果、10人に1人の子どもが1歳の誕生日を迎えられずに亡くなってしまった。米国軍の攻撃により、イラクの下水処理場や浄水場の多くが破壊されてしまい、国民は浄水器がないため汚染された水を飲まなければならなかった。また米国の爆撃でイラクの電力網は破壊されたが、制裁のため修理に必要な部品を輸入することができなかった。食料がないため、親は子ども全員が餓死してしまわぬよう、子どものうち1人だけを生かすという選択を迫られることもあった。国連の制裁によって死亡した子どもの正確な数は不明だが、150万人以上に及ぶとも言われている。

間違いなく、国連は悪の組織である。彼らは地球上に地獄を作ることを計画しているのだ。

U3 ユニバーサル・ベーシック・インカム

UNIVERSAL BASIC INCOME

政府が国民にユニバーサル・ベーシック・インカムを支給する、というアイデアはずいぶん前から存在したが、ここにきて現実になろうとしている。

イギリスでは給付金制度と税額控除制度によって、すでに何百万もの人々にユニバーサル・ベーシック・インカムが給付されている。一時帰休制度も存在するが、それは国民が政府からの定期的な給与小切手を受け取ることに慣れさせるための仕組みだ。当然のことだが、全国民に月々の支払いをするようになれば多額の費用が生じる。しかし現在、無意味な管理や不正に費やされている数十億ポンドを節約することにはつながるだろう。

かつての私はベーシック・インカムをすばらしいアイデアだと思っていた。拙著『無血革命（*Bloodless Revolution*）』の中でも、もし国が国民全員にベーシック・インカムを給付すれば、国民全員が搾取から解放され、失業手当や生活保護の必要性がなくなり、より公平な税制が確保され、貧困が根絶され、強制的な売春がなくなり、犯罪率が大幅に低下し、人々が（収入を増やすために）働くようになるだろうと述べていた。市民のベーシック・インカムが実現すれば、働かない隣人に憤りを感じることもなくなるだろう。また政府は、膨大な種類の公的給付の管理に携わる膨大な数の官僚のために、より生産的な雇用を見つけることができる。国にとっては驚くほどの節約になるだろう。何百万人もの労働者の時間がより創造的な企業のために解放されるのだ。

現在、イギリスでは社会保障費が年間2000億ポンドを超えている。官僚への支払いやその管理には、さらにその半分の費用がかかる。1000万人もの年金受給者がいるため、公的年金制度には少なくともさらに600億ポンド（しかも受給者の数は急速に増加している）、国の年金制度を管理するには数十億ポンドの費用がかかる。そして元公務員や公共部門の労働者に支払う年金やその他の支払いにも数十億ポンドが必要である。

では、例えば国内のすべての成人に年間1万ポンドの収入を与えたとしよう。すると現在の公的年金や給付金制度よりも安く済むことがわかる。これは個人にとっても国にとっても、よりシンプルで公平な良い制度と言えるだろう。

しかし、状況は大きく変わってしまった。

現在ユニバーサル・ベーシック・インカムは、国民をコントロールするための手段として利用されようとしている。残念ながら、それがすばらしいアイデアだと今の私には思えない。

V1 VEGANISM ヴィーガン

ヴィーガンが急速に人気になったのは、果たして偶然だろうか？　そうではない。権力者たちは、私たちが動物を食べることを望んでいない。動物を食べるという行為は食べるまでに多くの時間や手間がかかるプロセスなのだ。権力者たちは実験室で作った食品を私たちに食べさせようとしている。もちろん、その中には肉のような見た目や味がするものも存在するだろう。私はオボ・ビーガン（放し飼いの卵は食べる）であるが、それはあくまで私の個人的な選択だ。私は、特定の行動を取るように強制される事態をよしとしない。結果的に受け入れることになったとしても、強制されたやり方など到底受け入れられないだろう。

V2

VERTICAL FARMING
垂直農法

垂直農法とは、工場での農業を意味する愚かな名称だ。アジェンダ21の信奉者たちは、名称を常に好き勝手に変えている。例えば「地球温暖化」であれば、「地球寒冷化」、その後は「気候変動」に変えている。彼らが使う言葉やフレーズの多くは心理学者が考案したもので、正しい目的に適さない場合は変更されるのである。

V3

VITAMIN D
ビタミンD……太陽を浴びよう

ビタミンDの欠乏は、病人、特に感染症に罹っている人に多く見られる。政府は人々を屋内に閉じ込めようとしているが、そうすることでビタミンD欠乏症のリスクが大幅に高まり、その症状や健康上のリスクは膨大なものになる。

またビタミンDが不足すると感染症に罹るリスクが高まるだけでなく、心臓病、喘息、がん、認知症のリスクも高まる。さらに高血圧、糖尿病、多発性硬化症を引き起こす可能性が高くなるという証拠もある。肌の色が黒い人はメラニンが多いため、太陽光を浴びたとしてもビタミンDを作ることができず、ビタミンD欠乏症になる危険性がより高い。

ビタミンDは他のビタミンと同様、人間にとって不可欠だ。ビタミンDなしでは私たちの体は効果的に機能せず、細胞の再生も効率的に行われない。また非常に重要なことであるが、ビタミンDは感染症の予防に欠かせない。

多くの人にとってビタミンDの重要な供給源は太陽光である。屋内にいることが多い人はビタミンDが不足し、ウイルス性の感染症に罹りやすくなる。

加工された食品からビタミンDを摂取することもできるが、屋内に閉じこもっている多くの人にとってはビタミンDのサプリメントを摂取するのがよいだろう。

V4 VOICE RECOGNITION 音声認識

銀行をはじめとする大企業では、お客様の声を1、2フレーズほど録音して、その音声を識別するようになった。こうした音声認識ソフトは、詐欺を避けるための方法やお客様が自分を守るための方法として販売されている。

もちろん、こんなのナンセンスだ。

銀行はお客様のプライバシーを保護などしていない。もう何十年も前から、銀行の倫理観はその逆を向いているのだ。銀行の真の目的は、顔認証や音声認識ソフトを組み合わせて一人ひとりのプロフィールを作成し、それを信用格付けに結びつけることである。

W1 WAR 戦争

私たちは、自国の政府と戦争状態にあると言っても過言ではない。

政府は私たちの肉体も精神も魂も破壊しようとしている。彼らの目的は、私たちを弱らせ、怖がらせ、思い通りにすることなのだ。

よく聞いてほしい。これまで起こったことは、すべて起こるべくして起こったのだ。いわゆる「ニューノーマル」は、人々に疑念を生み出すものだった。政府はそれを利用して、恐怖、絶望、憎しみを生み出し、人々の精神を弱らせようとしている。最終的にすべての責任を負うのは私たち国民であり、賢明で広い視野を持った他人が、私たちの人生のあらゆる側面を支配しているのだ。

悲しいことだが、今日では尊厳、信頼、尊敬といった概念は古臭く、時代遅れであり、恥ずべき大英帝国や、犯罪的なビクトリア朝を彷彿させるものと見なされている。

W2 WATER 水

水道水はきれいで新鮮、飲みやすいと思う方がいるかもしれない。しかし、それは間違いである。水道水は洗濯には適しているが、飲用に適していない。こんなことを言うと私はすぐに精神異常者に分類されてしまう。しかし、次の事実を知ってもらいたい。

まず飲料水にはフッ素が添加されている。20世紀の中頃から、当局は飲料水にフッ素を添加してきた。その理由は人々の歯の健康を保つためである。しかし、これは非常に馬鹿げた話だ。WHOでさえ、飲料水にフッ素を添加している国とそうでない国とでは、虫歯の数に違いはないと言っているのだ。それどころか、フッ素はがんをはじめとする多くの長期的な健康問題を引き起こすのである。

次に、飲料水の多くは、下水処理された水が流れ込んだ川から採取されている。川に流された下水処理水は、トイレの紙や使用済みタンポンなどを含んでいないが、それはろ過されているからだ。しかし、精神安定剤や抗生物質などの処方薬の残留物は、ろ過されないため、除去されていないのだ。

また、河川（つまり飲料水）には女性ホルモン（避妊用ピル由来）が含まれているという明らかな証拠が何年も前から存在している。それについては1980年代に初めて書いたが、私の著書『肉ががんを引き起こす――思考のさらなる糧（*Meat Causes Cancer And More Food for Thought*）』にも概要が記載されている。また、注射で投与される薬剤の汚染物質が飲料水に含まれているという証拠もある。

W3　WEALTH TAX 富裕税

今話題になっている富裕税（2020年以降に発生する費用を賄うために提唱された）は、富裕層（租税回避者）ではなく、自分や子どものために少しでも富を得ようとする中間層が支払うことになる。

W4 WEAPONIZATION OF RADIO FREQUENCIES 無線周波数の兵器化

ロシアと米国は1世紀近く前から「エネルギー」兵器の実験を行っている。米国では193 3年に「HAARP (High-Frequency Active Auroral Research Program)」というプログラムが立ち上げられ、電波を兵器化する実験を開始した。この研究は現在も続けられている。

W5 WEATHER 天気

天気はすでにコントロールされている。オリンピックやロイヤルウェディングなどのビッグイベントがいつも好天に恵まれているのは、嬉しい偶然だと思わないだろうか？

現在、ビル＆メリンダ・ゲイツ財団の出資する会社が太陽光を遮る計画を立てており、今後はさらに奇妙な天候パターンになることが予想される。政府が私たちをコントロールし、多くの人を殺そうとしていることがわかっている今、天候が武器にされることは間違いない。

W6

WEBSTER DANIEL
ウェブスター（ダニエル）……アメリカの政治家

「私は、人々が公務員に暗黙の信頼を置きすぎていて、その行動を適切に精査することを怠っているのではないかと心配している。こうして人々は計画的な人間に騙され、自らを破滅させる道具となるのかもしれない」。

W7

WHAT THE WORLD WILL LOOK LIKE
世界はどのようになるのか

「グローバル・リセット」や「新世界秩序」などの提唱者たちは、自分たちの悪魔的な目的に沿って、世界がどのように変化するか明確な見解を持っている。だが、彼らはこの見解を、支配される側の人々と共有することには消極的だ。本書は提唱者たちのやり方で物事が進んでいった場合に、私たちにどのような世界や人生が待っているのかを公平な視点で記したものだ。

W8 WHITE SUPREMACY
白人至上主義

ブラック・ライヴズ・マターのデモ参加者は、彼らの主な財政的・精神的な支援者であるアジェンダ21のリーダーがすべて一定年齢の白人男性であることに気づいていない。

おそらくデモ参加者は、大々的に宣伝されているグレート・リセットが行われたとき、もっとも多く死亡するのはアフリカの黒人であるということに考えが至らないのだろう。

W9 Wi-Fi AND CELL PHONES
Ｗｉ－Ｆｉと携帯電話

子どもたちは学校にいる間、何千時間もＷｉ－Ｆｉの放射線に晒されている。また、ほとんどの家庭にはＷｉ－Ｆｉが設置されており、多種多様なコンピューター、携帯電話、タブレットなどの電子機器があるため、家に帰ってもＷｉ－Ｆｉによる放射線被曝は続く。

２００８年の時点でスイス、ドイツ、英国の学校ではＷｉ－Ｆｉの撤去を始めていた。しかし、フランス、ベルギー、スペイン、オーストラリア、イタリア、イスラエルでは学校でのＷｉ－Ｆｉや携帯電話の使用を廃止または削減しているものの、他の国（イギリスなど）ではむしろ増加傾向にある。

いくつかの国がＷｉ－Ｆｉや携帯電話の使用を禁止または削減しているのには理由がある。電磁波が特に子どもに深刻な健康被害をもたらすことを示す、多くの専門家たちによる研究結果があるのだ（補足すると、子どもは幼いほど影響を受けやすい。子どもの頭の骨髄は大人の頭の10倍の放射線を吸収する）。

欧州評議会は学校にルーターを設置することの危険性を警告し、２０１１年には学校でのＷｉ－Ｆｉと携帯電話の使用禁止を呼びかけている。

２０２０年7月、ロシア政府は、ロシア科学アカデミー医学部門やロシア保健省と連携している非電離放射線防護国家委員会からの助言により、小学校でのＷｉ－Ｆｉと携帯電話の使用禁止を勧告した。Ｗｉ－ＦｉはＤＮＡを損傷し、がんを引き起こし、発育上の異変をもたらすほか、内分泌の変化や精神に悪影響を及ぼすことが判明していた。ロシアは他国よりも長く電磁場を研究しており、何十年も前から軍事兵器としての価値を評価してきたのだ。

２０１2年、ユニセフの調査によると学校でのＷｉ－Ｆｉ利用により、中枢神経系の障害が85％、血液・免疫系の障害が82％増加した。てんかんは36％、心理的な問題は11％増加している。注目すべき点は、携帯電話やＷｉ－Ｆｉによる損害は、保険会社による補償が携帯電話会社に対して行われないということだ。

WHOは電磁波に発がん性があることを認識しており、発育中の頭蓋骨が薄い子どもの場合は、発がん性が高まると考えている。

地球温暖化が実際に起こっていて、人間のせいで生じた地球上の生命にとって深刻な脅威であるという科学的証拠はどこにもない。しかし、各国政府はあたかもそれが事実であるかのようにさまざまな対策を講じている。一方、電磁波が人間の健康に深刻な害を及ぼすことを示す科学的証拠があるにもかかわらず、各国政府はこの問題にまったく対処していない。それどころか学校にもっと強力なＷｉ－Ｆｉ機器を設置することを奨励しているのだ。

学校の教師たちはより強力な機器を学校に設置して、生徒たちを電磁波でまみれにさせようとしている。アメリカのチャールストンでは近隣の住民も使えるようにＷｉ－Ｆｉの周波数帯を切り替えたと学校側が自慢している。イギリスでは校長や教頭が自分の学校は近所のどの施設よりも電磁波が届いていると自慢して喜んでいる。しかし、それは絞首刑執行人が、誰が犯罪者をより多く吊るせるかを自慢するようなものだ。

W10 WIKIPEDIA ウィキペディア……社会的操作のツール

ウィキペディアが導入された当初から、私の名前が載ったウィキペディアのページは存在していた。そのページにはいつも不正確な情報が含まれていたし、明らかにジャーナリズムをまったく理解していない素人が書いたもので、記載されている内容は信憑性に欠けていた。私はこのページを削除するように何度も依頼したが、拒否されてしまった。皮肉なことに、私があまりにも多くのことを成し遂げてきたため、ウィキペディアはページを削除したがらなかったのだ。そして、私が評価を受けた事柄に関しては削除される一方で、不正確な情報だけは残り続けた。

それから数十年、このページは放置され続けていた。そこに書かれている内容は、ある程度正確なものもあればそうでないものもあった。ウィキペディアの項目はほとんど誰でも書いたり編集したりすることができるし、子どもが遊びで書いたものも含まれている（スコットランドのウィキペディアでは、アメリカのあるティーンエイジャーが半分近くのページを編集していたようだ。彼は12歳のときにウィキペディアに書き込みを始め、彼が大量のおふざけを書いていたことは何年も気づかれなかった）。

情報を書き込まれた本人を除き、ウィキペディアでは誰もが情報のページを書いたり編集したりすることができる。ペテン師、強姦魔、小児性愛者、精神異常者、偏見に満ちたクー・クラックス・クランのメンバー、12歳の子どもであろうと、すべての人がウィキペディアの編集者になることができるのだ。そして、その多くはディープステートのグローバリストの技術官僚、トランスヒューマニストのファシスト、嘘つきな詐欺師である地球温暖化の捏造愛好家だ。編集者の中には良かれと思ってやっている人もいれば、くだらないペンネームを使い、自分の政治的な偏見や持論を宣伝するためにサイトを利用している、臆病で小さなイタチも存在する。これらの多くが自分の意見を持っていても、現実の世界では相手にもされないような未熟者ではないだろうか。

もちろんウィキペディアのページを改善するために編集者にお金を払うことは可能だ。高額な料金を払えばウィキペディアの編集者はトニー・ブレアを聖人のように見せることだってできるだろう。

2020年3月18日、愚かな行為かもしれないが、私はその年に起きた騒動についての動画を作成した。すると、すぐに私のウィキペディアのページは大きく変わった。数時間のうちに、私のページは、ナチスの戦争犯罪者たちよりもひどいものになってしまった。これまでに行ってきたことのうち、少しでも世の中の役に立てたと言えるようなことはすべて削除されてしまった。そして巧妙で欺瞞に満ちた真実の歪曲の数々で埋め尽くされた。体制に疑問を持つ人を侮辱し、中傷し、悪者にするのが公の方針であり、ウィキペディアはその武器の1つなのだ。

私は突如信用に値しない人間になってしまった。なぜか？　ウィキペディアの誰かが私をそうだと決めたからだ。私は何千ものレビューやインタビューをキャビネットに収めているが、ウィキペディアや編集者がそう判断するまで、誰も私を信用できないと評したことはなかった。さらにスコットランドの小さな新聞がウィキペディアを引用した記事を掲載すると、ウィキペディアの編集者はスコットランドの新聞を中傷的なコメントの出典としてしまったのだ。巧妙な悪循環である。

一夜にして私は陰謀論者になってしまったが、むしろ陰謀を企てているのは私が批判していた人たちではないか。歪められた真実や欺瞞は、かつては新聞を破り捨ててしまえば消えてしまった。だが今日では、永遠に残り続けてしまう。

何十年も前に作成されたインターネットのページを調べて、私がASA（英国広告基準局）から批判されたことを見つけ出した輩もいる。ウィキペディアには書かれていなかったが、ASAは民間の組織であり、私に関する苦情を受けた後、私から「肉ががんを引き起こす」という主張を裏付ける数多くの科学的文献を受け取ったはずだ。だが、食肉業界から苦情を受けたASAは、その文献を確認しようともせず、単に私のことを非難に値すると発表したのだ。報道関係者の苦情処理委員会も同様で、科学的文献を確認してから結論を出すことを拒否している。

他にも、何十年も前の馬鹿げた話の断片が、私の信用を落とすことだけを目的に、脚色され、編集され、掲載されていた。このページにはそのへんのゴミ箱よりも多くのゴミが混じっているように思える。私の理論は信用に値しないと主張するのは、ウィキペディアの編集者と製薬会社にいる数名の誹謗中傷者だけである。エイズに関する私の文献は人々を安心させるためのもので、すべて科学的に正確な内容だった。私が執筆していた当時、世間ではエイズに罹《かか》ったら死ぬと言われていたのだ。

ウィキペディアの編集者たちは――私が信用ならない疑似科学者（彼らの言葉を借りれば）であるならば――なぜ、そもそも私のウィキペディアページが存在するのかということを考えもしない。

最後に自分のウィキペディアのページを見たときには、私が行った数々のキャンペーンの成功、テレビやラジオの番組制作、自ら進んで取り組んだボランティア活動などの詳細が削除されており、１００冊以上ある私の著書リストも削除されていた。さらに、多くの有名な全国紙にコラムを書いていたことも削除され、自費出版の作家ということになっていたうえ、私がイギリスやアメリカをはじめとする世界中の何十もの大手出版社から本を出版し、25の言語に翻訳されていることも省略されていた。また、私が『ピープル』のコラムニストを辞めたことには触れているが、辞めた理由が、イラク戦争へのイギリスの関与を批判するコラムを編集者が掲載拒否したからだということには触れていない。そして、私が医療行為を行えなくなったことにも触れているが、これは退職した医師には免許がないからだという事実を無視している。

同じように、私を称賛した多くの記事も、私の仕事を称えた言葉とともに参照の項目から削除されていた。私は疑似科学者だと非難されているが、これは名誉毀損であり、既存の見解に疑問を呈する人の信用を落とそうとしているやり方だ。

もちろんその目的は、私を悪者にして、私の本や記事、動画に注目が集まるのを阻止し、他の医師も同様の声を上げるのを阻止することにある。

それが彼らの真の目的なのだ。

ウィキペディアは新たな抑圧と偽情報の戦争における強力な武器となっており、その政治的偏向によって、私たちの自由を脅かし、一般市民を犠牲にしてエリートを売り込むのに役立っている。ウィキペディアはBBCのように、多少どころかまったく信頼できないメディアだ。

私は2020年3月以降、絶対に正しいことを言っているが、新たな世界では真実や事実は重要ではないのだ。

もちろん、狙われているのは私だけではない。

新体制に反対の意見を言う人は同じ扱いを受けている。その人の功績はすべて削除され、信用を落とす目的で編集された情報に置き換わってしまったのだ。

ウィキペディアは、元々は善意で始まったかもしれない。素人が百科事典を書いたり編集したりできるというアイデアは小さな欠点はあるものの、善意と誠実さで成り立っており、無害で時には役に立つように思えた。だが、それも少し前までの話である。

ウィキペディアの背後には誰がいるのか?

私は、自称編集者の何人かの名前を知っているが、中には嫉妬心や偏見を持っているとしか思えない、不器用で臆病な人もいる。彼らは大抵、くだらないハンドルネームに身を隠しているのだ。中には間違いなく政府機関に所属している者もいて、彼らは自分の身元をうまく隠しているとも言えるが、それ以外の者を特定するのは難しくない。彼らは狂信者のような熱意を持って、裏で私に悪質な誹謗中傷を行っている。ある編集者は、2016年の選挙とEU離脱の国民投票はプーチンに振り回された結果だと主張していた。傲慢さと無知を織り交ぜながら自らを左翼思想警察の一員と表現しているが、これは非常に正しいだろう。別の「編集者」(その人物は偽名の綴りさえ間違えている)は、訳のわからない啓発的な政治的呟《つぶや》きをRedditというサイトで公開した。その者は、デボン州のある村の開業医について私が書いた15冊のシリーズ本に関するウィキペディアのページを削除したいとも言っている。

かつてウィキペディアを愛していた人々でさえ、今ではウィキペディアが偏見や政治的過激主義を助長するために悪用されていることを知り、恥じている。確かに、私の名前をつけて公開されたページは、中立性に欠け、否定的で、控えめに言っても誤解を招くような内容ばかりだ(ちなみに、許しがたき誹謗中傷はスクリーンショットを撮っている)。

ラリー・サンガーはウィキペディアの共同設立者であるが、彼はウィキペディアがあのような人々の手に渡ったことをあまり快く思っていないようだ。

サンガーは、『*Essays on Free Knowledge*』というすばらしい近著の中で、CIAやその他の政府機関がページを編集していることを告発した。また、彼はウィキペディアの信憑性が不当に高いという、一般的な認識を定着させたグーグルを非難し、「ウィキペディアは中立性を放棄し、社会的操作のツールとして利用されている」とはっきり述べている。ウィキペディアを編集したり利用したりする人は、何が起こったかを理解するために彼の本を読むべきだ。ウィキペディアはまさに現代版『ウィッチファインダー・ジェネラル』（訳注：1968年に製作されたイギリス映画。17世紀、金もうけのために無実の人々を魔女に仕立て上げ処刑した実在の人物で、自称〝魔女狩り将軍〟ことマシュー・ホプキンスを主人公とした残忍な物語）である。

未熟なアマチュアが中心となって書いたそのオンライン百科事典は、開始当初は良いアイデアだったかもしれない。しかし、そろそろウィキペディアは閉鎖されるべきではないか。ウィキペディアはジャーナリズム、歴史、科学、医学、そして百科事典の本質を侮辱している。疑いもなく、百害あって一利なしだ。ウィキペディアを信頼のおける情報源として維持しようとする誠実な編集者もいるが、サイト上での悪用を許してしまったために、ウィキペディアに書かれていることを冗談だと思う人が増えている。ウィキペディアに中傷を書き込むことを、正しいことだと考える独創的な考えを持つ人もいるが、サイトの運営者が一部の編集者の偏見や先入観を容認しているように見えるのは悲しいことである。このような人格攻撃の結果、何人の無実の犠牲者が自殺に追い込まれたのだろう。

何よりも心配なのは、２０２０年の騒動に関する英国政府の対策を方向づけた初期のモデリングにウィキペディアが使用されていたというニュースだ。ウィキペディアなんて、あらゆる変人や奇人、また特定の政治的意図を持った人々によって編集されている、極めて評判の悪いサイトではないか。

ある店で2人の少年が言い争っているのを聞いたことがある。

「ウィキペディアで読んだ」と1人が言った。

「じゃあ、たぶん間違っているよ」ともう1人が答えた。

それがすべてを物語っている。

ウィキペディアは偏見を持った人たちに破壊され、多くの哀しい有害な編集者たちによってファシズムと無秩序の勢力を担うオンライン兵士として利用されている。

悪者にされ、仕事を台無しにされた他の人々と同様に、私も静かな絶望感に襲われている。だが、自分の評判が不当に落とされたことで、私はこれまで以上に真実を明らかにしていく決意を固めた。

W11 WILDING 自然化

自然化とは、広大な田園地帯を放置しておくことで、魔法のように草原に花が咲き、美しいブルーベルが森に咲き誇るようになるという考え方だ。木々の上では鳥たちが生き生きとさえずり、その下では哺乳類が野原や牧草地を歩き回るようになる。

悲しいことだが、それは幻想である。

イギリスでは土地を野放しにすると、ワラビやイタドリ、ジャイアントホグウィードなどが生い茂り、ネズミのような繁殖力の強い動物が出現する。地域によって差はあるが、他の国でも同様のことが起こり得る。

しかし、そんなことが起きたところで、自然化を熱烈に支持する人たちには関係ないのだろう。

自然化の元々の正式名称は「Wildlands Project（自生地プロジェクト）」で、広大な土地を自然に戻し、それらをつなぐ回廊を作ろうというものだ。広大な土地を湖にするためにダム（発電用のものも含む）を破壊するという計画もあった。

さらに、土地にさまざまな種類の野生動物を放すことも計画されていた。アメリカではオオカミやクマなどが放たれている。

イギリスではバイソンが放たれ、その世話をするレンジャーが2名募集されている。ヨーロッパ最大の陸生哺乳類であるバイソンは、森林の生態系を乱すと思われる。バイソンが既存の野生動物に何をもたらすかは、天のみぞ知る、である。最後の氷河期以来、イギリスにはバイソン（またはバイソンの親戚）はいない。

それでは、自然化とはいったい何なのか？

自然化は、広大な田園地帯をイタドリやネズミの巨大な保護区にしてしまうことではない。また野生化や再野生化は、郊外での畜産や田園の保護のためのように見えるが、人間や野生動物の保護や尊重はまったく考慮されていない。

自然化の目的は、単に人々を管理・コントロールがしやすい大都市へと移住させることである。だが、田舎者やそれに反対する人には到底理解されないだろう。

W12 WIND FARMS 風力発電所

風力発電所は、地球温暖化を支持するカルト信者たちに好まれている。もしあなたが多くの鳥を殺したいと考えるならば、風力発電機以上に適したものはないだろう。しかし風力発電所は発電にはあまり向いていない。ここで3つの事実をお伝えする。

1つ目は、風車を建設する（そのための必要な材料をすべて掘り出す）と、風車が一生の間に生み出すエネルギーよりも多くのエネルギーを消費してしまうこと。

2つ目は、風車を維持するために大量の電力を必要とすること。風がないとき（案外よくあることだが）は、ブレードの焼き付きを防ぐために、人工的にブレードを回さなければならない。そのために何が必要かというと、電気である。

3つ目は、風がないとタービンは電気を作ることはできないこと。暖房や照明、料理などのために風力発電を頼りにしている人たちは凍死もしくは餓死してしまうだろう。

風力発電所は鳥を殺すのに最適である。しかしそれなら、ヘッジファンド・マネージャーを大勢雇い、1日5000ポンド払って鳥を射殺してもらったほうが効率がよいのではないか。

W_{13} WORLD GOVERNMENT 世界政府

歴史上の有名な支配者は皆、世界政府を夢見てきた。そして、この世界政府を自分たちで牛耳りたいと思っているのだ。アレクサンドロス大王も、ジュリアス・シーザーも世界政府を望んできた。カール大帝もナポレオンも世界を支配したいと思っていた。そして言わずもがな、ヒトラーもである。

今、世界政府はトニー・ブレアのような、かねてより信用ならず、いかがわしい戦争犯罪者たちの目指すゴールとなっている。

Zn ZINC 亜鉛

亜鉛は免疫システムを健康に保ち、風邪の回復を早めたり症状を抑えたりする働きがある。亜鉛は抗体を増やし、感染症と戦う手助けになるのだ。ＷＨＯは亜鉛が欠乏すると、５歳以下の子どもの肺炎やインフルエンザの罹患率が13％増えると報告している。お年寄りも亜鉛が欠乏しがちなため、感染症にかかりやすい。簡単な対処法はサプリメントを定期的に摂取することだ。

第3章　グレート・リセットから未来を救う

赤ん坊のときからすべてを支配する？

チャールズ皇太子やボリス・ジョンソン、クラウス・シュワブ、トニー・ブレア、ビル・ゲイツやその他の仲間たちは、自分たちが押し付けた未来の生活を私たちに送らせようとしている。では、私たちはどのように対抗すればいいのだろうか？　自分を守るためにどのように政府に働きかけていけばいいのだろうか？　グローバリストたちの常軌を逸した計画に反発したところで、一時の気休めにしかならない。邪悪な計画から完全に解放されるためには、彼らを一掃しなければいけないのだ。すなわち、尊厳や威厳を保ち、世界を再構築し、世の中や人類を都合よく作り替えようとする、億万長者や頭のおかしな支配者たちを追放しなければいけないのだ。

世界政府の提唱者たちは、あらゆる反対意見を非難する。グレート・リセットを承認しない人は人種差別者であり同様のおぞましい思想の人物だとされる。反対意見を持てば、モンスターや悪魔のように無慈悲に扱われ、協力者たちは、戦争の歩兵として絶えず採用されている。政治家と警察官は絶えず協力者たちを焚き付けて、障害や健康上の問題をひそかに抱えている人たちや、自由な精神や思想を持つ人々を辱めている。

彼らの目的は非常に明快だ。私たちを非人間的にして、ロボットに世界を乗っ取らせ、人々の心や魂、自由や民主主義を奪い取るつもりなのだ。第四次産業革命の目的は、私たちが何者で、何をするか、何を考えるかといったことまで支配することである。これは「グレート・リセット」と呼ばれている。すべての赤ん坊にはプログラムが組み込まれる。ロボットは事実上すべての仕事を奪ってしまうだろう。世界の人口は95％減る。国連が掲げる目標は、工業国を崩壊させることである。国連はこのように述べている。「悪魔的儀式を受けない限りは、誰も新時代に突入することはできないだろう」。

彼らは私たちを脅かし、分断させ、力を奪いたいのだ。中小企業、中流階級を破壊し、あらゆる野心や願望を打ち砕きたいのだ。私有財産を没収し、経済的混乱を引き起こし、世界をリセットしたいのだ。そして、ＥＵが目論んでいたように、選挙で選ばれたわけではない人々から構成された自治体を各地に設置し、国家主義の表明を禁じようとしている。そういうわけで、国旗はいずれ廃止されるだろう。

彼らは目的ではなく手段に、メッセージではなく、媒体に目を向けさせようとしている。その魂胆は、森や木ではなく、葉について勉強させることで、我々の成長を阻むことである。

おわりに

この戦いに勝ったとしても、私たちは社会や個人を守るために戦い続けなくてはならない。なぜなら、アジェンダ21を企てた人々や、アジェンダ21の根拠となっている地球温暖化詐欺を担ぐ人々は決して消え去ることなく、民主主義やあらゆる自由を終わらせ、自分たちの支配下にある世界政府を築く決意を変えることもないからだ。

私たち、そして未来の世代は警戒を怠ってはならない。短期的には、新しい世界秩序の計画に参加し、それを支援・促進していると思われる人たちを全員、終身刑にしてしまえばいいかもしれない。彼らは多くの人を死なせた責任があるのだから、現行の法律で罪に問うことは難しくないだろう。

だが、アジェンダ21の邪悪な提唱者たちは、今回の戦いに負けたとしても(まだ決着はついていないが)、今後も新たな法律や勧告、そして罪悪感を抱かせるような映画や報告書を際限なく作り続けるだろう。彼らは決して諦めることはないのだから、私たちはこの先もずっと油断できない。

もしこの戦いに私たちが負けるとすれば、それは行動を起こそうとするだけの関心を持つ人が少なかったことが理由だ。そして、もし負けてしまったなら、私たちはソ連や中国が慈悲深く運営してきた、一見すると行楽地のような「全体主義社会」の奴隷になり下がってしまう。

読者の皆さんへ

本書が役に立ったと思ったら、お好きなサイトにレビューを投稿していただけると幸いである。私自身が宣伝するよりも、はるかにすばらしい宣伝となるだろう。

感謝を込めて。

ヴァーノン・コールマン

必読書リスト（順不同）

本書の執筆にあたって、私は幾千もの本や記事や科学論文を参照した。読者にアピールするために、参考にしたすべてを百ページにもわたるリストとして掲載することだってできた。最近ではこのような見せびらかしはよくあることで、本の3分の1以上が、誰の役にも立たない、おそらく原著者が彼の参考書からコピーしたであろう膨大な参考文献のリストだけで構成されていることも珍しくはない（70歳以上で、猜疑《さいぎ》心を持たない素直な人は、そのことに注意を払うことさえないかもしれないが）。

しかし、使用した資料をすべて掲載すると本の値段が2倍になってしまうし、私はできるだけ安く本を提供したいと考えている。1冊の本を売って1ドルの収益になるよりも、100冊の本を売って1セントの収益になるほうがいいのだ。

ここではいくつかのお勧めの書籍を厳選して紹介する。そのほとんどは私が何度も読み返し、本書の執筆にあたって参考にしたものである。タイトルは順不同で並んでいる。アルファベット順にしなかったのは、著者別にするか、タイトル別にするかで迷ったからだ。なお、リストはできる限り短くした。

Fog Facts: Searching for Truth in the Land of Spin-Larry Beinhart
Wag the Dog-Larry Beinhart
『市民が反抗する義務』ヘンリー・デイヴィッド・ソロー
『社会契約論』ルソー
The Road to Serfdom-F. A. Hayek
Our Own Worst Enemy-Norman F Dixon
『国家』プラトン
『戦史』トゥキュディデス
Without Conscience: The Disturbing World of the Psychopaths Among Us-Robert D.Hare PhD
『パワーシフト 21世紀へと変容する知識と富と暴力』アルビン・トフラー
The Hidden Persuaders-Vance Packard
Snakes in Suits: When Psychopaths Go to Work-Paul Babiak PhD and Robert D Hare PhD
Hidden Dangers: How governments, telecom and electric power utilities suppress the truth about the known hazards of electro-magnetic field (EMF) radiation-Captain Jerry G. Flynn
Technocracy-The Hard Road to World Order-Patrick M Wood
Climategate-The Dot Connector Library
The Invisible Rainbow: A History of Electricity and Life-Arthur Firstenberg

『メディア論：人間の拡張の諸相』マーシャル・マクルーハン
Griftopia-Matt Taibbi
Presstitutes: Embedded in the Pay of the CIA-Udo Ulfkotte
The Revolution: A Manifesto-Ron Paul
Behind the Green Mask: U.N. Agenda 21-Rosa Koire
Illuminati: Agenda 21-Dean and Jill Henderson
Shaping the Future of the Fourth Industrial Revolution: A Guide to Building a Better World-Klaus Schwab
Agenda 21-Ron Taylor
『マネーを生みだす怪物：連邦準備制度という壮大な詐欺システム』Ｇ・エドワードグリフィン
Essays on Free Knowledge-Larry Sanger
『自由論』ジョン・スチュアート・ミル
『すばらしい新世界』オルダス・ハクスリー
『動物農場』ジョージ・オーウェル
『１９８４年』ジョージ・オーウェル
聖書
Greta's Homework-Zina Cohen
『狂気とバブル：なぜ人は集団になると愚行に走るのか』チャールズ・マッケイ

Rural Rides-William Cobbett
『隷属への道』F・A・ハイエク
トマス・ペインの著作
ベンジャミン・フランクリンの著作
The Greatest Minds and Ideas of All Time-Will Durant
『君主論』マキャヴェッリ
『対比列伝』プルタルコス
『道徳経』老子
『孫子』孫武
The Lessons of History-Will and Ariel Durant
The Fifteen Decisive Battles of the World-Sir Edward Creasy MA
『アウトサイダー』コリン・ウィルソン
Roche versus Adams-Stanley Adams

ヴァーノン・コールマンの著書

How to Protect and Preserve Your Freedom Identity and Privacy
Coleman's Laws
Coming Apocalypse
How to Stop Your Doctor Killing You
Why and How Doctors Kill More People Than Cancer
The Medicine Men of the Apache (out of print)
Paper Doctors (out of print)
The Health Scandal (out of print)
Betrayal of Trust (out of print)
What Happens Next?
Living in a Fascist Country
Why Everything Is Going To Get Worse Before It Gets Better
Superbody
Meat Causes Cancer And More Food for Thought
Coming Apocalypse

OFPIS

Bloodless Revolution

The Shocking History of the EU

Anyone Who Tells You Vaccines are Safe and Effective is Lying

Moneypower

The Benzos Story

Bodypower

Mindpower

Spiritpower

Toxic Stress

著者について／経歴と参考記事

現在、多くのメディアで語られている私についての嘘に対してささやかな反論をするために、この短い経歴を掲載しておく。

ヴァーノン・コールマンは、スタフォードシャー州のウォルソールにあるクイーン・メアリーズ・グラマー・スクールで教育を受けた。その後、リバプールのコミュニティサービスで1年間、ボランティアとして活動し、アレック・ディクソンの教えを最初に広めた人物となる（下記参照1）。

彼はバーミンガム・メディカルスクールで医学を学び、1970年に医師免許を取得。勤務医、そして開業医として働いていたが、自らの信念を貫くために辞職した（下記参照2）。また、医原病、薬物中毒、動物虐待に関する多くのキャンペーンを行い、庶民院と貴族院の委員会に証拠も提出している。その一例が、2002年12月2日月曜日に「動物に対する科学的な手順に関する貴族院特別委員会（2001～02）」に提出した証拠である。ドクター・コールマンのキャンペーンは何度も成功を収めている。例えば、（1973年にスタートした）15年キャンペーンの後、最終的には、ベンゾジアゼピン精神安定剤の処方を管理するために、より厳格な統制を導入するよう英国政府を説得した。「私が承認を得て参照しているドクター・ヴァーノン・コールマンの記事は、これらの重要な問題について懸念を表明した」と、1988年に庶民院の保健大臣は述べた（下記参照3）。

また、コールマン氏は、『ザ・サン』、『デイリー・スター』、『サンデー・エクスプレス』、『サンデー・コレスポンデント』、『ピープル』を含む多くの全国紙のコラムニストとしても活動。かつては全国紙に3つのコラムを同時に書いていた（『サンデー・ピープル』ではダンカンスコット博士、『ザ・サン』ではジェームズ博士、そして『デイリー・スター』ではドクター・ヴァーノン・コールマンといったように、それぞれの媒体で異なる名前を使っていた）。それだけにとどまらず、グラスゴーの『イブニング・タイムズ』と『サンデー・スコット』の週刊コラムも執筆していた。同時掲載されたコラムは、英国の50以上の地方紙に掲載され、彼のコラムと記事は世界中の新聞や雑誌にも掲載された。だが、イラク戦争を開始するという政府の決定を批判するコラムを編集者が掲載拒否したという理由で、2003年に『ピープル』を辞任している（下記参照6）。

彼は、『サンデー・タイムズ』、『オブザーバー』、『ガーディアン』、『デイリー・テレグラフ』、『サンデー・テレグラフ』、『デイリー・エクスプレス』、『デイリー・メール』、『メール・オンサンデー』、『デイリー・ミラー』、『サンデー・ミラー』、『パンチ』、『ウーマン』、『ウーマンズ・オウン』、『ザ・レディ』、『スペクテイター』、『ブリティッシュ・メディカル・ジャーナル』を含む何百もの出版物に記事やコラムを寄稿してきた。また、『ブリティッシュ・クリニカル・ジャーナル』の創設編集者を務め、長年にわたり、『ドクター・ヴァーノン・コールマンの健康通信』と呼ばれる月刊ニュースレターを書いていた。

彼はイギリスのオープン大学で働き、さまざまな医療問題について医師や看護師に講義を行ってきた。さらに数多くのテレビやラジオ番組にも出演している。ＡＭＴＶでは最初の「朝のお茶の間の医師」として知られるようになる。彼はテレビで人生相談を行う（ＢＢＣ1の『アフタヌーンショー』にて）最初の医師となる。さらに、ベストセラーとなった自著『ボディパワー（*Body power*）』に基づいて3つのテレビ番組を提供した。

１９８０年代には、最初のコンピューター化された健康プログラムのためのアルゴリズムの作成を支援。世界初の家庭用コンピューターを購入した先見の明のある個人を対象に世界中で販売された（下記参照4）。

彼の著書は英国のアロー、パン、ペンギン、コーギー、マンダリン、スター、ピアトクス、ＲＫＰ、テームズアンドハドソン、シジウィックとジャクソン、マクミラン、その他の多くの主要な出版社で出版されており、25の言語に翻訳されている。

英語版は、英国はもちろん、アメリカ、オーストラリア、カナダ、南アフリカで販売されている。著書のいくつかは、『サンデー・タイムズ』と『ブックセラー』のベストセラーリストにも選出された。これまでに100冊以上の本を執筆し、英国だけでも200万部以上を売り上げている。自費出版小説の『カルディコット夫人のキャベツ戦争（*Mrs Caldicot's Cabbage War*）』は映画化され、賞も受賞している（主演：ポーリン・コリンズ、ジョン・アルダートン、ピーター・カパルディ）。この作品は、他の小説と同じく、オーディオ版での利用ができる。

ヴァーノン・コールマンは、妻のドナ・アントワネット・コールマンと5冊の本を共同執筆している。さらに、多種多様なペンネームで多くの記事（および書籍）を書いてきた（書いたことさえ忘れているほどの数だ）。

ドナ・アントワネット・コールマンは、風景画を専門とする才能ある油絵師である。著書には『*My Quirky Cotswold Garden*』などがある。彼女はロイヤル・ソサエティ・オブ・アーツの特別会員であり、ヴァーノンとは20年以上の結婚生活を送ってきた。

ヴァーノン・コールマンは数々の賞を受賞してきた。一時期は、スリランカを拠点とするオープンインターナショナル大学で、ホリスティックメディカルサイエンスの教授も務めていた。

ヴァーノン・コールマンに関する参考記事

参照1

「カークビーのために活動するボランティア」『ガーディアン』1965年5月14日（1964～65年にリバプールのカークビーでコミュニティサービスのボランティアとして従事した際の記事）

参照2

「小役人根性に嫌気が差して、私はNHSから去った」『パルス』1981年11月28日（ヴァーノン・コールマンは、病気の機密情報の開示を拒否した後、開業医を辞任している。メモフォーム）

参照3

「スターに夢中」『ザ・スター』1988年3月10日

参照4

「医学はコンピューター化される：あなたの医師をプラグイン」『タイムズ』1983年3月29日

参照5

「医学における意思決定支援コンピューター」『ブリティッシュ・メディカル・ジャーナル』

1984年9月8日、1984年10月27日

参照6

「良心的な兵役拒否者」『ファイナンシャル・タイムズ』2003年8月9日

ヴァーノン・コールマンの主なインタビュー記事

「親しみやすい医師」『バーミンガムポスト』1984年10月9日
「聖域注意：ヴァーノン・コールマン再び出版」『ザ・スコッツマン』1984年12月6日
「我らがドクター・コールマンはマスタード（熱意がある人）」『ザ・サン』1988年6月29日
「行間の心を読む」『BMA ニュースレビュー』1991年11月
「医師第一主義」『BMA ニュースレビュー』1996年2月21日
「自費出版の大リーグ」『デイリー・テレグラフ』1996年8月17日
「本のドクター」『インディペンデント』1999年3月16日
「病気の練習」『Ode Magazine』2003年7月／8月
「警告されました、ブレアさん」『スペクテイター』2004年3月6日および2004年3月20日

「真の異端者の思考の糧」『ウエスタン・デイリー・プレス』２００６年9月5日
「今から診察します」『インディペンデント』２００８年5月14日

www.vernoncoleman.com には、より多くの参照記事のリストがあります。

著者プロフィールは489～492頁を参照ください。

監修・解説：内海 聡　うつみ さとる
1974年兵庫県生まれ。筑波大学医学専門学群卒業後、内科医として東京女子医科大学附属東洋医学研究所、東京警察病院などに勤務。牛久愛和総合病院内科・漢方科勤務を経て、牛久東洋医学クリニックを開業。その後同クリニックを閉院し、断薬を主軸としたTokyo DD Clinic院長、NPO法人薬害研究センター理事長を兼任。精神医学の現場告発『精神科は今日も、やりたい放題』（PHP文庫）がベストセラーになり話題をさらう。その後も『医学不要論』（廣済堂新書）『医者に頼らなくてもがんは消える』（ユサブル）『新型コロナワクチンの正体』（ユサブル）など著書多数。

訳者：田元明日菜　たもと あすな
福岡県出身。早稲田大学大学院文学研究科修了。訳書に『タオ・オブ・サウンド』（ヒカルランド）、『コロナとワクチン 歴史上最大の嘘と詐欺１～５』（ヒカルランド）、『つのぶねのぼうけん』（化学同人）、『すてきで偉大な女性たちが世界を変えた』（化学同人）、共訳書に『ノー・ディレクション・ホーム：ボブ・ディランの日々と音楽』（ポプラ社）などがある。

決して終わらない？
コロナパンデミック未来丸わかり大全

第一刷　2022年3月31日

著者　ヴァーノン・コールマン

監修・解説　内海　聡

訳者　田元明日菜

発行人　石井健資

発行所　株式会社ヒカルランド
〒162-0821　東京都新宿区津久戸町3-11　TH1ビル6F
電話　03-6265-0852　ファックス　03-6265-0853
http://www.hikaruland.co.jp　info@hikaruland.co.jp

振替　00180-8-496587

本文・カバー・製本　中央精版印刷株式会社

DTP　株式会社キャップス

編集担当　小暮周吾

ISBN978-4-86742-095-9

ヒカルランド　好評既刊！

地上の星☆ヒカルランド　銀河より届く愛と叡智の宅配便

ワクチンSOS！
遺伝子組み換え作物のテクノロジーがヒトに試されようとしている！
著者：高橋 徳／坂の上零
四六ソフト　本体 2,000円+税

3日寝てれば治るのに！
コロナワクチン幻想を切る
著者：井上正康／坂の上零
四六ソフト　本体 1,600円+税

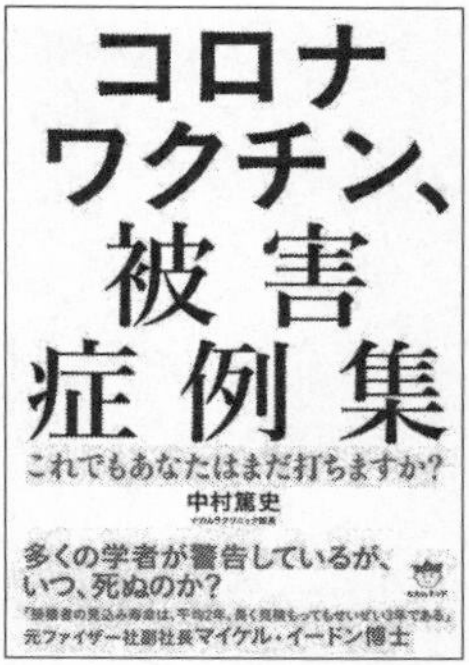

コロナワクチン、被害症例集
これでもあなたはまだ打ちますか？
著者：中村篤史
四六ソフト　本体 1,500円+税

ウイルスは［ばら撒き］の歴史
コロナも同じ！　ワクチンビジネスの超裏側
著者：菊川征司
推薦：船瀬俊介
四六ソフト　本体 2,000円+税

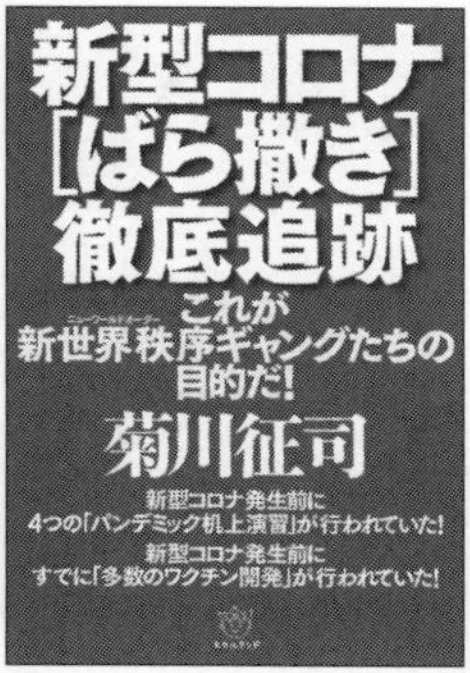

新型コロナ［ばら撒き］徹底追跡
これが新世界秩序（ニューワールドオーダー）ギャングたちの目的だ！
著者：菊川征司
四六ソフト　本体 1,800円+税

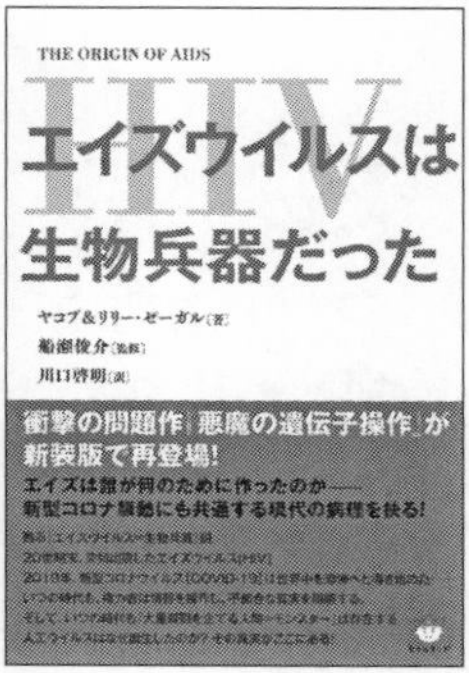

THE ORIGIN OF AIDS
エイズウイルス（HIV）は生物兵器だった
著者：ヤコブ&リリー・ゼーガル
監修：船瀬俊介
訳者：川口啓明
四六ソフト　本体 2,000円+税

ヒカルランド　好評既刊！

地上の星☆ヒカルランド　銀河より届く愛と叡智の宅配便

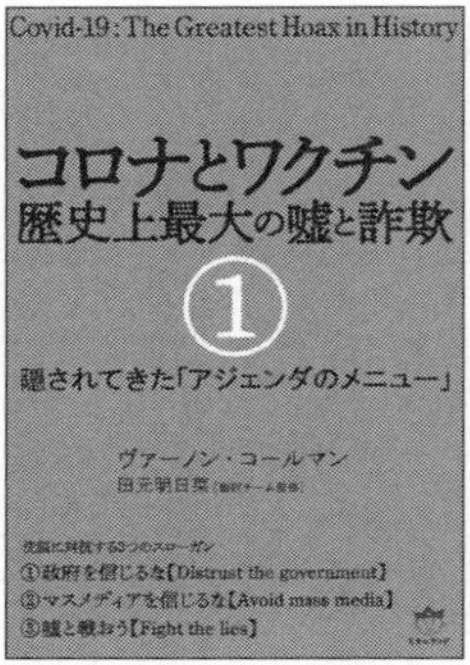

コロナとワクチン　歴史上最大の嘘と詐欺①
隠されてきた「アジェンダのメニュー」
著者：ヴァーノン・コールマン
訳者：田元明日菜
四六ソフト　本体 1,600円+税

コロナとワクチン　歴史上最大の嘘と詐欺②
暗黒の未来へようこそ！
著者：ヴァーノン・コールマン
訳者：田元明日菜
四六ソフト　本体 1,600円+税

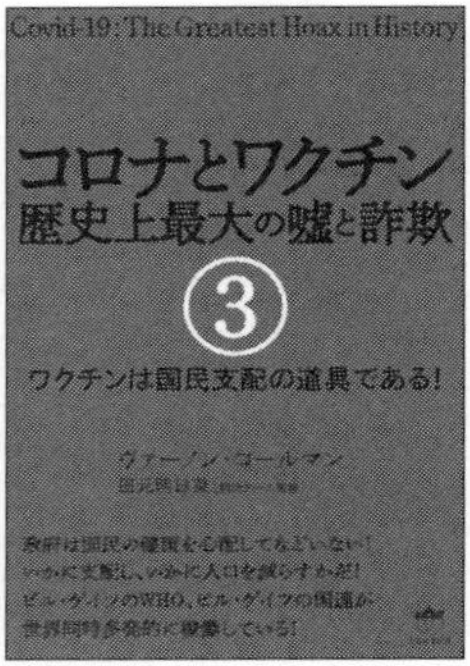

コロナとワクチン　歴史上最大の嘘と詐欺③
ワクチンは国民支配の道具である！
著者：ヴァーノン・コールマン
訳者：田元明日菜
四六ソフト　本体 1,600円+税

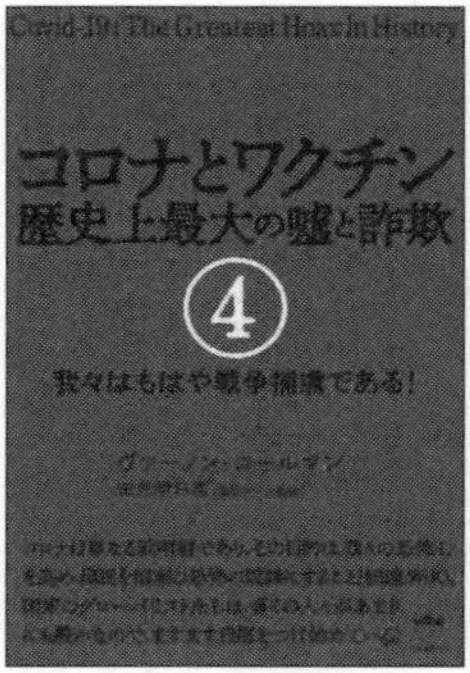

コロナとワクチン　歴史上最大の嘘と詐欺④
我々はもはや戦争捕虜である！
著者：ヴァーノン・コールマン
訳者：田元明日菜
四六ソフト　本体 1,600円+税

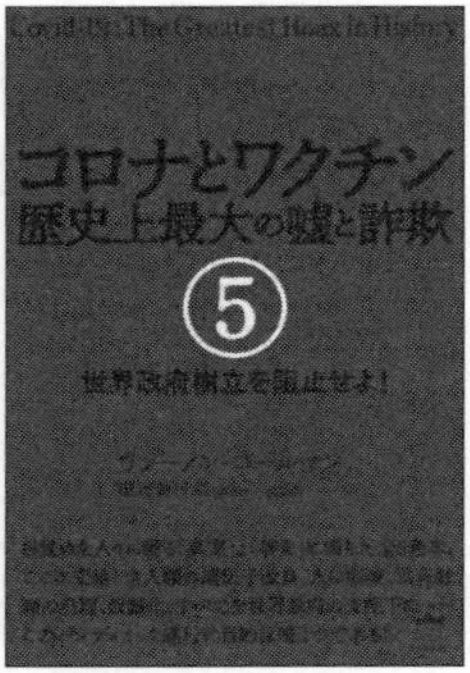

コロナとワクチン　歴史上最大の嘘と詐欺⑤
世界政府樹立を阻止せよ！
著者：ヴァーノン・コールマン
訳者：田元明日菜
四六ソフト　本体 1,600円+税